Muito Prazer

GLÁUCIA ROBERTA ROCHA FERNANDES
TELMA DE LURDES SÃO BENTO FERREIRA
VERA LÚCIA RAMOS

Curso de Português para Estrangeiros
Inclui 2 CDs

Muito Prazer

FALE O PORTUGUÊS DO BRASIL

4ª REIMPRESSÃO

DISAL EDITORA

Capa e projeto gráfico
Paula Astiz

Editoração eletrônica
Lydia Megumi / Paula Astiz Design

Ilustrações
Lydia Megumi

CD
Produtora: jm produção de áudio
Direção geral: José Mario Velasco
Coordenadora de elenco e narração: Isabel de Sá

Dados Internacionais de Catalogação na Publicação (CIP)
(Câmara Brasileira do Livro, SP, Brasil)

Fernandes, Gláucia Roberta Rocha
Muito prazer : fale o português do Brasil / Gláucia Roberta Rocha Fernandes, Telma de Lurdes São Bento Ferreira, Vera Lúcia Ramos. – Barueri, SP : DISAL, 2008.

ISBN 978-85-7844-005-3

1. Português – Gramática – Estudo e ensino I. Ferreira, Telma de Lurdes São Bento. II. Ramos, Vera Lúcia. III. Título.

08-09899 CDD-469.507

Índices para catálogo sistemático:

1. Gramática : Português : Estudo e ensino 469.507
2. Língua portuguesa : Gramática : Estudo e ensino 469.507

DISAL EDITORA

Todos os direitos reservados em nome de:
Bantim, Canato e Guazzelli Editora Ltda.

Alameda Mamoré 911, sala 107, Alphaville
06454-040, Barueri, SP
Tel. / Fax: (11) 4195-2811
Visite nosso *site*: www.disaleditora.com.br
Televendas: (11) 3226-3111
Fax gratuito: 0800 7707 105/106
E-mail para pedidos: comercialdisal@disal.com.br

À minha mãe que sempre me apoia e me ama incondicionalmente.
Aos meus amigos que colorem minha vida.
À Vanessa Lourenço que tanto me ensinou em tão pouco tempo
neste mundo.

GLÁUCIA

Ao meu marido Ricardo, ao meu pai Manuel e à minha filha Maria Sofia.
À minha mãe, in memoriam.

TELMA

À minha mãe Ana que me ensinou a respeitar as diferenças.
À memória inesquecível de meu pai Otávio.
Ao meu irmão José, minha irmã Malu, meu cunhado Ismael e
meus sobrinhos: Fábio, Rejane, Carolina e Wagner
pela melodia que representam em minha vida.

VERA

Sumário

Acesse:
www.
muitoprazerlivro.
com.br
Downloads gratuitos de exercícios para alunos e professores

Agradecimentos

Aos nossos orientadores e professores que nos influenciaram na busca pelo conhecimento de outras culturas e diferentes maneiras de comunicação verbal.

Às primeiras companheiras de aulas e estudos dedicados aos estrangeiros: Sandra Rosal Bezerra, Roseane Maria Mozena, Marisa Bertoncini e Yedda Alves de Oliveira.

Aos nossos alunos de sempre e no momento representados pelo sr. Masashi Mizoguchi, Isao Kamiya e Koji Natsume.

À Paula Astiz, a designer deste livro, que com paciência e leveza procurou executar todos os minuciosos pedidos de desenhos e fotos.

E, finalmente, a todos aqueles que, direta ou indiretamente, nos ajudaram na confecção deste livro.

Apresentação

O objetivo do **Muito Prazer – Fale o Português do Brasil** é capacitar o aluno, de qualquer nacionalidade, que deseja aprender o português do Brasil a comunicar-se com precisão e fluência. Para isso, o **Muito Prazer** oferece uma abordagem nova para o ensino e aprendizado do português, que combina as melhores características das abordagens mais modernas de ensino de língua estrangeira, sem deixar de lado o estudo das estruturas que formam a língua portuguesa. Para tanto, apresentamos o léxico e a gramática essenciais para uma boa comunicação em português, por meio de atividades estimulantes e contextualizadas, que apresentam a linguagem em uso na comunicação dos brasileiros.

Os temas escolhidos são de grande interesse e utilidade para qualquer aluno que queira aprender a língua portuguesa falada no Brasil e entrar em contato com os costumes dos brasileiros. As informações culturais estimulam as discussões e propiciam ao aluno oportunidades de comparação com sua própria cultura, muito valiosas na aprendizagem de uma língua estrangeira. Os temas são usados para integrar conversação, gramática, vocabulário, pronúncia, compreensão auditiva, leitura e escrita.

O **Muito Prazer – Fale o Português do Brasil,** é um curso para alunos iniciantes e de nível intermediário, cujo principal objetivo é fazer com que os alunos interajam uns com os outros e/ou com o/a professor/a. Por darmos grande ênfase à interação oral, o aluno aprende a aplicar o que aprendeu para se comunicar. Além disso, as experiências de aprendizagem são personalizadas, pois o aluno fala sobre si e suas ideias, discutindo assuntos relevantes no seu dia a dia, o que possibilita uma troca de experiências. O livro também pode ser utilizado por autodidatas, visto que as respostas de todos os exercícios e a transcrição dos textos de áudio encontram-se ao final do livro. Dessa forma, é possível que o aluno confira suas respostas e ouça os textos de áudio, com as respectivas transcrições, quantas vezes achar necessário.

Há 20 unidades neste livro e, a cada 4 unidades, uma de revisão e uma de pronúncia são apresentadas, totalizando 5 de cada. Elas são divididas em três lições (**A, B e C**) e uma parte final que as relaciona e as revisa, de acordo com o tópico principal da unidade. Cada lição (exceto a unidade 1) é composta por:

PANORAMA: seu objetivo é introduzir e contextualizar o assunto que será abordado, utilizando o conhecimento prévio do aluno, a fim de prepará-lo para o conteúdo que será apresentado.

DIÁLOGO: os diálogos foram elaborados para tentar recriar situações da vida real no país, com uma linguagem apropriada para diferentes tipos de contextos (registros formal e informal). Por meio deles, o aluno entra em contato com as estruturas gramaticais e vocabulário que serão praticados nos exercícios seguintes. Além disso, o aluno terá oportunidade de praticar pronúncia e compreensão auditiva.

CONSTRUÇÃO DO CONTEÚDO: primeiramente, por meio de exercícios escritos controlados e depois com exercício oral mais livre, o aluno poderá consolidar as estruturas estudadas e aplicá-las, a fim de aumentar sua competência comunicativa.

AMPLIAÇÃO DO VOCABULÁRIO: nesta seção, o aluno aprende palavras relacionadas ao assunto da lição de maneira ativa, ou seja, pode utilizá-las em exercícios orais ou reconhecê-las em exercícios de compreensão auditiva.

Na parte final da unidade (**LIÇÕES A, B e C**), o aluno revê o conteúdo das três lições. Esta parte é dividida em Compreensão Auditiva, Aplicação Oral do Conteúdo, Leitura, Redação e Consolidação Lexical.

COMPREENSÃO AUDITIVA: nesta seção, o aluno revê o conteúdo da unidade de maneira passiva, ou seja, tem mais uma oportunidade de reconhecer e internalizar estruturas e vocabulário já vistos anteriormente.

APLICAÇÃO ORAL DO CONTEÚDO: nesta seção, o aluno, novamente, tem a oportunidade de aplicar comunicativamente o conteúdo da unidade, dessa forma, consolidando seu conhecimento e sistematicamente melhorando a fluência oral.

LEITURA: os textos da leitura, em sua grande maioria, foram tirados de fontes autênticas (jornais, revistas, internet) e adaptados ao nível do conhecimento linguístico do aluno. Além dos exercícios de compreensão que os seguem, também há exercícios que fazem com que o aluno fale um pouco mais de si e de sua realidade.

REDAÇÃO: a proposta de atividade escrita tem a finalidade de fazer com que o aluno utilize o vocabulário e a gramática aprendidos, até aquele momento, e escreva sobre um tópico visto na unidade.

CONSOLIDAÇÃO LEXICAL: inspirado na abordagem lexical (Lewis, 1997), essa seção tem a finalidade de organizar o vocabulário aprendido na unidade, de modo que o aluno fixe melhor as combinações mais frequentes de palavras e estruturas aprendidas.

Além disso, os exemplos e atividades elaborados a partir da linguagem corrente do português do Brasil procuram mostrar como certas palavras e expressões se comportam em determinados contextos.

Os quadros "Note que..." e "Na conversação..." chamam a atenção do aluno para expressões típicas da língua falada ou escrita. Além disso, o "lembra", como o nome assim sugere, faz o aluno relembrar de tópicos importantes anteriormente estudados. As estruturas repetidas aparecem recicladas em outras unidades como parte essencial da construção de um conhecimento mais avançado.

O reforço da aprendizagem também acontece nas unidades de revisão que, como anteriormente mencionado, aparecem a cada quatro unidades. Além delas, duas seções de **PRONÚNCIA DO PORTUGUÊS** antecedem as unidades de revisão. A pronúncia, que pode ser trabalhada pelo professor em aula ou pelo próprio aluno com o auxílio do CD, além de estar presente nos diálogos, é enfatizada mais sistematicamente nessas duas seções especializadas. Nelas, alguns dos sons de maior dificuldade para o aluno estrangeiro são explicados de maneira clara e sucinta, com exercícios de prática contextualizada, que ajudam os alunos a aprimorar sua pronúncia. Além disso, como o CD de áudio contém todos os áudios do livro, o aluno pode ouvir e repetir os exercícios quantas vezes quiser, de acordo com sua necessidade.

Este livro foi confeccionado para ser usado em sequência e é importante mencionarmos que o livro, de modo algum, esgota as possibilidades de aprendizagem de cada aluno. Por isso, julgamos essencial que o professor adapte o material, caso seja necessário, para satisfazer as necessidades educacionais, interesses e estilos de aprendizagem de seus alunos.

Nós agradecemos seus comentários e experiências ao usar este livro!

Um abraço,

As autoras

UNIDADE 1 *Muito Prazer*

ANTES DE COMEÇARMOS
Expressões de sobrevivência

LIÇÃO A DIÁLOGO

02

Yuri: Oi. O meu nome é Yuri.
Marta: Olá. Eu sou a Marta.
Yuri: Muito prazer, Marta.
Marta: *O prazer é meu.*

NA CONVERSAÇÃO...
"O PRAZER É MEU" = "IGUALMENTE"

No dia seguinte...

Yuri: Oi, Marta. Tudo bem?
Marta: Tudo bem e você?
Yuri: Tudo. Marta, qual é o seu sobrenome?
Marta: É Perez. E o seu?
Yuri: Sibuks.
Marta: Hã? Como se escreve?
Yuri: S – I – B – U – K – S.

LIÇÃO A GRAMÁTICA

Pronomes pessoais e verbo ser

Eu sou	a Marta.	singular
Você é	o Yuri?	
Ele é	o João.	
Ela é	a Maria	
Nós somos	a Marta e o Yuri.	plural
Eles são	o João e a Maria.	
Elas são	a Clara e a Sônia.	
Vocês são	o Jorge e a Carla?	

LIÇÃO A CONSTRUÇÃO DO CONTEÚDO

A. Complete as frases. Depois compare com um/a colega.

1. O meu nome é ______________________________ .
2. Eu sou o/a ______________________________ .
3. O meu sobrenome é ______________________________ .

B. Complete o diálogo abaixo.

Paulo: Oi. O meu nome ______________________ Paulo.
Carlos: Oi. Muito prazer. Eu ______________________ o Carlos.
Paulo: O prazer ______________________ meu.

C. Responda as perguntas.

1. Tudo bem? ______________________________
2. Qual é o seu nome? ______________________________
3. Qual é o seu sobrenome? ______________________________

D. Oral: Apresente-se a seus colegas. Use o diálogo 1 como exemplo.

LIÇÃO A AMPLIAÇÃO DO VOCABULÁRIO

03 O alfabeto

A B C (Ç) D E F G H I J K
L M N O P Q R S T U
V W X Y Z

A. 04 **Como se escrevem os seguintes nomes? Ouça e marque a resposta correta.**

1. ( ) Gonçalves ( ) Gonsalves
2. ( ) Maique ( ) Mike
3. ( ) Chavier ( ) Xavier
4. ( ) Luiz ( ) Luis
5. ( ) Nanci ( ) Nancy

B. Complete o diálogo a seguir. Depois pratique o diálogo com o seu nome.

Cláudia: *Oi*. O meu nome ____________ Cláudia.
Sílvia: Olá. Muito prazer. O meu ____________ é Sílvia.
Cláudia: O prazer é ____________.
Sílvia: Cláudia, qual ____________ o seu sobrenome?
Cláudia: Zorodoguoi.
Sílvia: Como?
Cláudia: Zorodoguoi.
Sílvia: Como se ____________?
Cláudia: Z – O – R – O – D – O – G – U – O – I.

NA CONVERSAÇÃO...
"OI" = É MAIS COMUM DO QUE "OLÁ"

LIÇÃO B PANORAMA

Cumprimentos

A. 05 Ouça e pratique.

1. Bete: Oi, Maria, tudo bem?
   Maria: Tudo, Bete. E você?

2. Jorge: Bom dia, *seu* Ricardo. Como vai?
   Ricardo: Bem, obrigado, Jorge. E você?

NA CONVERSAÇÃO...
"SENHOR" = "SEU" É USADO COM O PRIMEIRO NOME OU O SOBRENOME, POR EXEMPLO, SENHOR RICARDO = SEU RICARDO.

3. Daniel: Boa tarde, Solange. Como vão as coisas?
Solange: Bem, obrigada. E você?

4. Pedro: Boa noite, Ronaldo. Tudo bom?
Ronaldo: Tudo, obrigado. E você, Pedro?

B. **Cumprimente as pessoas da sua classe.**

LIÇÃO B DIÁLOGO

06

Marta: Yuri, você é russo?
Yuri: Não, sou brasileiro. O meu pai é russo e a minha mãe é brasileira. E você é brasileira?
Marta: Não, sou argentina e os meus pais também. Sou secretária aqui.
Yuri: Eu sou engenheiro.

Renato: Oi, Tita. A sua caneta, obrigado.
Marta: De nada.

Yuri: Tita?!
Marta: Tita é o meu apelido. E o seu?
Yuri: Yuka.
Marta: Ah, é? *Que legal!* Bem, eu preciso ir. Tchau.
Yuri: Tchau

NOTE QUE...

"Que legal!" (informal) = "Que interessante!".

LIÇÃO B GRAMÁTICA

Artigo definido e pronome adjetivo possessivo; Pronome pessoal

Artigo definido	Artigo definido e pronome adjetivo possessivo
o (s) apelido (s)	Tita é **o meu** apelido.
a (s) caneta (s)	E **o seu**?
	A minha mãe é brasileira.
	A sua caneta, obrigado.

Pronome Pessoal	Pronome Adjetivo Possessivo	
	masculino	feminino
singular / plural	singular / plural	
Eu	meu (s)	minha (s)
Tu	teu (s)	tua (s)
Você (Ele/ Ela)	seu (s)	sua(s)
Nós	nosso(s)	nossa (s)
Vós	vosso (s)	vossas (s)
Vocês (Eles/ Elas)	seu (s)	sua (s)

"Tu" é usado em algumas regiões do Brasil e "Vós" não é usado na conversação. "Teu (s)" e "tua (s)" são usados na conversação. "Vosso (s)" e "vossa (s)" não são usados na conversação.

LIÇÃO B CONSTRUÇÃO DO CONTEÚDO

A. **Complete os espaços com pronomes adjetivos possessivos.**

1. O ______________ sobrenome é Gagarin. (eu)
2. A ______________ mãe é argentina? (ela)
3. O ______________ nome é Joseph? (você)
4. Os ______________ pais são estrangeiros. (eu)
5. A ______________ mãe não é brasileira. (eu)
6. O ______________ apelido é Gordo? (ele)
7. Os ______________ sobrenomes são Fontes e Rodrigues? (vocês)

B. **Complete o diálogo abaixo com pronomes pessoais e pronomes adjetivos possessivos.**

Carla: Oi. O ______________ nome é Carla. E o ______________ ?
Marcos: O ______________ nome é Marcos. Muito prazer.
Carla: O prazer é ______________ .
Marcos: Carla, ______________ é brasileira?
Carla: ______________ sou, mas ______________ mãe é mexicana.
Marcos: Nossa! ______________ pai não é brasileiro também. ______________ é italiano.

C. **Oral:** **Entreviste um/a colega. Faça as seguintes perguntas:**

1. Nome?
2. Sobrenome?
3. Apelido?
4. mãe / brasileira?
5. pai / russo?

LIÇÃO B AMPLIAÇÃO DO VOCABULÁRIO

Nacionalidades

singular		plural	
masculino	**feminino**	**masculino**	**feminino**
argentino	argentina	argentinos	argentinas
brasileiro	brasileira	brasileiros	brasileiras
italiano	italiana	italianos	italianas
mexicano	mexicana	mexicanos	mexicanas
russo	russa	russos	russas

Profissões

singular		plural	
masculino	**feminino**	**masculino**	**feminino**
advogado	advogada	advogados	advogadas
enfermeiro	enfermeira	enfermeiros	enfermeiras
engenheiro	engenheira	engenheiros	engenheiras
médico	médica	médicos	médicas
secretário	secretária	secretários	secretárias

A. Encontre no caça-palavras (→ ↓) 4 nacionalidades (1 masculino singular, 1 feminino singular, 1 masculino plural e 1 feminino plural) e 4 profissões (1 masculino singular, 1 feminino singular, 1 masculino plural e 1 feminino plural):

T	Ç	S	E	C	R	E	T	Á	R	I	O
J	G	H	I	A	L	O	V	F	U	B	M
E	R	B	N	Z	E	T	Q	X	S	G	E
S	D	E	H	M	C	E	V	U	S	N	X
Q	A	R	G	E	N	T	I	N	A	S	I
E	T	H	I	D	X	N	I	T	L	R	C
B	R	A	S	I	L	E	I	R	O	X	A
H	F	I	U	C	Z	Q	P	R	I	A	N
L	A	D	V	O	G	A	D	A	S	Q	O
G	A	F	T	S	S	I	A	S	C	L	S
X	E	N	F	E	R	M	E	I	R	A	O

B Coloque as nacionalidades e profissões encontradas na tabela a seguir.

	masculino singular	feminino singular	masculino plural	feminino plural
1. nacionalidades				
2. profissões				

LIÇÃO C PANORAMA

Despedidas

A. 07 Ouça e pratique.

1. Bete: Tchau, Maria.
   Maria: Tchau, Bete. Até.

2. Jorge: Tchau, seu Ricardo. Bom dia *pro* senhor.
   Ricardo: Obrigado, Jorge. *Pra* você também. Até amanhã.

3. Daniel: Até mais, Solange. Boa tarde.
   Solange: Tchau, *obrigada.* Pra você também.

4. Pedro: Tchau, Ronaldo. Boa noite.
   Ronaldo: *Obrigado*. Pra você também.

NA CONVERSAÇÃO...
"PRO" = PARA O.
"PRA" = PARA OU PARA A.

NOTE QUE...

"Obrigada" é usado por mulheres e "obrigado" por homens.

B. Oral: Despeça-se das pessoas da sua sala.

LIÇÃO C 08 DIÁLOGO

Consolação: Toshio, você é japonês?
Toshio: Não, sou brasileiro. O meu pai é japonês e a minha mãe é brasileira. E você é brasileira?
Consolação: Não, sou espanhola. Sou professora.
Toshio: Eu sou dentista.
Consolação: Ah, é? *Que interessante!*

LEMBRA?
"QUE INTERESSANTE!" = LEGAL"

LIÇÃO C AMPLIAÇÃO DO VOCABULÁRIO

Nacionalidades

singular		plural	
masculino	**feminino**	**masculino**	**feminino**
chinês	chinesa	chineses	chinesas
francês	francesa	franceses	francesas
japonês	japonesa	japoneses	japonesas
espanhol	espanhola	espanhóis	espanholas
masculino / feminino		**masculino / feminino**	
canadense		canadenses	

Profissões

singular		plural	
masculino	**feminino**	**masculino**	**feminino**
escritor	escritora	escritores	escritoras
professor	professora	professores	professoras
masculino / feminino		**masculino / feminino**	
dentista		dentistas	
motorista		motoristas	

A. Passe para o feminino ou para o masculino.

1. Ela é japonesa.

   ____

2. Ela é motorista.

   ____

3. Minha mãe é enfermeira.

   ____

4. Meu pai é francês.

   ____

5. Meu dentista é canadense.

   ____

B. Passe para o plural.

1. Ele é engenheiro.

   ____

2. Eu sou brasileira.

   ____

3. Você é escritor.

   ____

4. Ela é chinesa.

____

5. Você é espanhol.

____

C. **Complete as frases abaixo com as nacionalidades e profissões.**

1. Eduardo e João são ______________ . (ENGENHEIRO)
2. Maria é ______________ . (ESPANHOL)
3. Filomena e Jorge são ______________ . (BRASILEIRO)
4. Lívia e Manuela são ______________ . (ADVOGADO)
5. André é ______________ . (DENTISTA)

LIÇÕES A, B e C COMPREENSÃO AUDITIVA

A. 09 **Escute os diálogos a seguir e escolha a alternativa correta.**

1. Júlia é

- [ ] advogada
- [ ] secretária
- [ ] engenheira

2. O sobrenome de Sandro é

- [ ] Ferreira
- [ ] Ferrera
- [ ] Ferreria

3. O pai de John é

- [ ] argentino
- [ ] brasileiro
- [ ] mexicano

LIÇÕES A, B e C APLICAÇÃO ORAL DO CONTEÚDO

A. **Crie diálogos seguindo as instruções:**

1. Apresente-se a um colega.
2. Pergunte o sobrenome e como se escreve.

No dia seguinte...

3. Encontre seu colega e cumprimente-o.
4. Pergunte o apelido.
5. Faça perguntas sobre nacionalidade e profissão.
6. Pergunte sobre a nacionalidade dos pais (= mãe + pai).
7. Despeça-se.

Repita o roteiro algumas vezes com diferentes colegas.

LEITURA

Mensagens instantâneas

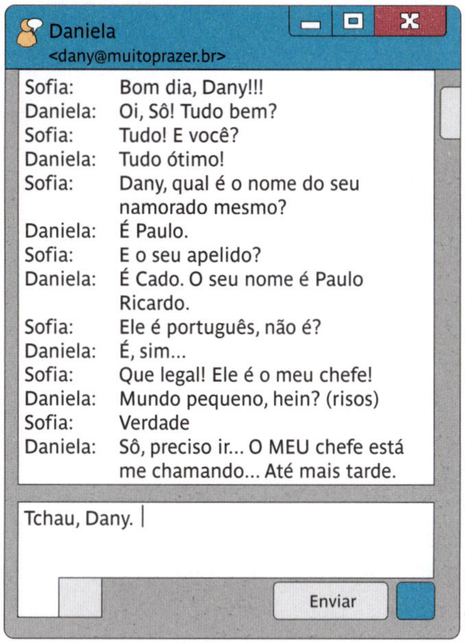

Daniela
<dany@muitoprazer.br>

Sofia: Bom dia, Dany!!!
Daniela: Oi, Sô! Tudo bem?
Sofia: Tudo! E você?
Daniela: Tudo ótimo!
Sofia: Dany, qual é o nome do seu namorado mesmo?
Daniela: É Paulo.
Sofia: E o seu apelido?
Daniela: É Cado. O seu nome é Paulo Ricardo.
Sofia: Ele é português, não é?
Daniela: É, sim...
Sofia: Que legal! Ele é o meu chefe!
Daniela: Mundo pequeno, hein? (risos)
Sofia: Verdade
Daniela: Sô, preciso ir... O MEU chefe está me chamando... Até mais tarde.

Tchau, Dany.

Enviar

A. Leia a mensagem acima e escolha a alternativa correta.

1. Qual é o nome do namorado de Daniela?
   a. ( ) Paulo b. ( ) Cado c. ( ) Dany

2. Qual é o apelido de Daniela?
   a. ( ) Sô b. ( ) Cado c. ( ) Dany

3. Qual é o apelido de Sofia?
   a. ( ) Sô b. ( ) Cado c. ( ) Dany

4. Daniela e Paulo são namorados?
   a. ( ) sim b. ( ) não

5. Daniela e Sofia são amigas?
   a. ( ) sim b. ( ) não

6. Qual a nacionalidade de Paulo?
   a. ( ) português b. ( ) chefe c. ( ) namorado

7. Que expressão usamos para cumprimentos?
   a. ( ) Oi, tudo bem? b. ( ) Tchau c. ( ) Que legal!

8. Que expressão usamos para despedidas?
   a. ( ) Oi, tudo bem? b. ( ) Tchau c. ( ) Que legal!

REDAÇÃO

Apresente-se! Escreva seu nome, sobrenome, apelido, profissão e nacionalidade.

CONSOLIDAÇÃO LEXICAL

Expressões

Escreva a resposta apropriada para cada expressão.

OI, O MEU NOME É RICARDO.

OI, MUITO PRAZER. EU SOU A MARIA.

O MEU APELIDO É BLANCHE.

"DE ONDE VOCÊ É? / QUAL É A SUA NACIONALIDADE?

QUAL É A SUA PROFISSÃO?

TCHAU! ATÉ MAIS.

UNIDADE 2

Este é o meu amigo Paulo

LIÇÃO A PANORAMA

Apresentações

Apresente a pessoa que está ao seu lado, usando "este (a)". Depois use "esse(a)" e "aquele(a)" para as pessoas que estão mais longe de você.

LIÇÃO A DIÁLOGO

10

Carmem: Suzana? Você aqui? Quanto tempo! Tudo bem?
Suzana: Carmem! Tudo e você?
Carmem: Tudo. Suzana, *este* é o meu amigo Paulo.
Suzana: Muito prazer.
Paulo: O prazer é meu.

NA CONVERSAÇÃO...
"ESTE(A)" = "ESSE(A)"

LIÇÃO A GRAMÁTICA

Pronomes demonstrativos

Este é o Paulo.
Essa é a Karen.
Aquele é o Fernando.

Pronome demonstrativo			
masculino		feminino	
singular /	**plural**	**singular** /	**plural**
este	estes	esta	estas
esse	esses	essa	essas
aquele	aqueles	aquela	aquelas

LIÇÃO A CONSTRUÇÃO DO CONTEÚDO

A. Observe as figuras e complete as orações com pronomes demonstrativos.

1. "________________ é a Paula."

2. "________________ são o Luiz e a Renata."

3. "________________________ é sua mãe?"

4. "________________ são o Carlos e o Jorge."

5. "________________ é minha irmã Suzana."

6. "______________ senhoras são americanas"

B. Complete os diálogos seguintes com pronomes demonstrativos.

1. Carlos: Lúcia, ____________________ são os novos diretores?
   Lúcia: Não. _________________________ são os advogados.
   Carlos: A mulher também?
   Lúcia: ______________________________ é a nova médica.

2. Caio: Oi, Artur. ________________ é a Karina. Ela é nova aqui.
   Karina, __________________________ é o Artur, meu amigo.
   Karina: Oi, Artur. Tudo bem?
   Artur: Tudo.

3. Menina: Mãe, ______________________ é o Paulinho?
   Mãe: É sim.

C. **Oral: Apresente duas pessoas próximas a você. Identifique pessoas longe de você.**

LIÇÃO A AMPLIAÇÃO DO VOCABULÁRIO

Expressões

Quanto tempo! = Faz tempo!

Inversão

Este é o meu amigo Paulo. = Este é o Paulo, meu amigo.

A. **Ligue as expressões às respostas.**

1. Prazer.	a. Bem, obrigada!
2. Com licença.	b. Tudo!
3. Oi, Tudo bem?	c. Toda.
4. Tchau!	d. De nada!
5. Como vão as coisas?	e. Igualmente.
6. Obrigado!	f. Tudo, e você?
7. Quanto tempo! Tudo bem?	g. Tchau, até amanhã!

B. **Faça a inversão das frases abaixo.**

1. Essa é a Solange, minha dentista.

____

____

2. Estes são meus colegas Rodrigo e Avanir.

____

____

3. Aquele é meu médico Pedro.

____

____

4. Aquelas são a Giovanna e a Natália, minhas secretárias.

____

____

LIÇÃO B PANORAMA

11 Números I

0 – zero	3 – três	6 – seis	9 – nove
1 – um, uma	4 – quatro	7 – sete	10 – dez
2 – dois, duas	5 – cinco	8 – oito	

Qual é o número do seu telefone?

e-mail

szwy@muitoprazer.br @ = arroba
. = ponto

Qual é o seu e-mail? Pergunte o e-mail dos seus colegas.

LIÇÃO B 12 DIÁLOGO

Karen: Fernanda, esta é a minha amiga Neuza.
Fernanda: Muito prazer.
Neuza: Igualmente.
Fernanda: Desculpem. Preciso ir. Eu *te* ligo, Karen.
Karen: Meu telefone agora é 88-888-5293.
Fernanda: Você pode repetir?
Karen: 88-888-5293.
Fernanda: E o seu e-mail?
Karen: karendominoke@muitoprazer.br. E o seu?
Fernanda: fernandasilvar@muitoprazer.br. Tchau. Bom fim de semana.
Karen: Tchau. Obrigada. Pra você também.

NA CONVERSAÇÃO...
O "TE" É USADO ANTES DO VERBO.

LIÇÃO B GRAMÁTICA

Verbos: precisar e ligar

Verbo PRECISAR + verbo

Desculpem. **Preciso** ir. Eu te **ligo**, Karen.

Modo Indicativo - Presente

PRECISAR

Eu	precis**o**
Você Ele Ela A gente	precis**a**
Nós	precis**amos**
Vocês Eles Elas	precis**am**

Os verbos em português têm final em: "-ar" = 1ª conjugação - precis**ar**
"-er" = 2ª conjugação - pod**er**
"-ir" = 3ª conjugação - repet**ir**

O verbo "ligar" é regular e da 1ª conjugação. Ele conjuga-se como o verbo "precisar"

LIÇÃO B CONSTRUÇÃO DO CONTEÚDO

A. Complete com o verbo PRECISAR na forma correta.

1. Nós _______________ (precisar) estudar mais.
2. Meus professores _______________ (precisar) enviar os testes.
3. A Norma _______________ (precisar) telefonar.
4. Eu _______________ (precisar) viajar.
5. Você _______________ (precisar) ir.

B. Complete com o verbo LIGAR na forma correta.

1. O Paulo _______________ (ligar) todos os dias?
2. Nós te _______________ (ligar) sempre.
3. Eu não te _______________ (ligar) aos domingos.
4. Sua dentista te _______________ (ligar) nos finais de semana?
5. A gente te _______________ (ligar).

C. Complete o diálogo com os verbos PRECISAR e LIGAR.

Júnior: Oi, Marcela. Tudo bem?
Marcela: Oi, Júnior. Tudo e você?
Júnior: Tudo bem. Marcela, eu ________________ (precisar) falar com a Marta. Você ____________________ (ligar) sempre pra ela, né?
Marcela: Eu ____ (ligar).
Júnior: Você ________________________ (precisar) ligar para ela hoje?
Marcelo: Hoje não.

D. Oral: Você está na rua e encontra um de seus colegas. Crie um diálogo seguindo as instruções.

1. Cumprimente-o.
2. Pergunte o e-mail.
3. Pergunte o telefone.
4. Diga que precisa ir.
5. Diga que liga para ela/ele.
6. Despeça-se.

Repita o diálogo com outros (as) colegas.

LIÇÃO B AMPLIAÇÃO DO VOCABULÁRIO

Verbos

telefonar = ligar
falar = conversar
mandar = enviar
conectar

A. Ligue os verbos com as seguintes palavras. Mais de uma alternativa é possível.

1. Ligar
2. Falar
3. Telefonar
4. Mandar
5. Enviar
6. Conversar
7. Conectar

a) e-mail
b) carta
c) ao telefone
d) o computador
e) a TV
f) para um amigo

B. 13 **Ouça os diálogos abaixo e complete com os números que ouvir.**

1. Diálogo 1: ________
2. Diálogo 2: ________
3. Diálogo 3: ________
4. Diálogo 4: ________

LIÇÃO C PANORAMA

Respostas a respeito de pessoas

Fale sobre a Mitiko: A Mitiko é ...
Fale sobre você: Eu sou ... Eu moro ...

LIÇÃO C DIÁLOGO

14

Sônia: O que é isso?
Lúcia: Isso?
Sônia: Ah, desculpe. É um álbum de fotos, não é?
Lúcia: É.
Sônia: É o álbum de fotos da sua família?
Lúcia: *Isso*.
Sônia: Nossa, que homem bonito! Quem é ele?
Lúcia: É o Fernando, meu irmão. Ele não mora aqui.
Sônia: Onde ele mora?
Lúcia: Em Toulouse, na França.

NOTE QUE...

Isso = sim, certo

LIÇÃO C GRAMÁTICA

Pronomes demonstrativos e verbo morar + preposição EM

NOTE QUE...

"Isto", "isso" e "aquilo" são usados para indicar coisas e não pessoas.

A: O que é **isso**?
B: **Isso**?
Isto é um computador.
Isso é um álbum de fotos.
Aquilo é um livro.

(perto)	isto
(± longe)	isso
(longe)	aquilo

Modo Indicativo – Presente

MORAR

Eu	moro
Você / Ele / Ela / A gente	mora
Nós	moramos
Vocês / Eles / Elas	moram

Verbo morar + preposição EM + artigo + país

Ele **mora na** França.
↓ em + a

A gente **mora no** Brasil.
↓ em + o

Eu **moro nos** Estados Unidos.
↓ em + os

Elas **moram nas** Antilhas.
↓ em + as

Exceção: **Em** Portugal. Ele **mora em** Portugal.

Verbo morar + preposição EM + cidade

Ele **mora em** Toulouse.

Nós **moramos em** Tóquio. = A gente **mora em** Tóquio.

Exceção: **No** Rio de Janeiro. Você **mora no** Rio?
↓ em + o

LEMBRA?
O VERBO "MORAR" É DA 1A CONJUGAÇÃO.

LIÇÃO C CONSTRUÇÃO DO CONTEÚDO

A. Observe as figuras e complete as orações com pronomes demonstrativos: isso, isto, aquilo.

1. "______________________ é um palmtop."

2. "O que é ______________________?"

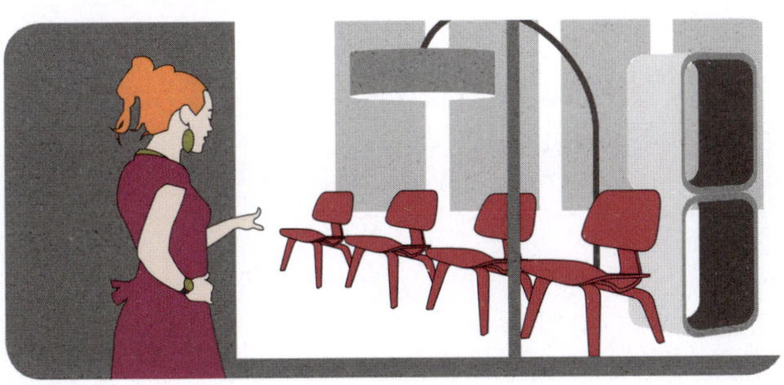

3. "______________________ é uma cadeira moderna".

4. "______________________ é uma caneta tinteiro."

B. Ache a parte que completa a oração.

a. Juliana... ( )
b. Meu pai e eu... ( )
c. Os novos enfermeiros... ( )
d. Eu... ( )
e. Sua médica... ( )
f. João e Rogério... ( )
g. Nós... ( )

1. *moram* aqui.
2. *moro* no Brasil.
3. *mora* na França.
4. *moramos* em São Paulo.

C. Preencha com EM, NA ou NO.

1. Josué mora ________________________ Salvador.
2. Carina mora ________________________ Paris.
3. Joaquim e Maria moram ________________________ China.
4. Mariana mora ________________ Portugal com sua mãe.
5. Rubens e Leandro moram ________________ Rio de Janeiro.

D. Oral:

1. **Pergunte aos colegas onde moram.**
2. **Conte ao grupo o que sabe sobre os colegas.**

LIÇÃO C AMPLIAÇÃO DO VOCABULÁRIO

Relacionamentos

Na família	Fora da família
mãe – pai (mãe + pai = pais)	amiga – amigo
esposa – marido	namorada – namorado
filha – filho	a colega – o colega
irmã – irmão	

A. Passe para o feminino.

1. Meu marido é motorista de táxi. ________________
2. Ele é meu amigo. ________________
3. Qual o nome do seu pai? ________________
4. Ela sempre liga para o namorado. ________________
5. Onde mora sua colega? ________________
6. Ele é filho único. ________________

B. Escreva sobre seus pais, irmãos, marido/esposa ou filhos. Quais os nomes deles? Onde eles moram?

____
____
____
____
____

LIÇÕES A, B e C COMPREENSÃO AUDITIVA

15 Ouça os diálogos. Complete as informações sobre cada pessoa.

NOME	E-MAIL	TELEFONE	RESIDÊNCIA
Marina			
Ricardo			
Sandra			

LIÇÕES A, B e C APLICAÇÃO ORAL DO CONTEÚDO

Apresente-se a um colega. Pergunte o telefone e e-mail. Pergunte onde mora. Complete a tabela a seguir.

NOME	E-MAIL	TELEFONE	RESIDÊNCIA

Com outro colega fale sobre a pessoa que você entrevistou. Identifique a pessoa, dê o e-mail e telefone. Diga onde mora.

LEITURA

Recados

A. Leia os recados abaixo e responda as perguntas.

Sr. Afonso
ligar para o Sr. Luiz Romera
Tel. Com: 8888-3842
Ou cel. 8888-3844.
Ligar às 18h00
URGENTE!

Srta. Adriana enviar carta
para o Sr. Marcelo
Martinho da filial da
Bahia
Av. da Independência, 22 –
Salvador – Bahia

Sra. Mercedes mandar
um e-mail para o
Sr. Eduardo Perez
e.perez@muitoprazer.br
Enviar a lista de preços
HOJE. Tel: 8888-3344

NOTE QUE...

Res. = telefone residencial, casa
Com. = telefone comercial, empresa
Cel. = telefone celular

NOTE QUE...

Sr. (primeiro nome, sobrenome ou nome completo) = formal = homem
Sra. (primeiro nome, sobrenome ou nome completo) = formal = mulher casada
Srta. (primeiro nome, sobrenome ou nome completo) = formal = mulher solteira

1. Qual é o e-mail do Sr. Eduardo?
2. Qual o número do celular do Sr. Romera?
3. Qual é o endereço do Sr. Marcelo na Bahia?

REDAÇÃO

Escreva um recado utilizando o exercício A como modelo.

CONSOLIDAÇÃO LEXICAL

Verbos

Inclua 3 palavras que podem ser usadas depois dos verbos abaixo. Ex.: morar em São Paulo

MORAR ______ ______ ______

FALAR ______ ______ ______

ESTUDAR ______ ______ ______

MANDAR ______ ______ ______

PRECISAR ______ ______ ______

LIGAR ______ ______ ______

UNIDADE 3

Quantos anos ele tem?

LIÇÃO A PANORAMA

Números II

16

11 onze	18 dezoito	25 vinte e cinco	32 trinta e dois / trinta e duas
12 doze	19 dezenove	26 vinte e seis	33 trinta e três
13 treze	20 vinte	27 vinte e sete	40 quarenta
14 catorze ou quatorze	21 vinte e um / vinte e uma	28 vinte e oito	50 cinquenta
15 quinze	22 vinte e dois / vinte e duas	29 vinte e nove	
16 dezesseis	23 vinte e três	30 trinta	
17 dezessete	24 vinte e quatro	31 trinta e um / trinta e uma	

Paulo: Quem é ele?
Jorge: É o meu filho Roberto.

Paulo: Onde ele mora?
Jorge: Na Argentina.

Paulo: Quantos anos ele tem?
Jorge: 29.

Fale sobre o Roberto: O Roberto ...
Fale sobre você: Eu sou ... Eu moro ... Eu tenho ...

LIÇÃO A DIÁLOGO
17

Beatriz: Esta foto é do seu filho?
Suzana: É. E essa aqui é a namorada dele.
Beatriz: Namorada? Quantos anos ele tem?
Suzana: 23.
Beatriz: Já?
Suzana: É, o tempo passa.

LIÇÃO A GRAMÁTICA

Pronomes possessivos e verbo ter

Modo Indicativo - Presente

TER

Eu	tenho
Você Ele Ela A gente	tem
Nós	temos
Vocês Eles Elas	têm

O verbo "ter" é irregular e é da 2ª conjugação. A 2ª conjugação tem os verbos com final "-er".

Essa aqui é a namorada **dele**.
Esse aqui é o namorado **dela**.
Aquela é a mãe **deles**.
Aquele é o pai **delas**.

Pronome possessivo

masculino		feminino	
singular	**plural**	**singular**	**plural**
dele	deles	dela	delas

O "dele(s)"/"dela(s)" = "seu(s)"/"sua(s).

Por exemplo:

A: Quem é ele?
B: É o meu filho.
A: E ela?
B: É a namorada dele.

A: Quem é ele?
B: É o meu filho.
A: E ela?
B: É a sua namorada.

LIÇÃO A CONSTRUÇÃO DO CONTEÚDO

A. Observe as figuras e responda as perguntas com orações completas usando o pronome possessivo.

1. Qual é o nome dele? ______________________
   Qual é a profissão dele? ______________________
   Qual é a nacionalidade dele? ______________________
   Quantos anos ele tem? ______________________

2. Qual é o nome dela? ______________________
   Qual é a profissão dela? ______________________
   Qual é a nacionalidade dela? ______________________
   Quantos anos ela tem? ______________________

3. Quais são os nomes deles? ______________________
   Qual é a profissão deles? ______________________
   Qual é a nacionalidade deles? ______________________
   Quantos anos eles têm? ______________________

B. Complete os diálogos com a palavra correta.

1. A: Esta bolsa é da Maria?
   B: Não, não é ______________________ (dele/dela).
2. A: Aqueles livros são ______________________ (seus/seu)?
   B: Não, são ______________________ (meu/dele).
3. A: É do Paulo esta camisa?
   B: Acho que não é __________ (dele/dela). É __________(dela/seu).
4. A: Ei! Essas roupas não são ______________________ (meu/delas)!
   B: Não são ______________ (delas/sua)? De quem são, então?
   A: São ______________________ (nosso/nossas).

C. Oral: Aluno A – Crie um perfil para as fotos 1 e 2.
Aluno B – Crie um perfil para as fotos 3 e 4.

1.

Nome: ____________________
Sobrenome: ____________________
Apelido: ____________________
Nacionalidade: ____________________
Profissão: ____________________
Onde mora: ____________________
e-mail: ____________________
idade: ____________________

2.

Nome: ____________________
Sobrenome: ____________________
Apelido: ____________________
Nacionalidade: ____________________
Profissão: ____________________
Onde mora: ____________________
e-mail: ____________________
idade: ____________________

3.

Nome: ____________________
Sobrenome: ____________________
Apelido: ____________________
Nacionalidade: ____________________
Profissão: ____________________
Onde mora: ____________________
e-mail: ____________________
idade: ____________________

4.

Nome: ____________________
Sobrenome: ____________________
Apelido: ____________________
Nacionalidade: ____________________
Profissão: ____________________
Onde mora: ____________________
e-mail: ____________________
idade: ____________________

Depois de preencher seus perfis faça perguntas a um colega para preencher os que estão em branco. Use os pronomes possessivos DELE/DELA quando possível.

LIÇÃO A AMPLIAÇÃO DO VOCABULÁRIO

Relacionamentos

Na família	**Fora da família**
pai + mãe → pais	amigo + amiga → amigos
marido + esposa → cônjuges	colega → colegas
filho + filha → filhos	namorado + namorada → namorados
irmão + irmã → irmãos	

A. Substitua as palavras grifadas por apenas uma palavra no plural.

1. O marido e a esposa devem assinar os documentos aqui.
______
2. O amigo e a amiga são da Finlândia.
______
3. Meu pai e minha mãe têm 55 anos.
______
4. Quem são aquele namorado e aquela namorada?
______
5. O colega e a colega estudam de manhã.
______
6. Nosso filho e nossa filha são crianças.
______

B. 18 **Ouça os diálogos e descubra quem está falando.**

pai filha amigo irmã marido

1. ______
2. ______
3. ______
4. ______

LIÇÃO B PANORAMA

19 Números III

60 sessenta
70 setenta
80 oitenta
90 noventa
100 cem
101 cento e um (cento e uma)
102 cento e dois (cento e duas)
103 cento e três
200 duzentos/ duzentas
201 duzentos e um (duzentas e uma)
202 duzentos e dois (duzentas e duas)
203 duzentos e três (duzentas e três)
300 trezentos/ trezentas
400 quatrocentos/ quatrocentas
500 quinhentos/ quinhentas
600 seiscentos/ seiscentas
700 setecentos/ setecentas
800 oitocentos/ oitocentas
900 novecentos/ novecentas
1000 mil
1001 mil e um/ uma
1002 mil e dois/ duas
1003 mil e três

Documentos

Jorge Lima
Solteiro
Brasileiro
Professor
RG: 12.947.784-XZ
CPF: 1068.478.999-89

Ellen M. Barton
Casada
Canadense
Engenheira
Passaporte: 1658 947 509
RNE: VV90509-Q

Fale sobre Jorge: Jorge Lima é ... ______________________________

O seu RG é ... ______________________________

Fale sobre Ellen: Ellen é ... ______________________________

O número do seu passaporte é ... ______________________________

Fale sobre você: Eu sou ... ______________________________

O meu (documento) é ... ______________________________

LIÇÃO B DIÁLOGO

20

Ellen: Bom dia. Por favor, eu posso fazer a carteirinha da biblioteca agora?
Pedro: Claro. Seu nome, por favor?
Ellen: Ellen Barton.
Pedro: Ellen com um ou dois "ls"?
Ellen: Com dois.
Pedro: Como se escreve o seu sobrenome?
Ellen: B-A-R-T-O-N.
Pedro: Idade?
Ellen: 29.
Pedro: Profissão?
Ellen: Engenheira.
Pedro: A senhora tem algum documento aqui?
Ellen: Passaporte.
Pedro: Qual o número?
Ellen: 1658 947 509
Pedro: A senhora tem RG ou CPF?
Ellen: Tenho RNE. O número é VV90509-Q
Pedro: A senhora não é brasileira?
Ellen: Não, sou canadense.

LIÇÃO B GRAMÁTICA

Verbo poder

Por favor, eu **posso** fazer a carteirinha da biblioteca agora?

O verbo "poder" é irregular e é da 2ª conjugação. A 2ª conjugação tem os verbos com final "-er". Normalmente, nós usamos "poder" + verbo.

Modo Indicativo - Presente

PODER	
Eu	posso
Você Ele Ela A gente	pode
Nós	podemos
Vocês Eles Elas	podem

LIÇÃO B CONSTRUÇÃO DO CONTEÚDO

A. Complete com o verbo PODER na forma correta.

1. Você não ______________________ morar aqui.
2. A Cláudia ______________________ ser professora.
3. Meu irmão e eu ______________________ trabalhar mais.
4. Os estudantes ______________________ estudar de manhã?
5. Eu não ______________________ ligar para ela hoje.

B. Complete os diálogos com o verbo PODER.

1. Celina: Mauro, você ______________ me ligar mais tarde?
   Mauro: ______________________ . Qual é seu telefone?
   Celina: É 888-3498.
2. Valmir: Michela, minha esposa e eu não ______________
   trabalhar hoje. Tudo bem?
   Michela: Tudo. Mas, nós não ____________ pagar vocês hoje.
   Valmir: Sem problema.
3. Vinícius: Os alunos ____________ fazer o exercício depois?
   Fábio: ____________ . Mas o Luizinho não ____________ .

C. Preencha os cheques com os valores indicados.

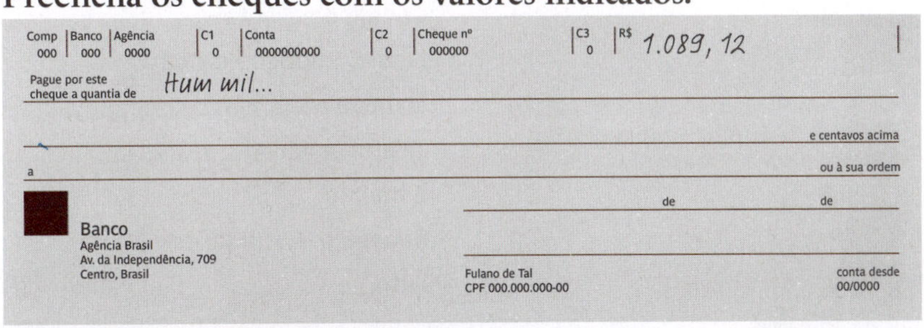
Comp 000 | Banco 000 | Agência 0000 | C1 0 | Conta 0000000000 | C2 0 | Cheque nº 000000 | C3 0 | R$ 1.089, 12
Pague por este cheque a quantia de Hum mil...
e centavos acima
a ou à sua ordem
de de
Banco
Agência Brasil
Av. da Independência, 709
Centro, Brasil
Fulano de Tal
CPF 000.000.000-00
conta desde 00/0000

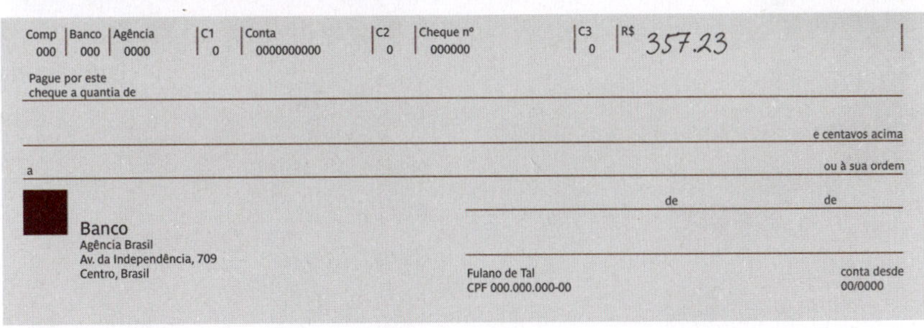
Comp 000 | Banco 000 | Agência 0000 | C1 0 | Conta 0000000000 | C2 0 | Cheque nº 000000 | C3 0 | R$ 357.23
Pague por este cheque a quantia de
e centavos acima
a ou à sua ordem
de de
Banco
Agência Brasil
Av. da Independência, 709
Centro, Brasil
Fulano de Tal
CPF 000.000.000-00
conta desde 00/0000

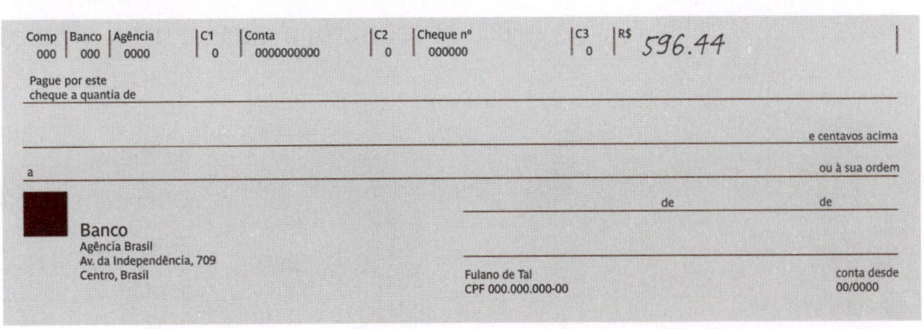
Comp 000 | Banco 000 | Agência 0000 | C1 0 | Conta 0000000000 | C2 0 | Cheque nº 000000 | C3 0 | R$ 596.44
Pague por este cheque a quantia de
e centavos acima
a ou à sua ordem
de de
Banco
Agência Brasil
Av. da Independência, 709
Centro, Brasil
Fulano de Tal
CPF 000.000.000-00
conta desde 00/0000

D. Oral: Pergunte a alguns colegas o número de seus documentos.

LIÇÃO B AMPLIAÇÃO DO VOCABULÁRIO

Documentos oficiais

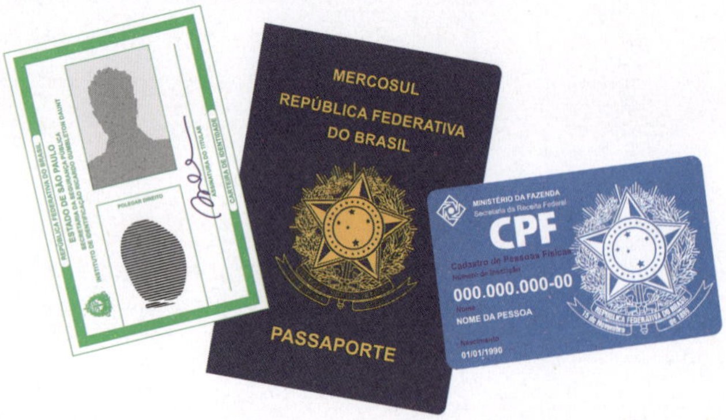

Documentos extraoficiais

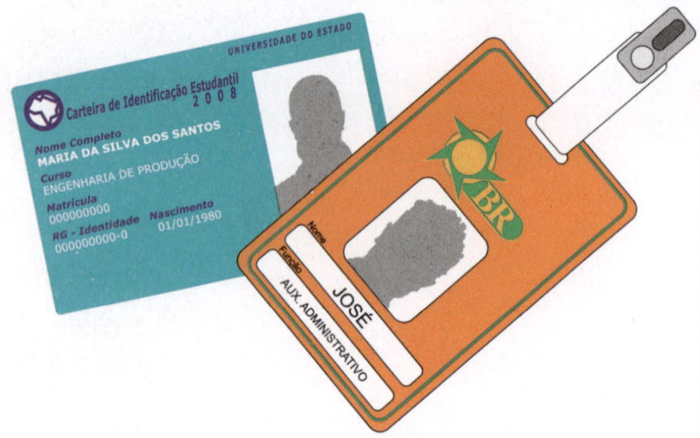

A. Ouça os diálogos e complete as carteirinhas abaixo: (21)

1.

Espaço do Vídeo

Código do cliente: ______________________

Nome: Rodrigo Pereira

Data de nascimento: ___ / ___ / ______

Telefone: 11 - ______________________

E-mail: ______________________

Endereço: Avenida José Maria, ___________,

apto. ________ – São Paulo – SP

2.

Universidade Brasileira

Biblioteca

Nome do aluno: ______________________

RG: ______________________ Data de nascimento: ___ / ___ / ___

Curso: Letras Ano: 1º

B. Preencha a carteirinha abaixo com seus dados:

Espaço do Vídeo

(foto 3x4)

Nome: ______________________

Data de nascimento: ___ / ___ / ______

Telefone: ___ - ______________

E-mail: ______________________

Endereço: ______________________

____

LIÇÃO C PANORAMA

Fuso horário

-1h Hora oficial de Brasília

Hora oficial de Brasília (GMT -3)

+1h Hora oficial de Brasília

O Brasil tem 3 fusos horários. A hora de Brasília é a hora oficial do país, três horas a menos do que Greenwich, Londres.

Cite três cidades brasileiras que têm o mesmo fuso horário.
Cite três cidades brasileiras que têm o fuso horário diferente do fuso horário de Brasília.

LIÇÃO C 22 DIÁLOGO

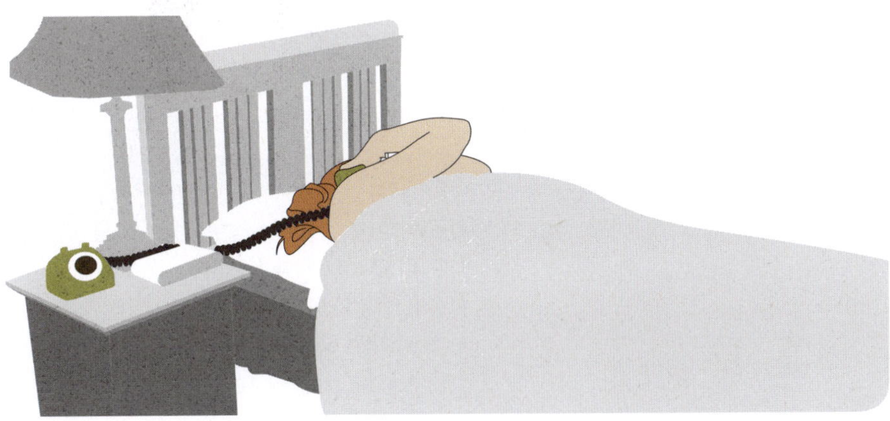

Sandra: Alô?
Jorge: Alô, Sandra. É o Jorge. Tudo bem?
Sandra: Tudo.
Jorge: Estou em São Paulo, no aeroporto. Você quer alguma coisa daqui?
Sandra: Jorge, que horas são aí?
Jorge: 8h00. Estou adiantado. Eu só embarco às 10h00.
Sandra: Aqui em Rio Branco são 6 horas, Jorge. 6 da manhã!
Jorge: 6 da manhã? Nossa! Desculpe, Sandra.
Sandra: Tudo bem, você pode comprar uma caixa de chocolates, então.

LIÇÃO C GRAMÁTICA

Verbo: querer + preposição de

Modo Indicativo - Presente

QUERER

Eu	quero
Você Ele Ela A gente	quer
Nós	queremos
Vocês Eles Elas	querem

O verbo "querer" é irregular e é da 2ª conjugação. A 2ª conjugação tem os verbos com final "-er".

Preposição de + advérbios de lugar

De + aqui = daqui
De + aí = daí
De + lá = de lá

Verbo querer + substantivo

Eu **quero uma caixa de chocolates.**

Verbo querer + substantivo + preposição "de" + advérbio de lugar

Você **quer alguma coisa daqui**?

LIÇÃO C CONSTRUÇÃO DO CONTEÚDO

A. Complete os diálogos com DAQUI, DAÍ e DE LÁ.

1. Juca: Alô?
   Leila: Juca? É a Leila.
   Juca: Oi, Leila. Que barulho! Onde você está?
   Leila: Em Recife. Você quer um presente ____________________?
   Juca: Um presente ____________________? Claro, obrigado.

2. Heloísa: Fábio, meu namorado está na Europa. Você quer alguma coisa ____________________?
   Fábio: ____________________? Quero uma camiseta.
   Heloísa: Tudo bem.
   Fábio: Muito obrigado, Helô.

B. **Complete os diálogos com o verbo QUERER**

1. A: Oi, eu ______________________ aquele computador.
   B: Um minuto, por favor.
2. A: O que vocês ______________________________ ?
   B: ______________________ uma caixa de chocolates.
3. A: Seu amigo __________________________ um café?
   B: Não. Ele __________________________ uma água.
4. A: A Paula ______________________ um laptop novo?
   B: Não, ela não ____________ . *Eu* ____________ um.

C. **Oral: Utilize objetos pessoais e o verbo QUERER para oferecer, perguntar, aceitar e dizer o que os/as colegas e você querem.**

Ex.: A: Você quer esta caneta?
B: *Quero, obrigado.*
A: Paulo quer a caneta.

A: O que vocês querem?
B: *Queremos o livro.*
A: Eles querem o livro.

LIÇÃO C AMPLIAÇÃO DO VOCABULÁRIO

Horas I

8:00	**8:05**	**8:10**	**8:15**	**8:20**	**8:25**
(são) oito horas	(são) oito e cinco	(são) oito e dez	(são) oito e quinze	(são) oito e vinte	(são) oito e vinte e cinco
8:30	**8: 35**	**8:40**	**8:45**	**8:50**	**8:55**
(são) oito e *meia* ou (são) oito e trinta	(são) oito e trinta e cinco ou (são) vinte e cinco para as nove	(são) oito e quarenta ou (são) vinte para as nove	(são) oito e quarenta e cinco ou (são) quinze para as nove	(são) oito e cinquenta ou (são) dez para as nove	(são) oito e cinquenta e cinco ou (são) cinco para as nove

NA CONVERSAÇÃO...
É MAIS COMUM (HORA) E MEIA DO QUE (HORA) E TRINTA.

A. **Escreva as horas abaixo.**

a.

b.

c.

d.

e.

f.

g.

h.

i.

j.

B. 23 **Ouça as horas do exercício A e repita.**

C. **Que horas são? Pratique com um colega.**

LIÇÕES A, B e C COMPREENSÃO AUDITIVA

24 **Ouça os três diálogos e responda as perguntas.**

1. a. Qual a nacionalidade do marido da Geni? ______________
   b. Qual a idade dele? ______________
   c. Qual a língua materna dele? ______________

2. a. Que horas são? ______________
   b. Onde está a filha da Martinha? ______________
   c. Qual a idade dela? ______________

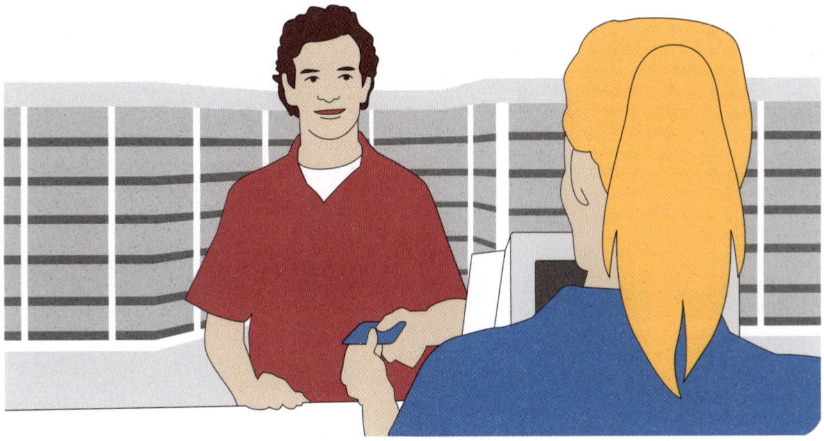

3. a. Qual é o sobrenome da Viviane? ______________________
b. Qual o RG dela? ______________________
c. Qual o telefone dela? ______________________

LIÇÕES A, B e C APLICAÇÃO ORAL DO CONTEÚDO

A. **Entreviste um(a) colega sobre a família e amigos dele(a). Lembre-se de usar o verbo TER e os pronomes possessivos DELE/DELA. Preencha a tabela.**

Nome:		
Idade:		
Profissão:		
Local de residência:		
Filhos?	( ) sim	( )não
Pais?	( ) sim	( )não
Melhor amigo(a)?	( ) sim	( )não

B. **Faça o mesmo questionário sobre outros parentes e conhecidos. Por exemplo: namorado(a), colega, irmã(o).**

LEITURA

Hora de Verão

Hora de Verão ou Horário de Verão é o tempo local de uma região, apenas durante um período do ano, geralmente uma hora adiantada do tempo oficial.
Nas regiões que adotam a hora de verão, é normal ter luz solar entre 18h30 e 20h15 .
A Alemanha é um dos países que adota o horário de verão, entre o fim de março e o começo de novembro. É curioso perceber que às 21h00 ainda tem luz solar. O sol se põe entre 21h30 e 21h50 nessa época.

Origem: Wikipédia. Adaptado de http://pt.wikipedia.org/wiki/Hora_de_Ver%C3%A3o

A. De acordo com o texto, responda as perguntas abaixo.

1. O que é o horário de verão?

2. Normalmente, nessa época, temos luz solar depois das 18h00?

3. Qual país adota o horário de verão? Que horas o sol se põe nessa época?

B. Seu país de origem adota o horário de verão?

REDAÇÃO

Escreva sobre os seus horários. Acrescente ao seu texto as respostas dadas no exercício acima, se possível.
Ex.: Meu país tem horário de verão. No verão, eu acordo às 6 da manhã. Tomo banho às 6h15.

CONSOLIDAÇÃO LEXICAL

Horário de Atividades

A. Quando você geralmente faz as atividades abaixo? Escreva as horas dessas atividades. Depois escreva mais duas atividades e coloque o horário delas nos espaços em branco.

___ : ___

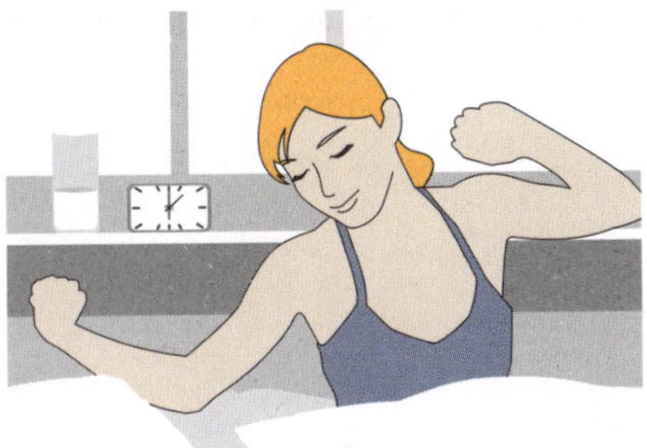

Acordar

___ : ___

Almoçar

___ : ___

Tomar café da manhã

___ : ___

Chegar em casa

___ : ___

Ir para o trabalho/escola

___ : ___

Jantar

___ : ___

Enviar e-mails

___ : ___

Tomar banho

___ : ___ ______________________

___ : ___ ______________________

UNIDADE 4 *Táxi!*

LIÇÃO A PANORAMA

Dinheiro

No Brasil, o dinheiro usado é o real. As moedas e as notas em circulação são as seguintes:

moedas		notas	
5 centavos	50 centavos	2 reais	20 reais
10 centavos	1 real	5 reais	50 reais
25 centavos		10 reais	100 reais

LIÇÃO A 25 DIÁLOGO

Bastos: Táxi!
Taxista: Boa tarde, senhor. Para onde?
Bastos: Para o hotel Hilton.
Taxista: O da avenida Ipiranga ou do Morumbi?
Bastos: Da avenida Ipiranga.

(no caminho)
Taxista: O trânsito hoje não está bom.
Bastos: O trânsito não está bom e o tempo também, né? Será que vai chover?
Taxista: Talvez.

(na porta do Hilton)
Bastos: Quanto é?
Taxista: R$ 48,00 (quarenta e oito reais).
Bastos: Só tenho R$ 50,00 (cinquenta reais), mas pode ficar com o troco. Obrigado.
Taxista: Muito obrigado, senhor.

LIÇÃO A GRAMÁTICA

Futuro do presente simples e futuro com o verbo IR

Será que **vai chover****?

↓ futuro simples* do verbo 'ser'

↓ futuro com verbo IR do verbo 'chover'

Neste caso, o verbo 'ser' não tem sujeito. Ele é usado para exprimir dúvida no futuro: 'será que' + complemento.

Exemplos: Será que ela é secretária?
Será que ele precisa sair?
Será que eles estão aí?

Indicativo - Futuro

ESTAR		**SER**		**IR**		**IR (no presente) + verbo = futuro com verbo ir**	
Eu	estar**ei**	Eu	ser**ei**	Eu	ir**ei**	Eu	vou sair
Você		Você		Você		Você	
Ele	estar**á**	Ele	ser**á**	Ele	ir**á**	Ele	vai sair
Ela		Ela		Ela		Ela	
A gente		A gente		A gente		A gente	
Nós	estar**emos**	Nós	ser**emos**	Nós	ir**emos**	Nós	vamos sair
Vocês		Vocês		Vocês		Vocês	
Eles	estar**ão**	Eles	ser**ão**	Eles	ir**ão**	Eles	vão sair
Elas		Elas		Elas		Elas	

* Os verbos com 'zer', como: 'dizer', 'fazer' ('refazer') e 'trazer' são irregulares no futuro simples. Ele é formado com o verbo no infinitivo (estar/ ser/ ir) + -ei; -á; -emos; -ão. O futuro simples não é muito usado na linguagem oral. Normalmente, usamos o verbo 'ir' + verbo para indicar o futuro.

** Verbos que exprimem fenômenos da natureza, como 'chover', não têm sujeito, por isso, só apresentam uma flexão, ou seja, chove (presente); choverá (futuro simples) e vai chover (futuro com verbo ir).

LIÇÃO A CONSTRUÇÃO DO CONTEÚDO

A. Passe as frases abaixo do presente para o futuro.

1. Minhas amigas estão aqui em Belém.

____

____

2. Tenho uma casa confortável.

____

____

3. Meus filhos vão para a escola todos os dias.

____

____

4. Aqueles advogados são nossos colegas.

____

____

5. Nós precisamos ligar para o escritório.

____

____

B. **Complete o diálogo com os verbos indicados no futuro simples ou com o verbo IR.**

Taxista: Boa noite, senhora.
Passageira: Boa noite. Por favor, quero ir para esse endereço. Rua da Mantiqueira, número 539.
Taxista: ______________________ (assistir) a um show?
Passageira: Não. Mas, é para lá que preciso ir. Hoje uma cantora famosa __________ (fazer) um show lá. Mas, eu não __________(ver).
Taxista: Que pena! Minha filha ____________________ (estar) lá. Ela é muito fã dessa cantora.
Passageira: É. Dizem que o show ___________________ (ser) maravilhoso.
Taxista: ___________________ (ser) sim. Ela é ótima e tem milhões de fãs. Não sei bem o nome dela. Não conheço muito de música.
Passageira: O nome dela é Bárbara Luz. Ela __________________ (cantar) suas músicas novas.
Taxista: Chegamos, senhora. É aqui. São R$ 35 reais.
Passageira: Aqui está. Obrigada, senhor. Qual é seu nome?
Taxista: Luiz. E o seu?
Passageira: Bárbara. Boa noite.
Taxista: Bárbara???? ____________________ (ser) que ela é a cantora?

C. **Oral:** **Escolha um (a) colega para fazer o exercício com você. Primeiro, responda SIM ou NÃO sobre seu (sua) colega sem fazer perguntas. Tente adivinhar o que ele (a) vai fazer. Depois, pergunte para confirmar se suas respostas estão corretas.**

Nome do (a) colega ______________________			Acertos
1. ... vai pagar uma conta amanhã.	☐ Sim	☐ Não	____________
2. ... estará aqui depois de amanhã.	☐ Sim	☐ Não	____________
3. ... irá para casa depois desta aula.	☐ Sim	☐ Não	____________
4. ... vai estudar português hoje à noite.	☐ Sim	☐ Não	____________
5. ... enviará um e-mail hoje à noite.	☐ Sim	☐ Não	____________
6. ... será promovido este ano.	☐ Sim	☐ Não	____________

LIÇÃO A AMPLIAÇÃO DO VOCABULÁRIO

Dinheiro

lugar
banco
banco 24 horas = caixa eletrônico
casa de câmbio

verbo + substantivo
ter dinheiro
trocar dinheiro
pagar em dinheiro / cheque / cartão de crédito / débito
receber dinheiro
retirar / tirar dinheiro
depositar dinheiro

substantivo
dinheiro
moeda corrente (dinheiro usado em um país)
moeda
nota
centavos
troco
trocado

A. Complete os diálogos / situações abaixo com a expressão mais adequada

moeda corrente	R$ 15,00	centavos	reais	bom dia	
vender	100,00	Hotel Marina	troco	de nada	nota

1. Sávio: ____ .
Taxista: Bom dia. Para onde, senhor?
Sávio: ____, Leblon.
(no Leblon...)
Taxista: São ____ .
Sávio: Aqui está.
Taxista: O senhor não tem trocado?
Sávio: Ah, um minutinho... Tenho R$ 20,00...
Taxista: Muito obrigado.
Sávio: ____ .

2. *(no banco)*
Caixa: Boa tarde! Posso ajudar?
Rita: Boa tarde. Quero pagar estas contas, por favor.
Caixa: Certo. O total é R$ 89,90.
Rita: Aceita cheque?
Caixa: Desculpe, senhora. Só dinheiro...
Rita: Certo. Só tenho uma ____________ de R$ ____________.
Caixa: Obrigada, aqui está seu ____________: 10 ____________ e 10 ____________________.
Rita: Obrigada.

3. *(na casa de câmbio)*
Klaus: Bom dia, quanto está a cotação do euro?
Atendente: Para compra R$ 2,71 e venda R$ 2,75.
Klaus: Por favor, quero ______________________ € 1.000.
Atendente: São 2.710,00 em ______________________.
Bem-vindo ao Brasil!
Klaus: Obrigado.

B. Complete os diálogos abaixo. Você pode utilizar algumas das expressões do exercício A.

1. *(na casa de câmbio)*
Michael: Bom dia, ______________________.
Atendente: Para compra R$ 1,85 e venda R$ 1,86
Michael: ______________________ US 1.000.
Atendente: São ______________ em ______________.
Bem-vindo ao Brasil!
Michael: ______________________.

2. *(no táxi)*
Taxista: Para onde, senhora?
Sônia: ______________________.
(no local...)
Taxista: São R$ 31,50.
Sônia: ______________________.
Taxista: A senhora não tem trocado?
Sônia: ______________________
Taxista: Muito obrigado.
Sônia: ______________________.

LIÇÃO B PANORAMA

Tipos de restaurante

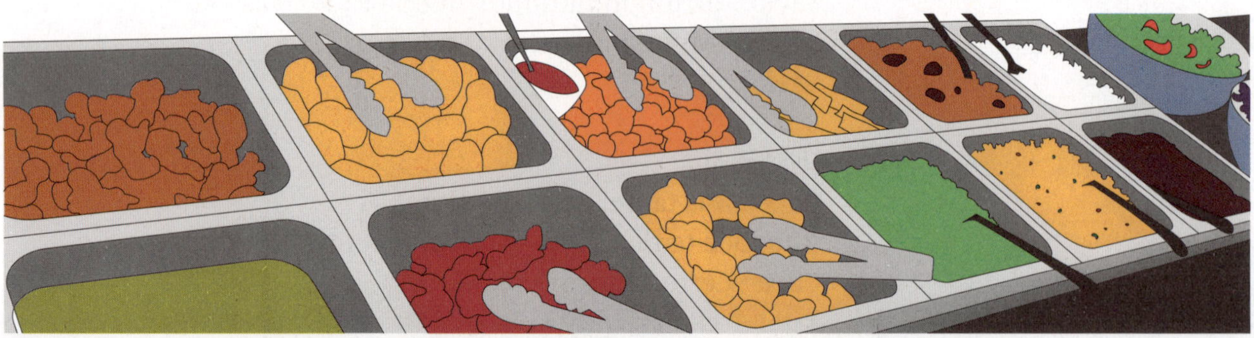

No Brasil, um tipo de restaurante muito comum é o restaurante por quilo. Também existem os restaurantes à la carte e o bufê.

Em que tipo de restaurante você normalmente almoça?
Em que tipo de restaurante você normalmente janta?

LIÇÃO B DIÁLOGO

26

No restaurante

José: Maria, vamos almoçar no 'Tio Rocco'?
Maria: Tio o quê?
José: Tio Rocco. É um restaurante italiano aqui perto.
Maria: Estou de regime.
José: Qual o problema?
Maria: Não posso comer massa.
José: Mas eles têm dois tipos de serviço: comida italiana à la carte e bufê de comida brasileira.
Maria: É muito caro?
José: Nem caro nem barato. Eles aceitam tíquete-alimentação.
Maria: Está bem. Então, vamos.

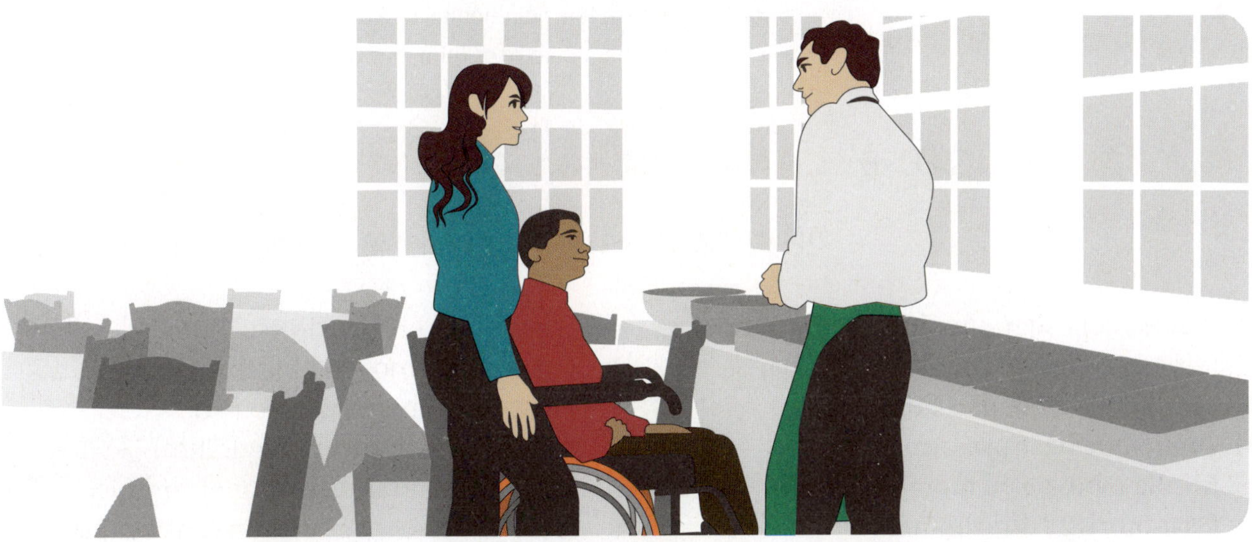

(no restaurante)
Garçom: Boa tarde. Mesa para quantas pessoas?
José: Boa tarde. Duas pessoas.
Garçom: À la carte ou bufê?

José: Para mim à la carte, para ela, bufê.
Garçom: Vai demorar uns cinco minutos.
José: Tudo bem. Eu quero um aperitivo. Maria, você quer um suco, um coquetel?
Maria: Não, obrigada. Estou de regime. Só bebo água.
José: Que horror!
Garçom: A mesa já está livre, senhor.
José: Obrigado.

LIÇÃO B GRAMÁTICA

'Mas' e 'nem ... nem ...'

Mas eles têm dois tipos de serviço: comida italiana à la carte e bufê de comida brasileira.

O 'mas' indica uma ideia contrária à ideia anterior.
Exemplo:
A: Eu estou de regime. Não posso comer massa.
B: Mas o restaurante tem outras opções.
Eu estudo chinês há três anos, mas não falo chinês ainda.

Nem caro **nem** barato.

O 'nem ... nem ...' é usado com palavras de sentido contrário ou para excluir as duas ideias.
Exemplo:
Eles não são nem médicos, nem enfermeiros. (= são dentistas)
A Marli não é nem feia nem bonita. (= é comum)
Este livro não é nem bom nem ruim. (= é razoável)

LIÇÃO B CONSTRUÇÃO DO CONTEÚDO

A. **Ache a parte que melhor completa as orações a seguir.**

1. Preciso depositar um dinheiro no banco, ( ) mas meu celular não está bom.
2. Cátia quer comer comida mexicana, ( ) mas preferimos um lugar mais calmo.
3. Minha assistente não é daqui, ( ) mas continuam fazendo isso.
4. Tenho que ligar para um amigo, ( ) mas usam o cinto de segurança.
5. Minha esposa e eu moramos aqui, ( ) mas o restaurante não vai abrir hoje.
6. Os motoristas dirigem mal, ( ) mas as pessoas não notam seu sotaque.
7. Eles sabem que não podem fumar no prédio, ( ) mas não posso sair do escritório antes das 16h.

B. Leia as frases seguintes. Elas estão coerentes? Corrija as que apresentam problemas.

1. "Quero jantar, mas estou com fome."
coerente ( ) incoerente ( )
correção: ______________________________
____

2. "Ilma não é nem alta, nem baixa, ou seja, é magra."
coerente ( ) incoerente ( )
correção: ______________________________
____

3. "Precisamos de uma nota de R$ 1, mas só temos de R$ 5."
coerente ( ) incoerente ( )
correção: ______________________________
____

4. "Qual é sua profissão mesmo? Você não é nem professor, nem advogado."
coerente ( ) incoerente ( )
correção: ______________________________
____

5. "Elas não querem pagar em dinheiro, mas não vão pagar."
coerente ( ) incoerente ( )
correção: ______________________________
____

C. Oral: Entreviste um (a) colega sobre suas preferências. Use o verbo GOSTAR de (1ª conjugação) para fazer as perguntas. Use NEM... NEM e MAS quando possível para responder.

Ex.: *A: Você gosta de música erudita ou heavy metal?*
B: Não gosto nem de música erudita, nem de heavy metal. Gosto de jazz.
Ou *B: Gosto de música erudita, mas não de música erudita barroca.*

Música erudita (clássica)	☐	Heavy Metal	☐	Outros:__________
Comida sem tempero	☐	Comida apimentada	☐	Outros:__________
Viajar de ônibus	☐	Viajar de carro	☐	Outros:__________
Ler romances	☐	Ler poesia	☐	Outros:__________
Andar de bicicleta	☐	Andar a cavalo	☐	Outros:__________

LIÇÃO B AMPLIAÇÃO DO VOCABULÁRIO

Menu (= cardápio) I

Alguns tipos de comida

sopa: de feijão / de cebola
canja

salada
arroz e feijão
feijão preto

carne assada
frango: assado / grelhado / à passarinho
peixe: assado / frito

batata: frita / assada
purê de batata

linguiça

Alguns tipos de bebida

refrigerantes: coca / guaraná / soda
suco: de laranja / de maracujá / de uva
limonada
água mineral: natural / com gás
cerveja: clara / escura
vinho: seco / suave / branco / tinto
licor
coquetel
aperitivo

A. 27 Ouça os diálogos e complete o quadro. O que Marta, Luis e Filomena pediram?

Entrada

Salada

Canja Brasileira

(Frango, cenoura, arroz e salsinha)

Sugestões da Casa

Comercial

(Arroz, feijão, salada, bife, peixe ou frango)

Prato Feito - PF

(Arroz, feijão, salada, bife, peixe ou frango)

Filé com Fritas

(Arroz, fritas e farofa)

Feijoada

Feijoada Light

Bebidas

Cerveja

Refrigerante

Sucos: (com água ou com leite)

Acerola, Laranja, Manga, Abacaxi, Limonada, Maracujá

	Entrada	Prato principal	Bebida
Marta			
Luis			
Filomena			

B. Imagine que você está neste restaurante. O que você gostaria de comer e beber?

____
____
____
____
____
____
____
____
____

LIÇÃO C PANORAMA

Na praça de alimentação

Os shoppings sempre têm uma área para alimentação chamada 'praça de alimentação'. Lá há muitos tipos de restaurantes, como: lanchonetes; restaurantes por quilo; sorveterias; churrascarias e restaurantes com comida de uma nacionalidade específica, como árabe; japonesa; chinesa e mexicana.

De que tipo de comida você mais gosta?
O que você come quando vai para o shopping?
Você gosta de comer na praça de alimentação dos shoppings?

LIÇÃO C DIÁLOGO

28

Odete: Estou com fome. Vamos comer?
Lígia: Eu também estou. Vamos comer comida chinesa?
Odete: Eu estou com vontade de comer comida árabe.
Lígia: Vamos procurar uma mesa primeiro.
Odete: Olha! Tem uma mesa livre ali.
Lígia: Vamos.
Odete: Enquanto você compra a sua comida, eu fico aqui.
(depois de um tempo)
Odete: Que demora!
Lígia: Olha o tamanho da fila!
Odete: Tudo bem. Agora eu vou comprar a minha comida.

LIÇÃO C GRAMÁTICA

Estar com + substantivo/ Estar com vontade de + verbo/ Enquanto ...

Eu estou com fome.

Outros exemplos: Ela está com sede.
A gente está com frio.
Nós estamos com sono.
Elas estão com calor.

Eu **estou com vontade de comer** comida árabe.

Outros exemplos: Ela está com vontade de sair.
A gente está com vontade de viajar.
Nós estamos com vontade de dormir.
Elas estão com vontade de beber cerveja.

Enquanto você **compra** a sua comida, eu **fico** aqui.
↓ presente ↓ presente

(=duas ações ocorrem ao mesmo tempo, o tempo verbal pode estar no presente, passado ou futuro)

Outros exemplos: Enquanto ela trabalha, ele estuda.
Enquanto eu vou descansar, você vai fazer o jantar.

LIÇÃO C CONSTRUÇÃO DO CONTEÚDO

A. Observe as figuras e assinale V (verdadeiro) ou F (falso) para as frases que as descrevem. Se a frase for falsa, corrija-a.

1. Clarinha está com fome. V ( ) F ( )

____

2. Jônatas está com frio. V ( ) F ( )

____

3. Leda e Miriam estão com fome. V ( ) F ( )

____

4. Dona Júlia está com sede. V ( ) F ( )

____

B. Complete o diálogo com a forma correta dos verbos.

Hilda: Gustavo, estou com vontade de ______________ (comer) batata frita. Vamos?

Gustavo: Agora? Pode ser. Estou com fome mesmo. Onde você ________ (querer) comprar a batata?

Hilda: No shopping aqui perto. Tem muitas lanchonetes lá.

Gustavo: Mas, eu não estou com vontade de ______________ (comer) batata. ______________ (querer) comer massa.

Hilda: Tudo bem. Enquanto eu ____________ (comprar) a batata, você ______________ (pegar) a massa. A gente senta pra comer na praça de alimentação.

Gustavo: Você __________ (ter) bastante tempo? Depois do almoço eu ______________________ (tomar) um café.

Hilda: Eu sempre esqueço que você ______________ (precisar) tomar café depois do almoço. Nós ____________ (ir) a pé, mas acho que temos tempo.

C. **Oral:** Entreviste um(a) colega e descubra quais são suas vontades agora.

Ex.: Você está com vontade de passear agora?

Vontade de dormir ou estar com sono?	( ) sim ( ) não	
Vontade de comer algo?	( ) sim ( ) não	O quê?
Vontade de beber algo?	( ) sim ( ) não	O quê?
Vontade de ir para algum lugar?	( ) sim ( ) não	Para onde?
Vontade de fazer algo?	( ) sim ( ) não	O quê?

LIÇÃO C AMPLIAÇÃO DO VOCABULÁRIO

Menu (= cardápio) II

Alguns tipos de sobremesa

(o) Sorvete { de chocolate / de limão

(o) Bolo { de cenoura com cobertura / de aniversário

(a) Musse { de chocolate / de maracujá

(o) Pudim de leite

(a) Torta de limão

Alguns tipos de bebida quente

(o) Café { com leite / expresso

(o) Capucino

(o) Chocolate quente

(o) Chá { verde / preto / de camomila / de frutas

A. 29 Ouça os diálogos e complete o quadro.

	local	sobremesa	bebida
1. Manuel e Maria			
2. Lígia e Victoria			

B. Qual sua sobremesa favorita? E bebida quente? Aonde normalmente você vai?

____

____

LIÇÕES A, B e C

COMPREENSÃO AUDITIVA

30 **Ouça os diálogos e escolha as alternativas corretas.**

1. Cássio está com vontade de
( ) correr
( ) ver um filme
( ) estudar

O amigo de Cássio não quer
( ) nem correr nem ver filme
( ) nem ver filme nem estudar
( ) nem correr nem estudar

Cássio e seu amigo vão
( ) correr
( ) ver um filme
( ) estudar

2. Mariana está com vontade de
( ) passear
( ) comer
( ) dormir

A irmã de Mariana não quer
( ) nem comer nem dormir
( ) nem passear nem comer
( ) nem passear nem dormir

Mariana e sua irmã vão
( ) comer
( ) passear
( ) dormir

3. Marcel está com vontade de
( ) dirigir
( ) pegar o ônibus
( ) andar a pé

A esposa de Marcel não quer
( ) nem andar a pé nem dirigir
( ) nem pegar o ônibus nem dirigir
( ) nem andar a pé nem pegar o ônibus

Marcel e sua esposa vão
( ) dirigir
( ) pegar o ônibus
( ) andar a pé

LIÇÕES A, B e C APLICAÇÃO ORAL DO CONTEÚDO

Use as figuras abaixo para narrar o que as pessoas vão fazer. Crie um perfil para cada pessoa com nome, idade, profissão e nacionalidade. Conte sua versão a um (a) colega.

Situação 1

Qual a vontade dele?

O que ele vai fazer?

O que ela não quer?

Situação 2

O que eles vão fazer?

Qual a vontade dele?

Ele está com fome?

O que ele vai fazer?

Situação 3

Fale agora sobre você.

O que você está com vontade de fazer? O que vai fazer hoje mais tarde ou amanhã? Quanto vai custar?

Ou

Você está com vontade de fazer algo, mas não vai? Por quê? O que quer fazer?

LEITURA

A. Você gosta de restaurantes naturais? De quais pratos você mais gosta?

____

____

____

B. Leia o texto e responda às perguntas.

Restaurantes no RJ

Naturais
Empório Saúde – Rua Visconde de Pirajá, 414, 111, Ipanema, ☎2522-1494 (40 lugares). 11h30/17h (seg. a sáb.) e 11h30/15h (sáb.). Cc.: todos. Cr.: todos T.: todos. $
O cliente monta o próprio prato. A combinação de um filé de frango com dois acompanhamentos e uma salada custa R$ 14,00. Entre as opções estão suflê de legumes, purê de couve-flor gratinada e almôndegas de soja. Clientes que gostam de comida light apreciam a torta-musse de chocolate diet (R$ 4,70). No cardápio não consta carne vermelha.
Sabor Saúde – Rua da Quitanda, 21, Centro, ☎2252-6041 (300 lugares). 7h30/19h30 (seg. a sex.). www.saborsaude.com.br. Cc.: D, M e V. Cr.: todos. T.: todos. $
O cardápio de baixa caloria da casa inclui pratos como o bife à parmegiana light com tagliatelle e legumes. A salada custa R$ 8,50 e a carne, frango ou peixe R$ 7,20. O filé de salmão com acompanhamento à escolha do cliente custa R$ 17,50. A musse de iogurte com frutas vermelhas (R$ 2,90) é outra opção saudável do cardápio.

Adaptado de http://veja.abril.com.br/vejarj/041006/restaurantes_naturais.html

NOTE QUE...

Cc. Cartões de crédito
D, M e V = Diners, Mastercard e Visa
T. Tíquetes
Cr. Cartões de refeição
$ - até R$ 40,00

1. Qual restaurante está localizado no Centro do Rio?

____

2. Qual abre no sábado?

____

3. Qual restaurante tem opções que você mais gosta? Quais são estas opções?

____

____

____

____

REDAÇÃO

Quais são suas comidas e bebidas brasileiras favoritas? O que você come durante a semana? E no fim de semana?

CONSOLIDAÇÃO LEXICAL

Comidas e bebidas

Complete os quadros abaixo com o maior número de itens que você lembrar.

Comidas	Bebidas	Restaurantes

Quais comidas / bebidas...

Você gosta?	Você não gosta?	Você não come / bebe frequentemente?	Você come / bebe frequentemente?

Pronúncia do Português – parte 1

Na grafia do português existem 5 vogais: a – e – i – o – u . No entanto, existem 12 sons possíveis para essas 5 letras. Os sons de vogal podem ser orais ou nasais.

VOGAIS ORAIS

31 **As vogais orais podem ser abertas ou fechadas. Ouça como as vogais são pronunciadas:**

lá* ele você daqui júnior

31 **As vogais *e* e *o* podem também ser pronunciadas de uma forma mais aberta. Ouça:**

ela posso

31 **Ouça agora a diferença entre as vogais *e* e *o* abertas e fechadas. Repita em voz alta.**

ele – ela esse – essa av**ô** – av**ó** p**o**demos – p**o**sso

*os sinais gráficos ´ ^ ~ indicam que aquela vogal recebe a tônica da palavra.
No caso das vogais *e* e *o*, o sinal gráfico ´ indica também que a vogal é aberta.

31 **Exercício: Ouça as palavras a seguir e marque A (aberto) ou F (fechado).**

a. m**o**ro ( )
b. m**o**ramos ( )
c. aerop**o**rto ( )
d. aerop**o**rtos ( )
e. at**é** ( )
f. aqu**e**la ( )
g. qu**e**ro ( )
h. qu**e**remos ( )

31 Ouça o seguinte diálogo prestando atenção às palavras sublinhadas. Pratique o diálogo com um(a) colega.

Renata:	Oi, José. Aquela é sua irmã?
José:	É, sim. Ela não mora aqui. Mora na Espanha.
Renata:	Nossa, que legal! Ela já fala bem o espanhol?
José:	Fala.
Renata:	José, eu vou beber uma soda limonada. Você quer alguma coisa?
José:	Só água está bom. Obrigado.
Renata:	Vamos nos sentar. A gente conversa mais.

Exercício: Improvise um diálogo curto com um(a) colega usando as seguintes palavras.

é nova dela dez avó mora essa

Revisão das Unidades 1 a 4

Escolha a alternativa correta:

A.

A: Simone, _______________ é a minha amiga Débora. Ela é de Salvador.
B: Oi, Débora. Muito prazer
C: Igualmente.

1. aquela
2. esta
3. esse

B.

A: Quem é _______________ ali?
B: Lá longe? É a Cristina, minha colega de classe.

1. aquela
2. essa
3. esta

C.

A: O que é _______________ na sua mão?
B: Ah, é um dicionário de Português.

1. isso
2. aquilo
3. esse

D.

A: De quem é esse livro?
B: É _______________________________ .

1. essa
2. dela
3. esta

E.

A: June, eu vou para a Bahia. Você quer alguma coisa ______________?
B: Quero uma fitinha do Senhor do Bonfim!

1. daqui
2. de cá
3. de lá

Complete os diálogos com os verbos adequados. Conjugue os verbos, caso seja necessário.

ser querer mandar estar estar comprar
poder ir ligar ter ter

A.

A: Ana Júlia, eu ______________ te ligar mais tarde?
B: Claro! Você ______________ meu telefone?
A: Tenho sim, obrigado.

B.

A: Mãe!!
B: O que você ______________, menina!
A: Quero ______________ para o Gabriel. Estou com saudade!

C.

A: Xi, amor... ______________ que vai chover daqui a pouco?
B: Eu acho que sim, querida! Vamos para casa.

D.

A: A Luiza vai ______________ o e-mail com o orçamento das peças que precisamos, certo?
B: Vai, sim.

E.

A: Então você vai à minha festa amanhã, certo?
B: Sim, eu e a Pat ______________ lá! Precisamos levar alguma coisa?

F.

A: Você ______________ direto para casa depois do trabalho?
B: Vou. Minha esposa está me esperando para o jantar.

G.

A: São R$ 107,00, senhor. Como o senhor vai pagar? Dinheiro, cheque ou cartão?
B: Um minuto. Acho que eu ______________ dinheiro. Aqui está.
A: Obrigada, senhor. Tenha um bom dia.

H.

A: ______________ com sede. Vamos comprar um guaraná?
B: Ali tem uma lanchonete. Enquanto você ______________ o guaraná, eu fico aqui.

Coloque na ordem certa.

a. ligar / chefe / minha / eu / para / preciso / a

____

b. minha / é / Gabi, / amiga / a / esta

____

Crie perguntas para as respostas.

a. ____?
Z – I – M – O – V – S – K - Y.

b. ____?
Tudo. E você?

c. ____?
Meu e-mail é hilp@brasil.br

d. ____?
Ele tem catorze e ela tem quinze anos.

e. ____?
Eu sou da África do Sul.

f. ____?
São 5:40 da tarde.

g. ____?
São R$ 20,50.

h. ____?
Vou. Tchau, até amanhã!

Passe os seguintes parágrafos para:

a. o feminino:

Eu moro em Curitiba. Tenho 32 anos e dois filhos. Sou brasileiro e diretor de uma escola. Eu trabalho até as 18 horas. Meus filhos e eu fazemos muitas coisas juntos. Queremos viajar com um amigo para Fortaleza. Ele é canadense. Acho que vamos viajar em agosto.

b. o masculino:

A Paula é minha amiga. Ela é brasileira. Ela mora no interior. Ela é casada e tem duas filhas. Ela é professora de francês. Ela acorda cedo todos os dias. Suas filhas também são professoras.

Passe para:

a. o singular:

Aqueles livros são de chinês? Eu quero dois livros de japonês.

Estes cadernos são meus. Essas canetas são nossas. E aqueles dicionários são seus.

b. o plural:

1. A: O que você quer comprar? ______
   B: Quero comprar uma casa. ______
2. A: Quem é aquele homem? ______
   B: Ele é meu irmão. ______

Em duplas, pergunte ao/à colega sobre o que ele/a está com vontade de fazer e o que ele/a irá fazer neste final de semana. Consiga o maior número de informações possível.

UNIDADE 5

Que semana, hein?

Lição A **PANORAMA**

Horários

Horários em aeroportos, terminais de trem e ônibus:

Hora		Hora	
01: 00	UMA HORA	13: 00	TREZE HORAS
02: 00	DUAS HORAS	14: 00	QUATORZE HORAS
03: 00	TRÊS HORAS	15: 00	QUINZE HORAS
04: 00	QUATRO HORAS	16: 00	DEZESSEIS HORAS
05: 00	CINCO HORAS	17: 00	DEZESSETE HORAS
06: 00	SEIS HORAS	18: 00	DEZOITO HORAS
07: 00	SETE HORAS	19: 00	DEZENOVE HORAS
08: 00	OITO HORAS	20: 00	VINTE HORAS
09: 00	NOVE HORAS	21: 00	VINTE E UMA HORAS
10: 00	DEZ HORAS	22: 00	VINTE E DUAS HORAS
11: 00	ONZE HORAS	23: 00	VINTE E TRÊS HORAS
12: 00	DOZE HORAS	24: 00	VINTE E QUATRO HORAS

NOTE QUE...

24:00 = zero hora.

Para horários em aeroportos, terminais de trem e ônibus são usadas 13:00 (treze horas), 14:00 (quatorze horas) etc. No seu país também?

LIÇÃO A DIÁLOGO
32

Júlia: Estou cansada, Soraia. Que semana, *hein*?
Soraia: É verdade. Esta semana está difícil, mas amanhã é sexta-feira.
Júlia: É mesmo. Nossa! Amanhã é sexta-feira! Quando eu viajo para Manaus?
Soraia: Sexta da semana que vem, dona Júlia.
Júlia: Que horas são, Soraia?
Soraia: São 16h45.
Júlia: Acho que vou para casa. Hoje não consigo mais trabalhar.
Soraia: A senhora quer ir agora? Quer um táxi?
Júlia: Acho que sim. O trânsito *está* complicado hoje. Não quero dirigir.

LIÇÃO A GRAMÁTICA

Verbos: querer; estar e achar

Verbo querer + verbo

A senhora quer ir agora?

LEMBRA DO VERBO QUERER?

QUERER

Eu	quero
Você / Ele / Ela / A gente	quer
Nós	queremos
Vocês / Eles / Elas	querem

O verbo "querer" aparece na Unidade 3

Verbo estar + adjetivo

Estou cansada, Soraia.

O trânsito hoje está complicado.

ESTAR

Eu	estou
Você / Ele / Ela / A gente	está
Nós	estamos
Vocês / Eles / Elas	estão

O verbo "estar" é irregular no presente [estou / estão]

Achar + que = pensar que → expressa opinião

Acho que sim.

Acho que não.

ACHAR

Eu	acho
Você / Ele / Ela / A gente	acha
Nós	achamos
Vocês / Eles / Elas	acham

O verbo "achar" é regular e é da 1ª conjugação. A 1ª conjugação tem os verbos com final "-ar".

LIÇÃO A CONSTRUÇÃO DO CONTEÚDO

A. Complete os diálogos abaixo com o verbo ESTAR.

1. Kelly: Pedro, você ______________ cansado hoje?
   Pedro: ______________ . Por quê?
   Kelly: Porque você não está trabalhando direito.
2. Ricardo: Como ______________ o trânsito hoje?
   Daniel: O trânsito ______________ ruim.
3. Marcelinho: As aulas de matemática ______________ muito difíceis neste semestre.
   Lalá: ______________ sim. ______________ preocupada.

B. Complete o diálogo com os verbos QUERER e ACHAR.

Josué: Karina, aonde você ______________ ir hoje?
Karina: Não sei. Ao parque? Você ______________ que está aberto?
Josué: ______________ que sim. Você ______________ ir?
Karina: ______________ . Minha irmã também ______________ .
Josué: Ela gosta de fazer exercícios?
Karina: ______________ que não.
Josué: Então é melhor ela ficar.
Karina: É... ______________ que sim.

C. Oral: Use as palavras dadas para formular perguntas aos colegas. Conjugue os verbos.

1. onde – nós – estar?
2. professor (a) – cansado (a)?
3. você – querer – comer – agora?
4. trânsito – ruim – hoje?
5. exercícios – difíceis?

LIÇÃO A AMPLIAÇÃO DO VOCABULÁRIO

Adjetivos

masculino			feminino			masculino / feminino		
adiantado (s)	≠	atrasado (s)	adiantada (s)	≠	atrasada (s)	difícil (difíceis)	≠	fácil (fáceis)
cheio (s)	≠	vazio (s)	cheia (s)	≠	vazia (s)			
lotado (s)	≠	vazio (s)	lotada (s)	≠	vazia (s)			
cansado (s)	≠	descansado (s)	cansada (s)	≠	descansada (s)			
complicado (s)	≠	simples	complicada (s)	≠	simples			
livre (s)	≠	ocupado (s)	livre (s)	≠	ocupada (s)			

A. **Coloque as frases que estão no singular, no plural e vice-versa.**

1. Ele está adiantado.

____

2. Eu estou cansado.

____

3. As salas estão vazias.

____

4. Os ônibus estão lotados.

____

5. Ela está livre hoje.

____

B. **Reescreva as frases acima usando os adjetivos opostos.**

1. _______________
2. _______________
3. _______________
4. _______________
5. _______________

C. **Faça frases usando os adjetivos do quadro para descrever as situações abaixo:**

1. _______________

____

2. A prova _______________

____

3. O trem _______________

____

4. _______________

____

LIÇÃO B PANORAMA

33 Dias da semana e Meses do ano

SETEMBRO

Domingo	Segunda-feira	Terça-feira	Quarta-feira	Quinta-feira	Sexta-feira	Sábado
					1	2
3	4	5	6	7*	8	9
anteontem	ontem	hoje	amanhã	depois de amanhã		

* **feriado** [7 de setembro é feriado nacional no Brasil. Dia da independência]

sábado + domingo = fim de semana/final de semana

Meses do Ano

1. janeiro	2. fevereiro	3. março	4. abril	5. maio	6. junho
7. julho	8. agosto	9. setembro	10. outubro	11. novembro	12. dezembro

Que dia é hoje?
Que dia da semana é hoje?
Em que mês estamos?

LIÇÃO B 34 DIÁLOGO

César: Você *me* liga amanhã?
Nancy: Claro!
César: A que horas?
Nancy: Depois do meio-dia está bom *pra* você?
César: Não. Antes do meio-dia porque depois do meio-dia eu estudo e trabalho.
Nancy: A que horas você estuda?
César: Estudo à tarde e trabalho à noite.
Nancy: Amanhã também?
César: Claro! Por que a pergunta?
Nancy: Porque amanhã é sábado.
César: Ah! Amanhã, não. Só segunda.

LEMBRA?
"PRA" = "PARA"

LEMBRA?
NA CONVERSAÇÃO, O "ME" VEM ANTES DO VERBO

LIÇÃO B GRAMÁTICA

Verbos: estudar e trabalhar; locuções adverbiais de tempo

Modo Indicativo – Presente

ESTUDAR	
Eu	estudo
Você Ele Ela A gente	estuda
Nós	estudamos
Vocês Eles Elas	estudam

estudar/trabalhar + **antes de e depois de;**
de manhã, de tarde (= à tarde) e de noite (= à noite);
às segundas, às terças etc.

Eu **estudo** às 8h00.	Eu **trabalho** de manhã.
Você **estuda** às segundas?	Você **trabalha** mais às quintas?
A gente **estuda** à tarde.	Ele **trabalha** às 7h00.
Nós **estudamos** à noite.	Nós **trabalhamos** depois do meio-dia.
Elas **estudam** antes do meio-dia.	Eles **trabalham** à noite.

Os verbos terminados em "-ar" são da 1ª conjugação. Os verbos regulares terminados em "-ar" conjugam-se como o verbo "estudar".

LIÇÃO B CONSTRUÇÃO DO CONTEÚDO

A. Complete com os verbos e com locuções adverbiais de tempo.

1. Eu _______________ (TRABALHAR) __________ noite.
2. Meus amigos não _______________ (ESTUDAR) __________ das 8 da noite.
3. O Genuíno _______________ (TRABALHAR) __________ manhã?
2. Meu namorado e eu _______________ (ESTUDAR) __________ terças e quintas-feiras.
3. Ela sempre _______________ (ESTUDAR) __________ 6 da manhã?
4. Vocês não _______________ (TRABALHAR) __________ tarde?

B. Responda as perguntas.

1. Quando você trabalha? ______________________________
2. A que horas você estuda português em casa? ______________________________
3. A que horas você está mais ocupado (a)? ______________________________
4. Quando você descansa? ______________________________

C. Oral: Entreviste alguns colegas sobre seus horários. Use QUANDO e A QUE HORAS para formular perguntas.

Ex.: A: A que horas você acorda, Mauro?
B: Acordo antes das 6.

NOME	HORÁRIOS					
	acordar	tomar café da manhã	trabalhar	estudar português	chegar em casa	ir pra ginástica

LIÇÃO B AMPLIAÇÃO DO VOCABULÁRIO

Horas II

12:00	1:00	12:00
(é) meio-dia	(é) uma hora (da manhã ou da tarde)	(é) meia-noite

NOTE QUE...

Pode-se acrescentar *da manhã*, *da tarde* ou *da noite* depois da hora para deixar mais claro o horário. Por exemplo, 8 da manhã; 3 da tarde e 7 da noite.

A. 35 Ouça os diálogos e complete o quadro.

ATIVIDADE	A QUE HORAS?
1. praticar esportes	______
2. trabalhar até tarde	______
3. lavar louça	______
4. chegar em casa	______
5. jantar	______

B. E você? Complete o quadro com suas informações.

ATIVIDADE	A QUE HORAS?
1. praticar esportes	______
2. trabalhar até tarde	______
3. lavar louça	______
4. chegar em casa	______
5. jantar	______

LIÇÃO C PANORAMA

Procurando algo

Cadê o seu livro de português? (= Onde está o seu livro de português?)
Por que você estuda português? Porque ...
Faça perguntas com "cadê" e com "por que" para seu/ sua colega.

LIÇÃO C DIÁLOGO

36

Alberto: Bom dia, *dona* Lúcia. Tudo bem?
Lúcia: Tudo, obrigada. E o senhor?
Alberto: Tudo bem, obrigado. Dona Lúcia, hoje, começa a secretária *nova*, certo?
Lúcia: É, sim, seu Alberto. Tem problema?
Alberto: Não. É porque eu não me lembro como ela se chama.
Lúcia: Um minutinho... Cadê o currículo? Ah! Simone.
Alberto: De onde ela é?
Lúcia: De Minas.
Alberto: Onde ela mora?
Lúcia: Hum... Aqui perto, na Bela Vista.
Alberto: Quantos anos ela tem?
Lúcia: 24.

LIÇÃO C GRAMÁTICA

Como ela se chama mesmo?
De onde ela é?
Onde ela mora?
Quantos anos ela tem?
Cadê o currículo?
Porque não me lembro como ela se chama.

Pronomes interrogativos	**Advérbios interrogativos**
Que?	Onde? (= Cadê?)
Quem?	Como?
O que?	De onde?
Qual?	Quando?
Quanto? (Quantos/Quanta/Quantas)	Por que... ? (pergunta)
	Porque... (resposta)

"Onde está ...?" = "**Cadê ...?**"
"Onde ele está?" = "**Cadê ele?**"
"Onde está meu livro?" = "**Cadê meu livro?**"

LIÇÃO C CONSTRUÇÃO DO CONTEÚDO

A. Complete as perguntas com os pronomes e advérbios interrogativos apropriados.

1.______________ eles são? Do Peru?
2.______________ anos tem sua mãe?
3.______________ é aquilo?
4.______________ você mora no Rio de Janeiro?
5.______________ eles moram?
6.______________ é seu apelido?
7.______________ ela se chama?
8.______________ é a sua secretária?

B. Complete o diálogo com pronomes interrogativos:

Celina: Oi. Desculpa, ______________________ você se chama?
Ivete: Ivete. ______________________ é o seu nome?
Celina: Celina. Eu moro aqui com meu marido e meus filhos. ________ ______________________ você mora?
Ivete: Aqui também. Moramos no mesmo andar.
Celina: Mesmo? Que distraída! ______________ mora com você?
Ivete: Moro sozinha. ______________ filhos você tem?
Celina: Dois. Esse aqui é o Marcelinho.
Ivete: Que gracinha! ____________ vocês são? De Brasília mesmo?
Celina: Não, nós somos do Sul.
Ivete: Nossa! Você não tem sotaque! Bem, até logo.
Celina: Tchau.

NOTE QUE...

'Desculpa' está no imperativo

Gramaticalmente: Desculpa (tu)
Desculpe (você)

C. Oral: Faça perguntas aos colegas usando os pronomes e advérbios interrogativos.

como	onde	quantos	qual
o que	de onde	quem	cadê

LIÇÃO C AMPLIAÇÃO DO VOCABULÁRIO

Revisão e ampliação de verbos

verbos irregulares	
ser	poder
ter	querer
estar	

verbos regulares da 1ª conjugação		
achar = pensar	conversar = falar	morar
começar ≠ terminar	enviar = mandar	precisar
comprar	estudar	trabalhar
conectar ≠ desconectar	ligar = telefonar	

A. Escolha o verbo que melhor completa o diálogo e conjugue-o, se necessário.

1. Márcia: Vamos pra academia mais tarde? Quero fazer uma aula de ioga para relaxar.
Cris: Que horas _______________ (SER/ESTAR) a aula?
Márcia: ___________ (SER/ESTAR) às 20h00. Dá tempo! Vamos!
Cris: Está bom. Mas eu _____________ (SER/ESTAR) cansada. Só vou fazer esta aula e ir pra casa.

2. Mauro: Já estou indo. Até a noite!
Solange: Espere um pouco, querido... você ________ (COMPRAR/PRECISAR) tomar café!
Mauro: Estou atrasado! _______________ (PODER/PRECISAR) chegar ao trabalho em trinta minutos. Tenho uma reunião que vai _____________________ (COMEÇAR/ ESTAR) às oito!
Solange: Você pode _______________ (COMPRAR/PRECISAR) algumas coisas no supermercado quando voltar? Aqui ________ _______________________________ (SER/ESTAR) a lista.
Mauro: Tudo bem, mas _____________ (TER/ACHAR) que vou ___________ (LIGAR/TRABALHAR) até as oito hoje. Meu dia vai ser complicado.
Solange: Obrigada, querido, nós _____________ (CONVERSAR/CONECTAR) mais tarde!

3. Mãe: Carol, vamos logo! Você já _____________ (SER/ESTAR) atrasada!
Filha: Já vou, mãe! Por que nós _________________ (ESTUDAR/MORAR) tão longe da escola? Tenho que acordar tão cedo. Minhas amigas _______________ (ESTUDAR/MORAR) mais perto da escola!

B. 🎧 37 **Ouça os diálogos e confira suas respostas.**

LIÇÕES A, B e C COMPREENSÃO AUDITIVA

38 **Ouça os diálogos e assinale (X) na resposta correta.**

1. São ☐ 17:00 ☐ 18:15 ☐ 17:15

Luciana quer ☐ ir pro cinema ☐ ir pro shopping ☐ ir pro parque

Melissa está ☐ na rua ☐ no ônibus ☐ no táxi

2. O assento está ☐ ocupado ☐ livre ☐ complicado

É ☐ domingo ☐ sábado ☐ sexta

Rodrigo é ☐ de São Paulo ☐ da Sé ☐ do Rio

3. Gerson ☐ manda o fax ☐ não manda o fax

☐ manda um e-mail no lugar

O fax tem ☐ três páginas ☐ duas páginas ☐ uma página

Vera ☐ manda o fax ☐ não manda o fax

☐ manda um e-mail no lugar

LIÇÕES A, B e C APLICAÇÃO ORAL DO CONTEÚDO

Preencha a tabela abaixo com suas atividades regulares durante a semana. Por exemplo, jogar tênis, estudar, trabalhar, almoçar etc.

	DOMINGO	SEGUNDA	TERÇA	QUARTA	QUINTA	SEXTA	SÁBADO
manhã							
tarde							
noite							

Depois de preencher a tabela, convide um(a) colega para fazer algo com você. Por exemplo, almoçar, jantar, fazer compras, ir ao cinema, viajar.

Ex.: *A: Você quer ir ao cinema comigo na quarta?*
B: A que horas?

A: À noite. Depois das 8hs. Você pode?
B: Acho que não. Eu estudo às quartas-feiras à noite.
A: Você não quer ir sábado?
B: Sábado está ótimo.

LEITURA

Minha rotina

"Minha rotina? Bem, durante a semana, eu acordo todos os dias às 6:45, tomo café e chego ao trabalho às 8:15. Começo a trabalhar às 8:30. Ainda bem que trabalho perto de casa!
Eu sempre almoço no restaurante da empresa durante a semana das 12:30 às 13:30, depois volto para o trabalho e vou para a faculdade às 6:30 da noite. Chego sempre em casa às 11:30. Preciso de férias."

Maria Rodrigues
assistente financeira e estudante

"Eu acordo às 7:00 da noite, tomo banho e minha esposa prepara o jantar. Janto e vou para o trabalho. Pego dois ônibus e chego ao trabalho às 9:30. Ainda bem que nesse horário não tem muito trânsito. Trabalho das 22:00 às 6 da manhã, mas esse horário é bom para mim. Além disso, trabalho três dias e posso folgar um."

Pedro Gomes
segurança

A. Compreensão de texto.

1. Quem acorda antes das 7 da manhã? Quem acorda à noite?
____
2. Quem almoça todos os dias no restaurante da empresa?
____
3. Quem janta em casa?
____
4. Quem estuda à noite?
____

B. **Como é sua rotina? Pergunte aos seus colegas e compare.**

	a que horas você...	a que horas seu colega...
...acorda?		
...vai para o trabalho ou escola?		
...almoça?		
...vai para casa?		
	quando você...	**quando seu colega...**
...vai para a academia?		
...estuda?		
...viaja?		
...vai para o cinema/teatro?		
...vai para o restaurante/ barzinho/danceteria?		

REDAÇÃO

Escreva uma redação descrevendo sua rotina. Utilize os depoimentos da Leitura como modelo.

CONSOLIDAÇÃO LEXICAL

Verbos

Encontre o melhor complemento para os verbos abaixo e acrescente mais um a cada verbo, quando possível.

estar ______________________________
ser ______________________________
estudar ______________________________
tomar ______________________________
chegar ______________________________
querer ______________________________
ter ______________________________
poder ______________________________
pegar ______________________________
morar ______________________________
ir ______________________________

Complementos:

cansado(a)	português	banho
pro cinema	de São Paulo	o ônibus
atrasado(a)	à noite	pra São Paulo
um carro	café	em São Paulo
hoje	dinheiro	até tarde
em casa	trinta anos	brasileiro

UNIDADE 6

Vamos pro cinema, Ana?

LIÇÃO A **PANORAMA**

Entretenimentos no fim de semana

A: Pra onde você vai no fim de semana?
B: Eu vou ...
A: O que dá pra fazer lá?
B: Dá pra ...

NOTE QUE...

dar para = poder

Faça perguntas ao seu/a sua colega, usando "O que você ...?", "O que dá pra ...?"

LIÇÃO A DIÁLOGO

39

Pedro: Já são sete. Preciso relaxar. Vamos *pro* cinema, Ana?
Ana: Desculpe, Pedro. Não posso. Tenho que trabalhar até mais tarde. Minha agenda está cheia essa semana. Os clientes da Argentina estão aqui.
Pedro: E no fim de semana?
Ana: Tenho um almoço especial no sábado e um churrasco da agência no domingo. Mas na semana que vem estou livre. Já é outubro.
Pedro: Você pode na terça-feira?
Ana: Não. Às terças e quintas vou *pra* academia.
Pedro: E quarta?
Ana: Posso. A que horas?
Pedro: Às 8h00 está bom?
Ana: Está ótimo. Combinado.

LEMBRA?
PRO = PARA O, "PRA" = PARA A

LIÇÃO A GRAMÁTICA

Verbos: ir, ter que e poder

Verbo ir + preposição para + artigo + lugar

Vamos pro cinema, Ana?
↓
para + o

Vamos pra balada?
↓
para + a

Verbo ter + que + verbo

Tenho que trabalhar até mais tarde.

Verbo poder

Você **pode** na terça-feira?

Modo Indicativo - Presente

IR		TER		PODER	
Eu	vou	Eu	tenho	Eu	posso
Você		Você		Você	
Ele	vai	Ele	tem	Ele	pode
Ela		Ela		Ela	
A gente		A gente		A gente	
Nós	vamos	Nós	temos	Nós	podemos
Vocês		Vocês		Vocês	
Eles	vão	Eles	têm	Eles	podem
Elas		Elas		Elas	

O verbo "ir" é irregular e é da 3ª conjugação.

LEMBRA? O VERBO "TER" APARECE NA UNIDADE 3

LEMBRA? O VERBO "PODER" APARECE NA UNIDADE 3

LIÇÃO A CONSTRUÇÃO DO CONTEÚDO

A. Veja a rotina e os convites das pessoas abaixo e responda:

1. João: Às segundas e quartas, eu vou pra minha aula de inglês. Vamos para o cinema na quinta?

2. Francisca: Às terças e quintas, eu vou pra academia. Vamos para o teatro no sábado?

3. Júlio: Às sextas, eu vou para o futebol. Vamos pro clube no domingo?

1. Para onde João vai às segundas e quartas?

___

2. Para onde Francisca vai às terças e quintas?

___

3. Quando Júlio vai para o futebol?

___

4. João convida as amigas para ir para o cinema. Qual é o convite de Francisca? E o de Júlio?

___

5. Para onde você vai às sextas, à noite?

___

6. Para onde você vai aos domingos?

___

B. **Observe as figuras e diga o que as pessoas <u>têm que fazer</u> no domingo.**

(estudar)

Ela ______________________

(viajar)

Ele ______________________

(ir para o banco)

Elas ______________________

(fazer o jantar)

Ele ______________________

(mudar de casa)

Eles ______________________

(limpar a casa)

Ela ______________________

C. **Complete o diálogo com os verbos indicados.**

Rosário: Breno, você quer __________ (IR) pro cinema comigo na sexta?
Breno: Na sexta... Desculpa, não ______________________ (PODER). ______________________ (TER) viajar a trabalho.
Rosário: Jura? Que chato! Você ____________ (PODER) na semana que vem? A gente ______________ (PODER) ______________ (IR) na quarta-feira. É até mais barato.
Breno: Na quarta ___________ (TER) que trabalhar até tarde. Você não ______________________ (PODER) na quinta?
Rosário: Bem, na quinta eu ______________ (IR) para a casa da minha irmã. É aniversário dela.
Breno: Meu Deus! Acho que é impossível. Convida a Marcela.
Rosário: Ela não ____________ (PODE). Ela ______________ (IR) para a praia. Acho que eu ____________________ (IR) sozinha...

D. **Oral: Convide colegas para fazer algo com você. Use os verbos PODER e TER.**

LIÇÃO A AMPLIAÇÃO DO VOCABULÁRIO

Outros entretenimentos

Esportes individuais

dançar

fazer { ginástica / ioga / natação / caminhada = caminhar = andar

Esportes coletivos

jogar { futebol / voleibol / basquetebol / beisebol

A. Ligue os objetos e os lugares aos esportes

caminhada

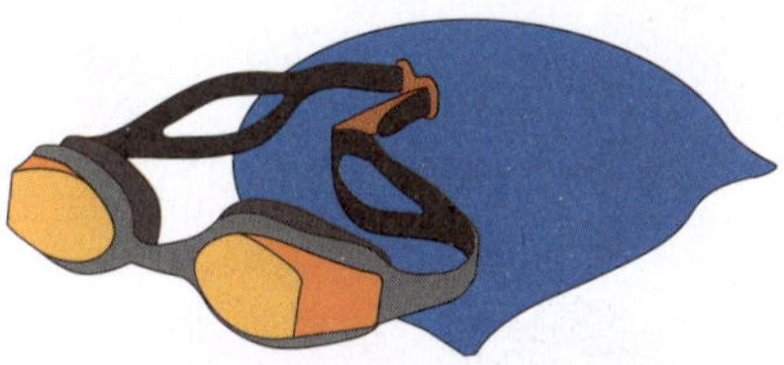

dança

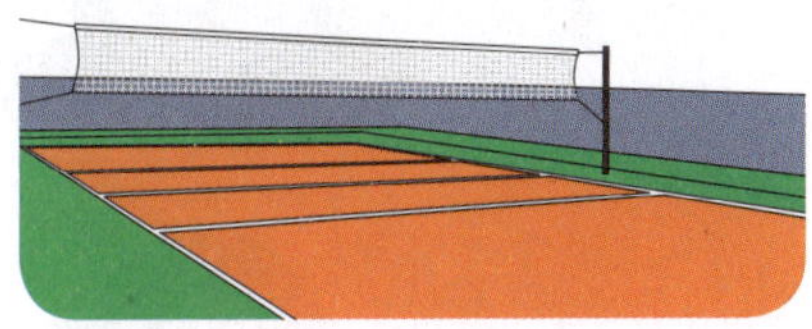

ginástica

ioga

natação

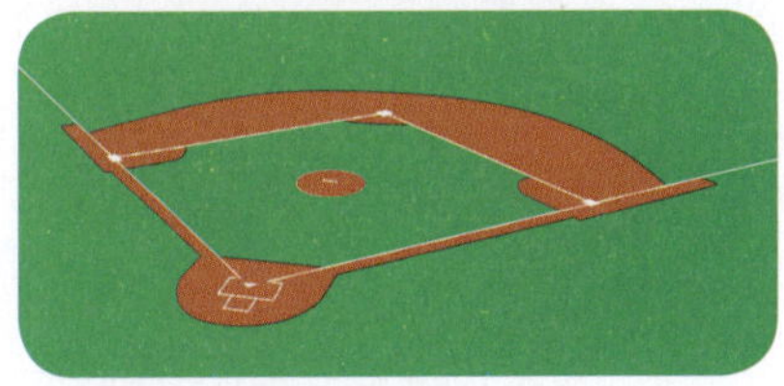

futebol

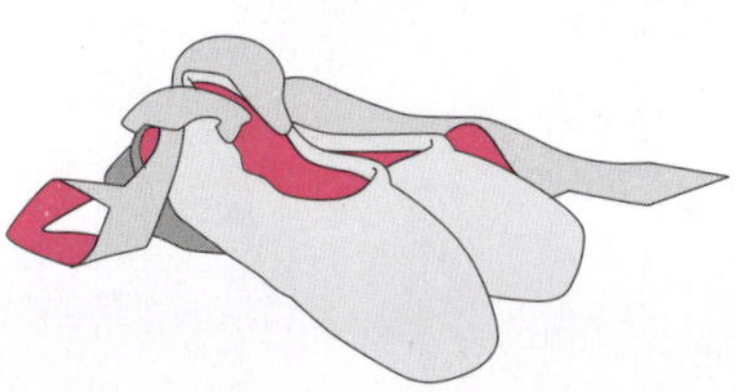

voleibol

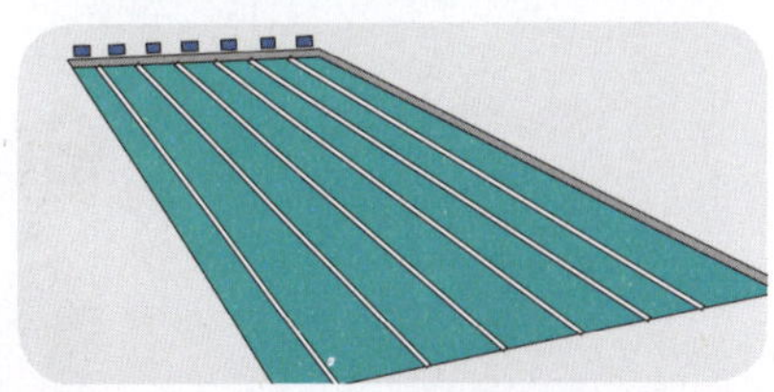

basquetebol

beisebol

B. **Responda as perguntas abaixo:**

1. Qual é seu esporte favorito?

____

2. Você pratica algum esporte? Qual?

____

LEMBRA?
JOGAR E PRATICAR SÃO VERBOS DA PRIMEIRA CONJUGAÇÃO!

3. Quais dos objetos da página anterior você usa para este(s) esporte(s)?

____

4. Onde você pratica este(s) esporte(s)?

____

LIÇÃO B PANORAMA

Família

Fale sobre a sua família: Você é solteiro/a ou casado/a? Você tem esposa/ marido? Você tem filhos? Qual é o nome da sua esposa/ do seu marido? Quais são os nomes dos seus filhos?

LIÇÃO B DIÁLOGO

40

Jorge: Sil, amanhã é aniversário do *pa*. O que a gente vai fazer?
Silvana: A *mami* acha que a gente pode fazer uma festa surpresa.
Jorge: Festa surpresa? O *pa* não gosta de festas.
Silvana: *Já sei, já sei*. Que tal a gente ir pra pizzaria?
Jorge: Qual o problema? Ele adora pizza.
Silvana: Mas no aniversário do *pa* a gente sempre vai pra pizzaria.
Jorge: Mas ele gosta ... e ... é aniversário dele, não seu.
Silvana: Está bem.
Jorge: A gente pode mudar de pizzaria.
Silvana: Quanta criatividade!

NOTE QUE...

já sei, já sei = ok
"pai" = pa = papi = papai
"mãe" = mã = mami = mamãe
mamãe e papai = usados normalmente por crianças

LIÇÃO B GRAMÁTICA

Verbos: ir, achar e gostar

LEMBRA?
VERBO IR + VERBO = FUTURO
O QUE A GENTE VAI FAZER?

Verbo achar + que = opinião
A mami acha que a gente pode fazer uma festa surpresa.

Verbo gostar + preposição DE + substantivos ou verbo
O pa não gosta de festas.
Ele gosta de comemorar o aniversário na pizzaria.

Modo Indicativo - Presente

IR

Eu	vou
Você / Ele / Ela / A gente	vai
Nós	vamos
Vocês / Eles / Elas	vão

ACHAR

Eu	acho
Você / Ele / Ela / A gente	acha
Nós	achamos
Vocês / Eles / Elas	acham

GOSTAR

Eu	gosto
Você / Ele / Ela / A gente	gosta
Nós	gostamos
Vocês / Eles / Elas	gostam

LEMBRA?
O VERBO "IR" É IRREGULAR E É DA 3ª CONJUGAÇÃO. ELE APARECE NA UNIDADE 4, LIÇÃO A

LEMBRA?
O VERBO "ACHAR" É DA 1ª CONJUGAÇÃO E É REGULAR. ELE APARECE NA UNIDADE 5, LIÇÃO A

O verbo "gostar" é da 1ª conjugação e é regular.

LIÇÃO B CONSTRUÇÃO DO CONTEÚDO

A. Complete com o verbo IR.

1. Amanhã, eu ____________________ comprar uma agenda.
2. Terça-feira, Paula e eu ____________________ almoçar juntas.
3. Os alunos ____________________ viajar no fim de semana.
4. Vocês ____________________ trabalhar no sábado?
5. Ela não ____________________ pensar nisso.

B. Complete os minidiálogos a seguir com o verbo GOSTAR.

1. A: Milene, você ____________________ comida mexicana?
   B: ____________________ comer todos os tipos de comida.
2. A: Quem ____________________ estudar tarde da noite?
   B: Nós ____________________ .
3. A: Eles ____________________ esportes. E elas?
   B: Não sei. Acho que ____________________ praticar esportes, sim.
4. A: De que vocês ____________________ ?
   B: ____________________ pensar na vida.

C. Complete o diálogo a seguir com os verbos ACHAR, GOSTAR e IR nos tempos verbais adequados.

Salete: Regina, meu namorado da Alemanha está aqui!
Regina: Legal. Vocês ____________________ (ir) se casar?
Salete: ____________ (achar) que sim. Ele ____________ (gostar) do Brasil.
Regina: Você ____________ (acha) que ele ____________ (ir) ter problemas de adaptação?
Salete: ____________ (achar) que não. Escuta, quero fazer uma festa para ele.
Regina: Tá* bom. Você ____________ (ir) fazer um jantar ou uma festa mesmo?
Salete: Não sei... Ele não ____________ (gostar) de festas. Você ____________ (achar) que podemos fazer um jantar na sua casa?
Regina: Podemos sim, claro. Vocês ____________ (gostar) de comida italiana?
Salete: ____________________ (gostar).
Regina: Então eu ____________ (ir) comprar uma lasanha.
Salete: Que delícia!!!

* pronúncia de 'Está' = 'Tá'

D. **Oral:** Entreviste um/a colega usando o verbo GOSTAR. Depois pergunte quando ele/ela VAI FAZER essas atividades: *amanhã, depois de amanhã, no final de semana* etc.

	GOSTA? SIM	NÃO	QUANDO
1. esportes	☐	☐	______________
2. dançar	☐	☐	______________
3. viajar	☐	☐	______________
4. filmes	☐	☐	______________
5. acordar cedo	☐	☐	______________
6. cozinhar	☐	☐	______________

LIÇÃO B AMPLIAÇÃO DO VOCABULÁRIO

Família

A família de Carina

1. avô
2. avó
3. irmão
4. cunhada
5. marido
6. sobrinho
7. sobrinha
8. filho

Carina em relação a sua família

1. neta
2. neta
3. irmã
4. cunhada
5. esposa
6. tia
7. tia
8. mãe

A. Com base na árvore genealógica abaixo, responda as perguntas.

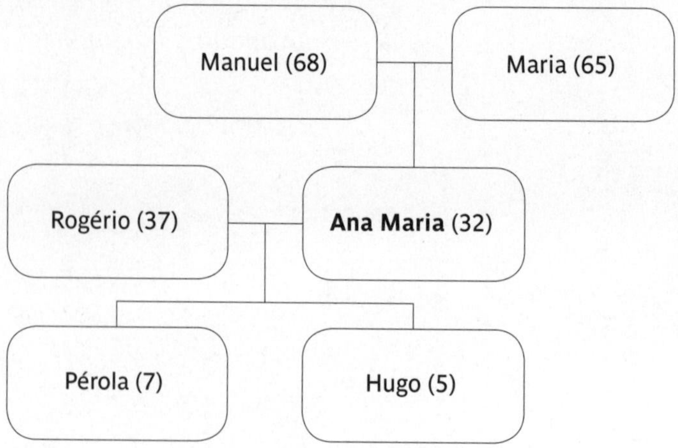

1. Quem é o marido da Ana Maria?
2. Quais os nomes dos filhos de Rogério?
3. Quem são os avós da Pérola?
4. Quem é a irmã do Hugo?
5. Quem é o pai da Ana Maria?
6. Quem é a esposa do Rogério?
7. Qual é a idade dos pais da Ana Maria?

B. Responda as perguntas abaixo.

1. Sua família é grande ou pequena?

2. Qual é o nome de seus pais?

3. Você tem irmãos? Se sim, quantos? Quais são os seus nomes? Que idade eles têm?

4. Qual é o nome de seus avós?

5. Você tem primos? Se sim, quantos? Quais são os seus nomes?

LIÇÃO C PANORAMA

Rotina: A família de Ronaldo Gomes

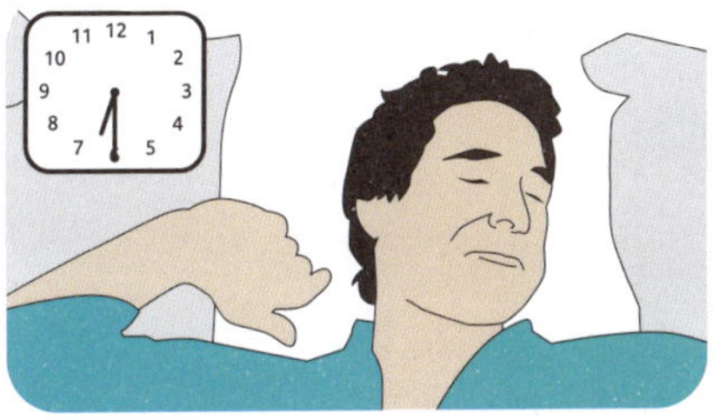

Eu acordo às 6h00. Leio o jornal, tomo o café da manhã e vou pro trabalho às 6h30.

A Mara, minha esposa, acorda às 6h00 também. Prepara o café da manhã pra família e leva o Fábio pra escola.

O Fábio e a Sueli também acordam às 6h00. O Fábio vai pra escola às 7h30. A Sueli vai pra faculdade às 7h00 de metrô.

Fale sobre a sua rotina: À que horas você acorda? À que horas você vai pro trabalho? Quem prepara o seu café da manhã?

LIÇÃO C DIÁLOGO

41

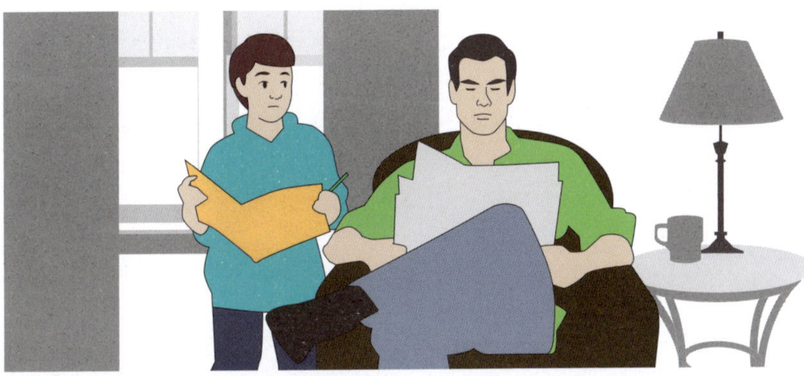

Fábio: Pai, o que você está fazendo?
Ronaldo: Estou lendo o meu jornal.
Fábio: Você pode me ajudar com esta lição de português?
Ronaldo: Desculpe, Fábio, mas estou terminando de ler o jornal e vou trabalhar.

Fábio: Mãe, o que você está fazendo?
Mara: Estou preparando o café da manhã.
Fábio: Você pode me ajudar com esta lição de português?
Mara: Agora não. Estou ocupada.

Fábio: Su, o que você está fazendo?
Sueli: Nada de especial. O que você quer?
Fábio: Você pode me ajudar com esta lição de português?
Sueli: Depende. O que é?
Fábio: Estou acabando a lição de português, mas não sei o plural de "lápis".
Sueli: Hum, acho que é "lápis". Por que você não procura no dicionário?
Fábio: Porque eu não sei.
Sueli: Vamos ver, ... "lápis" plural "lápis". Está certo.
Fábio: Obrigado, Su.
Sueli: De nada.

LIÇÃO C GRAMÁTICA

Verbo estar + verbo – "R" + NDO; Verbo saber

Pai, o que você **está fazendo**?
fazer – r + ndo = fazendo
Estou lendo o meu jornal.
ler – r + ndo = lendo
Estou preparando o café da manhã.
preparar – r + ndo = preparando

LEMBRA?
POR QUE ...? (PERGUNTA) / PORQUE (RESPOSTA)
POR QUE VOCÊ NÃO PROCURA NO DICIONÁRIO?
PORQUE EU NÃO SEI.

Eu não **sei** o plural de "lápis".
Você **sabe**?

Indicativo - Presente

SABER

Eu	sei
Você / Ele / Ela / A gente	sabe
Nós	sabemos
Vocês / Eles / Elas	sabem

O verbo "saber" é da 2ª conjugação e é irregular.

LIÇÃO C CONSTRUÇÃO DO CONTEÚDO

A. Observe as figuras e escreva o que as pessoas ESTÃO FAZENDO.

1. ______________________

2. ______________________

3. ______________________

4. ______________________

5. ______________________

6. ______________________

B. Complete o diálogo com a forma mais adequada.

1. A: Por que Maria não está trabalhando hoje?
   B: Porque ______________________ (CANSADA).
2. A: Por que você está estudando português?
   B: Porque ______________________ (QUERER).
3. A: Por que Patrícia está correndo?
   B: Porque ______________________ (ATRASADA).
4. A: Por que Valdemar e Luiz estão acordando?
   B: Porque ______________________ (TRABALHAR).
5. A: Por que você está no Brasil?
   B: Porque ______________________.

C. Complete os diálogo com o verbo SABER.

1. Juliano: Roger, você ____________ qual é a capital da Espanha?
   Roger: ______________________. É Barcelona.
   Juliano: Você não ______________________ nada. É Madri.
2. Sidney: Alunos, vocês ______________________ o que é carbono?
   Alunos: ______________________, sim. É um elemento químico.

3. Cida: Quem ________________________ o endereço da Paula?
   Lucas: Eu ____ .
4. Marcos: Seu chefe ______________________ o dia da reunião?
   João: Acho que ele _________ , mas nós também _________ .

D. Oral: O que as pessoas estão fazendo no parque? Descreva a cena a seguir. Faça perguntas a um/a colega.

LIÇÃO C AMPLIAÇÃO DO VOCABULÁRIO

Meios de transporte e verbos de locomoção

Meios de transporte

metrô | avião | táxi

carro | ônibus | trem

Verbos de locomoção

andar a pé = ir a pé

andar de bicicleta = ir de bicicleta

dirigir = ir de carro

tomar ou pegar ônibus/ táxi/ metrô/ trem = ir de ônibus/ táxi/ metrô/ trem

andar de avião = ir de avião/ viajar de avião

NOTE QUE...

andar a pé = ir a pé
andar de bicicleta = ir de bicicleta
andar de avião = viajar de avião
dirigir = ir de carro
tomar/ pegar ônibus/ táxi/ metrô/ trem = ir de ônibus/ táxi/ metrô/ trem

A. 42 **Ouça os diálogos e complete o quadro.**

	meio de transporte escolhido	o local é perto ou longe?
Juliana	______	______
Mateus	______	______
Eduardo	______	______

B. **Responda as perguntas.**

1. Quais meios de transporte são usados em sua cidade natal?
______

2. Você gosta de andar a pé? Onde?
______

3. Você gosta de andar de bicicleta? ______

4. Dos meios de transporte acima, qual é o...
mais rápido? ______
mais devagar? ______
mais seguro? ______
mais confortável? ______
mais caro? ______
mais barato? ______

LIÇÕES A, B e C COMPREENSÃO AUDITIVA

43 **Duas amigas estão decidindo o que fazer hoje à noite. Escolha a alternativa correta.**

Leonice

1. ☐ está estudando ☐ está lendo
2. ☐ está descansada hoje ☐ está cansada hoje
3. ☐ vai sair com o irmão ☐ vai sair com a tia

Heloísa:

1. ☐ vai dirigir ☐ vai de metrô
2. ☐ quer ir pro teatro ☐ quer ir pro cinema
3. ☐ vai sair com o irmão ☐ vai sair com a tia

LIÇÕES A, B e C APLICAÇÃO ORAL DO CONTEÚDO

A. Ligue para um/a colega e convide-o/a para fazer algo mais tarde. Siga as instruções.

Aluno A – Liga para colega B
Pergunte ao (a) seu (sua) colega:
O que ele (a) está fazendo agora
O que vai fazer mais tarde
Se ele (a) gosta de futebol, cinema, teatro ou música
Se ele (a) quer fazer algo mais tarde
Como ele (a) quer ir (transporte)

Aluno B – atende ao telefone
Responda às perguntas de seu (sua) colega e aceite o convite feito.

B. Entreviste um/a colega sobre sua família. Preencha o quadro.

	NÚMERO	NOMES	IDADES
Irmãos?			
Esposa/marido?			
Filhos?			
Pais?			
Avós?			

LEITURA

Terminal Rodoviário Tietê

Terminal **Rodoviário Tietê** : o 2º maior terminal rodoviário do mundo.

O **Terminal Rodoviário Tietê** é hoje o maior terminal rodoviário da América Latina e o segundo maior do mundo (depois do de Nova York), está situado num terreno de 120.000 m^2 e ocupa uma área construída de 54.480 m^2. Esse terminal funciona 24 horas por dia, conta com 65 empresas rodoviárias, 135 bilheterias e 304 linhas de ônibus que atendem a 1.010 cidades.

Adaptado do site: www.passagem-em-domicilio.com.br/terminal-tiete.asp

A. Leia o texto e responda as perguntas abaixo.

1. Qual é o maior terminal rodoviário da América Latina e o segundo maior do mundo?

2. A quantas cidades o terminal atende?

3. Qual é o horário de funcionamento do terminal?

REDAÇÃO

No seu país, você utiliza o terminal rodoviário? Quando? Qual é seu meio de transporte favorito para longas distâncias? E para curtas distâncias?
Escreva uma redação com base nas perguntas acima.

CONSOLIDAÇÃO LEXICAL

Árvore Genealógica

Desenhe sua árvore genealógica (utilize a árvore de Carina como modelo) e descreva os membros de sua família em relação a você na própria árvore.

UNIDADE 7

Atrasada de novo, Valquíria?

LIÇÃO A **PANORAMA**

A locomoção na cidade de São Paulo

A população da cidade de São Paulo utiliza ônibus, metrô, trem, bicicleta e carro para se locomover diariamente. Há também os que se locomovem a pé.

Como as pessoas se locomovem na sua cidade? Como você se locomove de casa para o trabalho, por exemplo?

LIÇÃO A DIÁLOGO

44

No ponto de ônibus

Valquíria: Bom dia.
Janaina: Oi. Tudo bem?
Valquíria: Tudo. Nada do "zero nove"?
Janaina: Ainda não. Estou esperando o "zero oito" ou o "zero nove", mas os dois estão atrasados.
Valquíria: De novo? Vou chegar atrasada.

No trabalho

Valquíria: Bom dia, Rute.
Rute: Atrasada de novo, Valquíria?
Valquíria: É o meu ônibus. O chefe está aí?
Rute: Ainda não.
Valquíria: Que bom!
Rute: Por que você não pega metrô?
Valquíria: Eu pego ônibus e metrô. O problema é o horário.
Rute: O Juliano mora perto da sua casa, né?
Valquíria: Mora.
Rute: Ele vem de carro. Por que você não pega uma carona com ele?
Valquíria: Ele é estranho. Um dia ele está simpático, outro dia ele está antipático.
Rute: É verdade.

LIÇÃO A GRAMÁTICA

Verbos: ser, estar e vir / Sugestão: Por que... não...?

Modo Indicativo - Presente

VIR

Eu	venho
Você / Ele / Ela / A gente	vem
Nós	vimos
Vocês / Eles / Elas	vêm

O verbo "vir" é da 2ª conjugação e é irregular. A conjugação dele é parecida com a do verbo "ter".

Verbo ser + adjetivo (permanente)

Ele **é estranho**.
Ela **é inteligente**.
Elas **são bonitas**.

Verbo estar + adjetivo (temporário)

Um dia ele **está simpático**, outro dia ele **está antipático**.
O trânsito **está complicado** hoje.
Ele **está bonito** hoje.
Hoje ela **está** mais **bonita**.

Verbo vir

Eu **venho** de ônibus.
Ele **vem** de carro.
A gente **vem** de trem.

Sugestão

Por que você **não** pega metrô?
Por que ela **não** vem mais cedo?

LIÇÃO A CONSTRUÇÃO DO CONTEÚDO

A. Complete os diálogos com os verbos SER e ESTAR.

1. Lucas: Nossa, você ____________ cansado hoje Gabriel!
   Gabriel: ____________ mesmo. Esta semana ____________ difícil para mim.
2. Paula: Meu marido ____________ muito engraçado.
   Andreia: Por quê?
   Paula: Ele gosta de contar piadas.
3. Flávio: Credo, meu dia ____________ horrível hoje.
   Hugo: Vá para casa, Flávio.
4. Celina: Daniela, seus pais ____________ muito simpáticos.
   Daniela: Obrigada, eles ____________ sempre assim.

B. Complete o diálogo com os verbos IR e VIR.

Aluno: Oi, professor. Desculpa. Estou atrasado.
Professor: De novo? Por que você sempre se atrasa? Você ____________ de ônibus para cá?
Aluno: Não. Eu ____________ de metrô. Mas ____________ para casa depois da aula de ônibus.
Professor: E suas amigas? Elas também estão atrasadas. Como elas ____________ para a aula?
Aluno: Acho que elas ____________ de carona. Mas ____________ para casa a pé.

Professor: Precisamos conversar sobre isso.
Aluno: Está bem, mas o senhor às vezes chega atrasado também. O senhor ______________________ de ônibus ou trem?
Professor: Não, eu ____________ de carro, mas moro muito longe e o trânsito às vezes é muito ruim.

C. Oral: Entreviste um colega. Descubra como ele está HOJE. Sugira algo. No final, complete com suas próprias ideias.

Exemplo:
A: Você está atarefado hoje?
B: Estou. Por quê?
A: Por que quero almoçar com você.
B: Tudo bem.

QUALIDADE	SIM	NÃO	SUGESTÃO
Atarefado	☐	☐	____________
Feliz	☐	☐	____________
Cansado	☐	☐	____________
Relaxado	☐	☐	____________
Estressado	☐	☐	____________

LIÇÃO A AMPLIAÇÃO DO VOCABULÁRIO

Verbos

vir (aqui) – ir (lá)

trazer (aqui) – levar (lá)

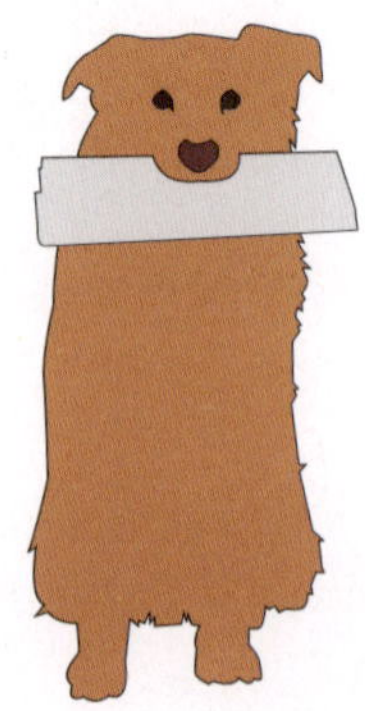

buscar (= ir lá e trazer aqui)

A. Complete o e-mail abaixo com o verbo correto.

De: Tony [tony123@muitoprazer.br]
Para: Eduarda [mariaedu@muitoprazer.br]
Cc:
Assunto: Notícias da praia

Oi, Eduardinha! Tudo bem?
Que saudade!!!!!
Aqui está tudo ótimo! A praia está maravilhosa e estamos aproveitando muito.
E vc? Quando ____________ (vir/ ir) aqui? Estamos te esperando!
O Marquinhos e a Joana estão mandando beijos.
Vc ____________ (vir/ ir) de ônibus ou de carro? Vc pode ____________ (trazer/ levar) algumas garrafas de refri e carne para o churrasco? O Marquinhos pode te ____________ (buscar/ trazer) de carro, tá? É só avisar.
Bjs,
Tony

NOTE QUE...

Algumas abreviações em e-mails são:
vc = você
Bjs = beijos
'Tá? = está certo?
Refri = refrigerante

B. 45 **Ouça e responda as perguntas abaixo:**

1. O que a Eduarda precisa trazer? ____________
2. Aonde ela precisa ir? ____________
3. Quem ela precisa buscar? ____________

LIÇÃO B PANORAMA

Aonde ir no seu bairro

1. supermercado

2. farmácia

3. cinema

4. posto de gasolina

5. shopping center

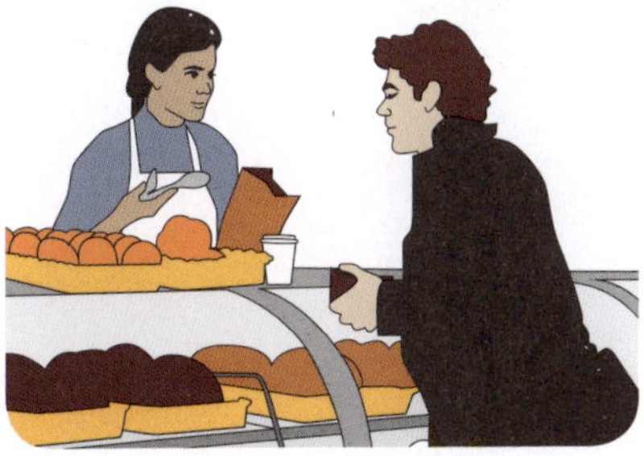

6. padaria

7. correio

8. livraria

9. restaurante

10. banco

11. parque

12. café

Fale sobre o seu bairro: Você gosta do seu bairro? O que tem lá? Aonde você vai no seu bairro?

LIÇÃO B DIÁLOGO

46

Jaqueline: Vanessa? Você aqui neste supermercado?
Vanessa: Oi, Jaqueline. Estou morando perto daqui.
Jaqueline: Sério?
Vanessa: É. Somos vizinhas agora.
Jaqueline: Que legal! Você está morando no meu prédio?
Vanessa: Não. Estou morando neste bairro. Estou a três quarteirões do seu apartamento, mas na rua de trás.

Jaqueline: E você está gostando daqui?

Vanessa: Estou. O apartamento não é muito grande. Tem dois quartos pequenos, uma sala, cozinha, banheiro e quarto de empregada. Mas o bairro é ótimo.

Jaqueline: É verdade. Aqui tem metrô, ônibus, supermercados, lojas, correio, igreja e até um shopping center.

NA CONVERSAÇÃO...
"SÉRIO?" = VERDADE? = MESMO?

NOTE QUE...

"até" expressa 'surpresa' = e mais.

Aqui tem metrô, ônibus, supermercados, lojas, correio, igreja e **até** um shopping center.

LIÇÃO B GRAMÁTICA

Verbo ter

Verbo ter = haver (existir)

Aqui **tem** metrô, ônibus, supermercados, lojas, igreja e até um shopping center.

Aqui **não tem** correio.

LIÇÃO B CONSTRUÇÃO DO CONTEÚDO

A. Observe o mapa e escreva o que tem no bairro.

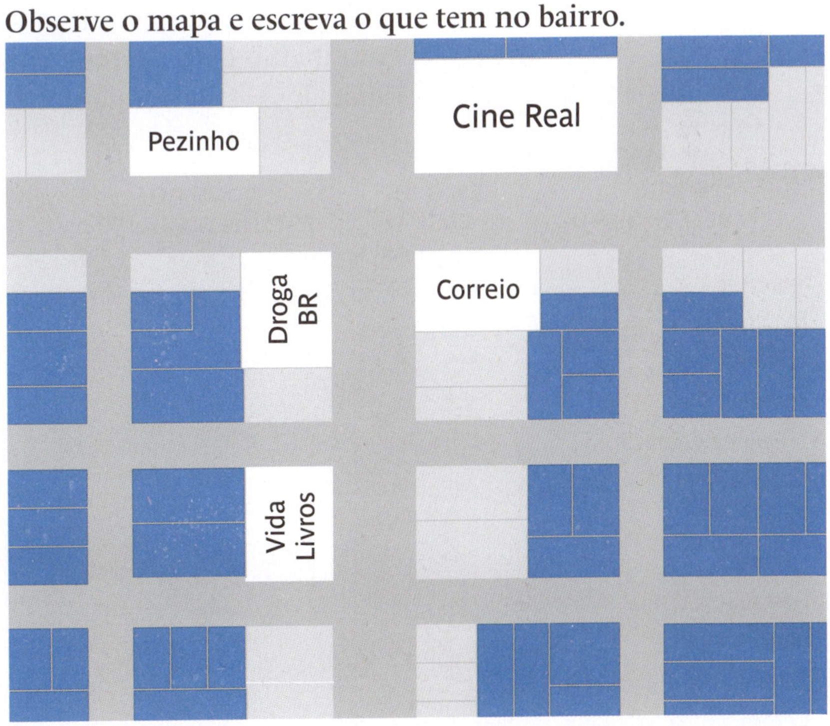

1. correio *Tem um correio no bairro* ______

______

2. parque ______________________________
3. loja de sapatos ______________________________
4. cinema ______________________________
5. farmácia ______________________________
6. igreja ______________________________
7. livraria ______________________________

B. Escreva o que tem e o que não tem perto de sua casa.

1. ______________________________
2. ______________________________
3. ______________________________
4. ______________________________
5. ______________________________

C. **Oral:** Entreviste um colega sobre o que tem perto da casa e do trabalho dele. Marque com um X o que tem e pergunte o nome dos estabelecimentos.

TIPO DE ESTABELECIMENTO	PERTO DE CASA	NOME DO ESTABELECIMENTO	PERTO DO TRABALHO	NOME DO ESTABELECIMENTO
Supermercado				
Farmácia				
Cinema				
Posto de Gasolina				
Shopping Center				
Padaria				
Correio				
Livraria				
Restaurante				
Banco				
Parque				
Café				

LIÇÃO B AMPLIAÇÃO DO VOCABULÁRIO

O que fazer no seu bairro

almoçar

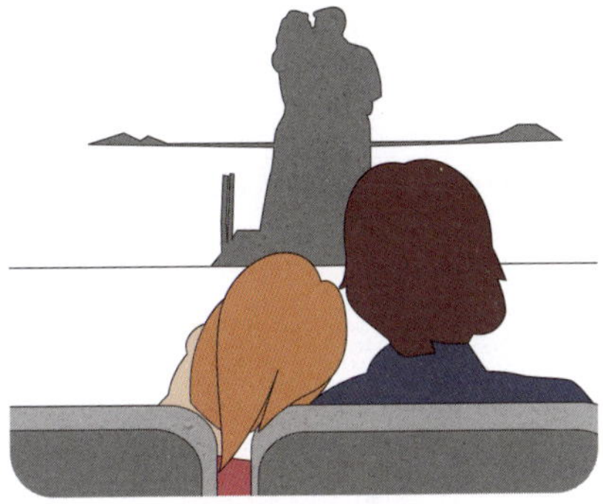
assistir a filmes

caminhar

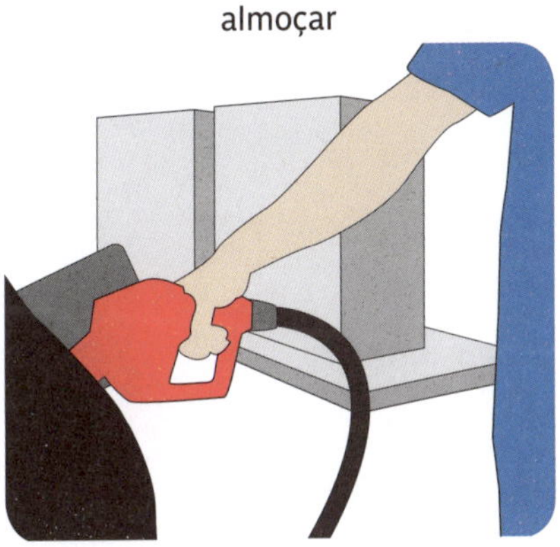
encher (o tanque do carro)

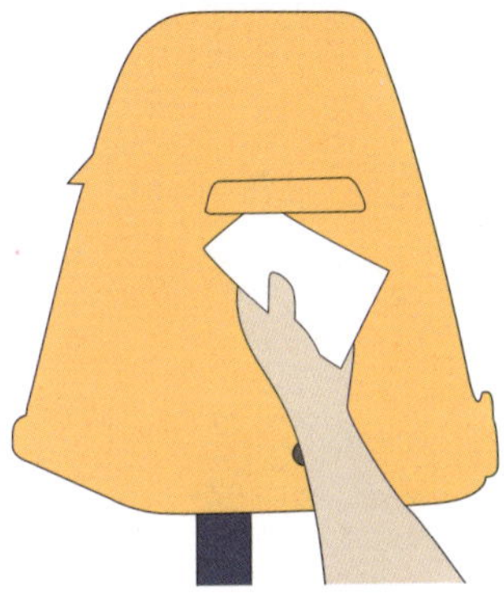
enviar (cartas)

tomar café

A. Coloque as palavras abaixo nos locais corretos no mapa:

cinema correio restaurante
parque posto de gasolina padaria
livraria banco café

B. **Ligue os locais às atividades abaixo (mais de uma alternativa é possível):**

	almoçar
	assistir a filmes
supermercado	caminhar
cinema	comer
shopping center	comprar CDs, revistas, livros
correio	conversar
restaurante	correr
parque	depositar cheque(s)
farmácia	encher o tanque
posto de gasolina	enviar cartas
padaria	fazer compras
livraria	jantar
banco	pagar contas
café	retirar dinheiro
	tomar café
	comprar remédio

C. **Onde você prefere...**

1. almoçar/ jantar? ____________________
2. assistir a filmes? ____________________
3. conversar? ____________________
4. pagar contas / retirar dinheiro? ____________________
5. tomar café? ____________________
6. fazer compras? ____________________
7. correr / caminhar? ____________________

D. **Descreva sua vizinhança.**

No meu bairro tem ____________________

____

____

____

____

____

____

____

____

____

____

____

LIÇÃO C PANORAMA

O que fazer no fim de semana

Em São Paulo as pessoas saem no fim de semana para se divertir. Elas vão para: o parque, o cinema, a balada, a igreja, o museu, o show, o bar, a casa de chá e o restaurante.

O que você gosta de fazer no fim de semana? O que você faz no fim de semana? Você gosta mais de sair à noite ou de dia? Para que lugares as pessoas vão à noite? Para que lugares as pessoas vão de dia?

LIÇÃO C DIÁLOGO

47

Clara: Você sabe se aqui tem algum parque?
Jorge: Tem o parque da Aclimação. Não é muito perto, mas dá para ir a pé.
Clara: Eu prefiro o parque do Ibirapuera.
Jorge: Mas é muito longe. Você conhece o parque da Aclimação?
Clara: Mais ou menos.
Jorge: Eu vou lá duas vezes por semana. Podemos ir juntos.
Clara: Claro. Vamos combinar.

LIÇÃO C GRAMÁTICA

Verbos: saber, conhecer, preferir

SABER Verbo saber + advérbios interrogativos	CONHECER Verbo conhecer + substantivo (ou pronome)
• Você **sabe onde tem um** parque aqui? • **Sei**. Tem o parque da Aclimação.	• Você **conhece** algum parque por aqui? • **Conheço** o parque da Aclimação.
Eu **sei onde** fica a catedral da Sé.	Eu **conheço** a catedral da Sé.
Você **sabe como** chegar ao parque da Aclimação?	Você **conhece** o parque da Aclimação?
Ele não **sabe como** é o parque do Ibirapuera.	Ele não **conhece** o parque do Ibirapuera.
Verbo saber + pronome interrogativo (ou substantivo)	**Verbo conhecer + nome de pessoa**
A gente **sabe qual** é o nome dele. (= A gente sabe o nome dele.)	A gente **conhece** o Pedro.
Elas **sabem quem** é a Beatriz.	Elas **conhecem** a Beatriz.

Verbo preferir + substantivo	Verbo preferir + verbo
Eu prefiro o parque do Ibirapuera.	Você prefere estudar ou trabalhar?

SABER		CONHECER		PREFERIR	
Eu	**sei**	Eu	conheç**o**	Eu	prefir**o**
Você Ele Ela A gente	sabe	Você Ele Ela A gente	conhece	Você Ele Ela A gente	prefer**e**
Nós	sab**emos**	Nós	conhec**emos**	Nós	prefer**imos**
Vocês Eles Elas	sab**em**	Vocês Eles Elas	conhec**em**	Vocês Eles Elas	prefer**em**

O verbo **saber** é irregular na 1ª pessoa do singular (eu) e é da segunda conjugação. Os verbos da 2ª conjugação terminam em "-er"

O verbo **conhecer** é irregular na 1ª pessoa do singular (eu) e é da segunda conjugação. Os verbos da 2ª conjugação terminam em "-er"

O verbo **preferir** é irregular na 1ª pessoa do singular (eu) e é da terceira conjugação. Os verbos da 3ª conjugação terminam em "-ir"

LIÇÃO C CONSTRUÇÃO DO CONTEÚDO

A. Complete os diálogos com os verbos indicados.

1. Júlio: Carlinhos, você ______________ (CONHECER) este homem?
   Carlinhos: ______________ (CONHECER). Ele é ator.
   Júlio: Isso. O nome dele é John Travolta. E esta mulher aqui?
   Carlinhos: Esta eu não ______________ (CONHECER). Quem é?
   Júlio: Ela é atriz também. Francesa. Juliette Binoche.

2. Xavier: Carmem, sua irmã ______________ (PREFERIR) dançar ou ir a um restaurante?
   Carmem: Dançar. Ela ______________ (CONHECER) muitas casas noturnas por aqui.

3. Ivone: Eu quero ir para a França. Você ______________ (CONHECER) a França?
   Thiago: Não, mas meus pais ______________ (CONHECER). Eles viajam todo ano.
   Ivone: Eles ______________ (PREFERIR) a França ou a Inglaterra?
   Thiago: Acho que eles ______________ (PREFERIR) a Inglaterra. Lá tem gente de todas as partes do mundo. Especialmente em Londres.

B. Complete as orações com pronomes ou advérbios interrogativos.

1. A: Você sabe ______________ é a Avenida Rio Branco?
   B: Sei. É perto da Praça Princesa Isabel.
2. A: Ela sabe ______________ mora nesta casa?
   B: Sabe. É uma amiga dela.
3. A: Seus filhos sabem ______________ é a igreja?
   B: Sabem. Ela é toda amarela com detalhes em branco.
4. A: Você sabe ______________ tem uma farmácia por aqui?
   B: Tem uma ao lado do banco.
5. A: Vocês sabem ______________ é o carro dela?
   B: Sabemos. É aquele carro branco na esquina.

C. **Oral:** Fale com os(as) colegas sobre os lugares (restaurantes, bares, lojas) de que você gosta em sua cidade. Descubra se ele(a) conhece o local e pergunte sobre suas preferências. Dê dicas para seus(suas) colegas.

Ex.: A: Você prefere comida japonesa ou mexicana?
B: Prefiro mexicana.
A: Você conhece o restaurante "Los chicos"?
B: Pessoalmente não.
A: Você sabe onde é?
B: Sei. É perto daquela praça que tem a estátua do cavalo.
A: Isso. Por que não jantamos lá hoje?...

LIÇÃO C AMPLIAÇÃO DO VOCABULÁRIO

Na academia

alongamento

ginástica

musculação

ioga

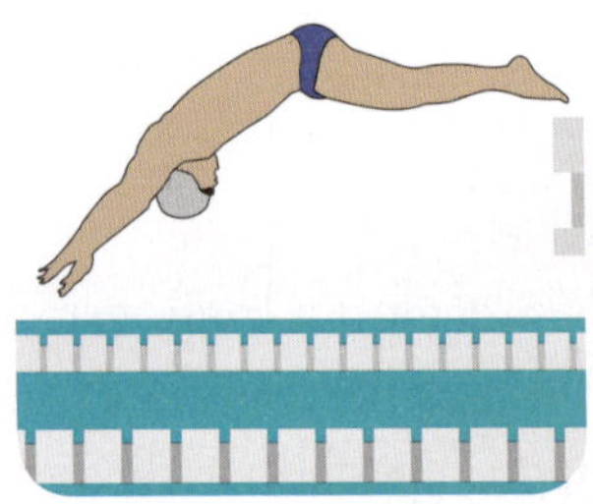
natação

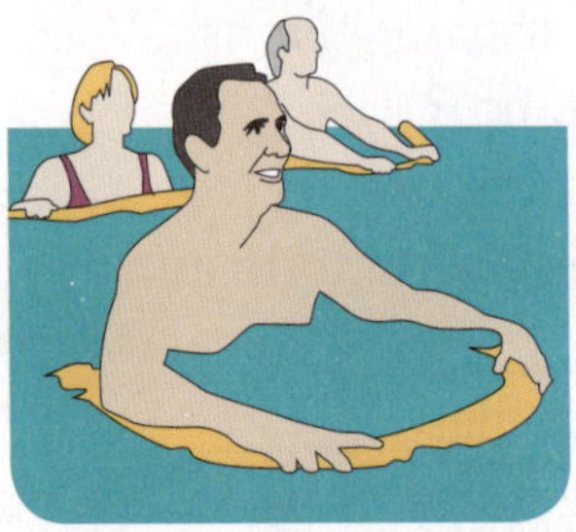
hidroginástica

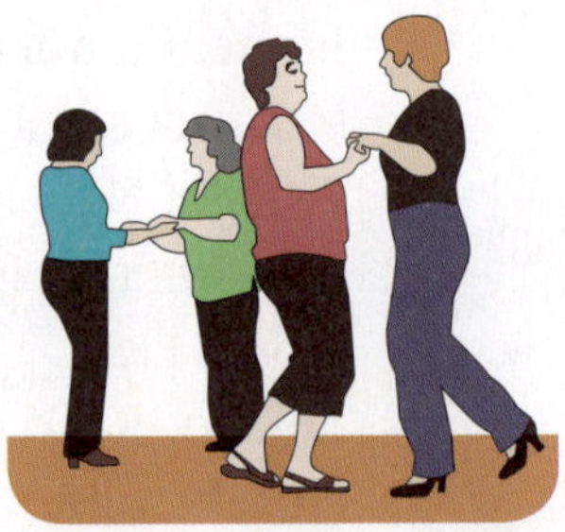
dança

balé clássico

A. 🎧 48 **Ouça os diálogos e numere os desenhos de 1 a 4.**

☐

☐

☐

☐

B. 🎧 48 **Quando e onde eles fazem as atividades em A?**

Diálogo 1: ____

____

Diálogo 2: ____

____

Diálogo 3: ____

____

Diálogo 4: ____

LEMBRA?

NOS FINAIS DE SEMANA /
NOS FINS DE SEMANA
ÀS SEGUNDAS/TERÇAS...
AOS DOMINGOS...

LIÇÕES A, B e C COMPREENSÃO AUDITIVA

🎧 49 **Ouça os diálogos e marque a resposta correta:**

1. Marlene está

☐ ocupada ☐ cansada

Marlene conhece o Cine Brasil

☐ sim ☐ não

2. Márcio

☐ está ocupado hoje ☐ é ocupado

Pedro prefere

☐ a lanchonete ☐ o restaurante

3. A senhora prefere

☐ ir pra academia ☐ exercitar-se no parque

O senhor prefere café

☐ normal ☐ extraforte

O senhor vai

☐ para o mercado ☐ para o parque

LIÇÕES A, B e C APLICAÇÃO ORAL DO CONTEÚDO

A. **Você e seu(sua) colega querem sair depois da aula. Siga as instruções para montar um diálogo.**

1. Descubra como seu(sua) colega está hoje.
2. Pergunte se tem algum local para vocês irem perto de onde estão (cinema, restaurante, bar, teatro, parque etc ...)
3. Fale sobre suas preferências e pergunte sobre as dele(a).
4. Decidam o que vão fazer (jantar, assistir a um filme, fazer compras, tomar café etc...)
5. Decidam aonde vão. Verifique se seu(sua) colega conhece os lugares de que você gosta.

B. Siga as mesmas instruções para fazer um diálogo com outro colega.

LEITURA

A. Ligue os locais aos objetos ou esportes.

ginástica

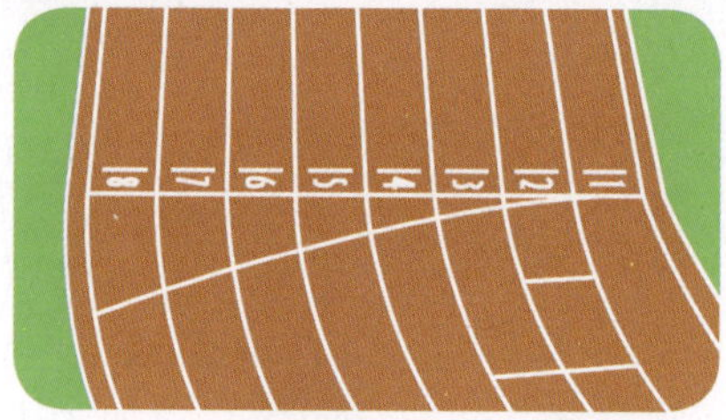

caminhada

brincadeiras

corrida

basquetebol

bicicleta

B. Parques de São Paulo.

Maurício Simonetti/SambaPhoto

Parque da Aclimação

O Parque da Aclimação é pequeno, mas é aconchegante. Tem lago, quadras, pista de cooper, uma pequena trilha para caminhada, aparelhos de ginástica e playgrounds. Não se pode andar de bicicleta nem é permitida a entrada de cães soltos, motos, skates e patins.

O público é formado por moradores da região, famílias com crianças, alguns jovens se exercitando e idosos que caminham principalmente pela manhã. O parque também está cheio de árvores com sombra em vários pontos. O lago é lindo, mas falta cuidado na conservação.

Adaptado de: http://vejinha.abril.com.br/red/popups_vejinha/mapa_verde/aclimacao.html em 23/03/07

Araquém Alcântara/SambaPhoto

Parque Ibirapuera

O parque está dividido em duas grandes áreas. Uma delas é voltada às atividades culturais, como o Pavilhão da Bienal, Oca, Museu Afro Brasil, Planetário, Auditório Ibirapuera, Museu de Arte Moderna e o Pavilhão Japonês. A outra, destinada ao esporte e ao lazer, tem espaços como ciclovia, pista de cooper, quadras, playground, praça de jogos e uma casa de leitura. É possível alugar bicicletas dentro ou próximo às portarias. A entrada de cães é permitida. Um dos mais movimentados de São Paulo, o parque Ibirapuera recebe cerca de 20 mil pessoas durante a semana. Nos finais de semana, esse número sobe para 70 mil aos sábados e 130 mil aos domingos.

Adaptado de: http://vejinha.abril.com.br/red/popups_vejinha/mapa_verde/ibirapuera.html em 23/03/07

A. **Responda as perguntas abaixo:**

1. Qual parque....

a. é o mais movimentado? ____________________

b. é menor? ____________________

c. possui um planetário? ____________________

d. tem muitas árvores com sombra? ____________________

2. Em qual parque não é possível...

a. andar de bicicleta? ____________________

b. ter animais soltos? ____________________

REDAÇÃO

Qual é o maior parque do seu país? Você costuma ir ao parque? O que você faz e aonde costuma ir aos finais de semana? Escreva uma redação com base na leitura e nas perguntas acima.

____
____
____
____
____
____
____
____
____
____
____
____
____
____

CONSOLIDAÇÃO LEXICAL

Características

A. Dê o nome das pessoas que você conhece com as seguintes características:

1. Está sempre atarefado(a) e estressado(a): ________________
2. É inteligente e estudioso(a): ________________
3. É engraçado(a) e divertido(a): ________________
4. Está sempre bonito(a) e arrumado(a): ________________

B. Você se lembra de qual é a diferença entre os verbos ser e estar? Escreva as características de pessoas que você conhece, usando os verbos ser e estar.

____
____
____
____
____
____
____
____

UNIDADE 8

Eu gostaria de ver um apartamento para comprar

LIÇÃO A PANORAMA

Planta de imóveis

apartamento

casa

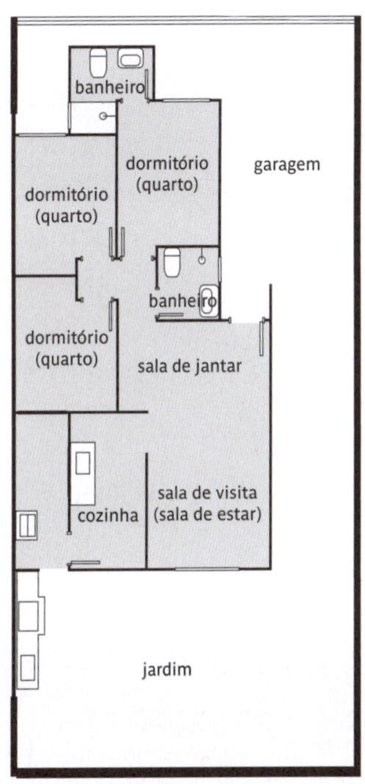

Fale sobre a sua casa / o seu apartamento: Onde você mora? Como é a sua casa / o seu apartamento? Tem sala de jantar? Tem garagem?

LIÇÃO A DIÁLOGO

50

Luís: Eu gostaria de ver um apartamento para comprar.
Corretor: Novo ou usado?
Luís: Novo.
Corretor: Qual é o bairro de sua preferência?
Luís: Eu gosto da Vila Clementino.
Corretor: Temos um prédio seminovo na rua Onze de Junho, muito bem localizado.
Luís: Quantos dormitórios?
Corretor: Três. Veja as fotos.
Luís: Parece interessante.
Corretor: Podemos visitar o apartamento agora?
Luís: Ainda não. Antes gostaria de saber o valor do imóvel.
Corretor: O dono está pedindo R$ 300 mil, mas dá pra negociar.
Luís: Acho que o preço está razoável. Fica perto do Shopping Santa Cruz?
Corretor: Fica a alguns quarteirões. Então, vamos ver o apartamento?
Luís: Claro. Vamos sim.

LIÇÃO A GRAMÁTICA

Verbos: gostar, ver, ficar; expressão: dar para

LEMBRA?

"DAR PARA = PODER" O DONO ESTÁ PEDINDO R$ 300 MIL, MAS **DÁ PRA** NEGOCIAR. (= PODEMOS NEGOCIAR) ESTÁ FRIO. POR FAVOR, **DÁ PRA** FECHAR A PORTA! (= VOCÊ PODE FECHAR A PORTA?)

Verbo gostar + ia = gostaria → expressa desejo no presente em tom polido

Eu **gostaria de** ver um apartamento para comprar.

Você **gostaria de** ir ao Shopping?

Nós não **gostaríamos de** sair agora.

Vocês **gostariam de** beber alguma coisa?

Ver - veja → está no imperativo e expressa um convite. O imperativo pode expressar uma ordem, um conselho, um convite ou um pedido.
Veja as fotos.

ficar → localização
(o apartamento) **Fica** perto do Shopping Santa Cruz?
(ele) **Fica** a alguns quarteirões.
Onde **fica** a rua das Flores?

GOSTAR (presente)		GOSTAR (futuro do pretérito)		VER (presente)		VER (imperativo)	
Eu	gost**o**	Eu	gostar**ia**	Eu	vejo	vê	(tu)
Você / Ele / Ela / A gente	gost**a**	Você / Ele / Ela / A gente	gostar**ia**	Você / Ele / Ela / A gente	vê	veja	(você)
						vejamos	(nós)
						vede	(*vós*)
						vejam	(vocês)
Nós	gosta**mos**	Nós	gostar**íamos**	Nós	vemos		
Vocês / Eles / Elas	gost**am**	Vocês / Eles / Elas	gostar**iam**	Vocês / Eles / Elas	veem		

O verbo "ficar" se conjuga como o "gostar".

O verbo ver é irregular.

O "vós" não é usado na conversação.

Imperativo: forma-se o imperativo dos verbos regulares da seguinte forma: verbos terminados em "ar" recebem "e"no lugar do "ar", verbos em "er" e "ir" recebem "a"no lugar do "er" ou "ir".Exemplos: estud**ar** → estude; com**er** → coma; divid**ir** → divida.
Forma-se o imperativo dos verbos irregulares a partir da 1ª pessoa (eu) do presente. Assim, eu vejo, menos o "o"→ vej + "a"→ veja porque o verbo "ver" termina em "er".

LIÇÃO A CONSTRUÇÃO DO CONTEÚDO

A. Complete os diálogos com o verbo FICAR.

1. A: Onde ______________________ a Torre Eiffel?
   B: ______________________ em Paris.
2. A: Você sabe onde ______________________ as pirâmides?
   B: ______________________ no Egito, não é?
3. A: Minha casa ______________________ perto do banco.
   B: Eu sei, ______________ perto da farmácia também, não ______________?
4. A: Eu não sei onde ______________________ o Parthenon.
   B: Ele ______________________ na Grécia.

B. **Preencha o e-mail de Liliane para Renata. Liliane está viajando com a colega Clara a negócios e está voltando para São Paulo. Renata trabalha com elas. Use GOSTARIA.**

Oi, Renata.
Vamos voltar para São Paulo amanhã. Estamos cansadas de trabalhar. Nós ________________ de sair para comemorar nossa volta e contar sobre os negócios. Aonde você ________________ de ir? Vamos jantar? A Clara ________________ de ir ao "Dom Capri". Eu ________________ de comer churrasco.
Nós vamos chegar às 6 da tarde. Você pode nos buscar no aeroporto? O Marcelo ________________ de ir? Temos que conversar com ele também. Esperamos vocês dois.
Um abraço.
Liliane.

C. **Complete o diálogo com os verbos indicados no presente, futuro do pretérito ou imperativo.**

Marlene: Não acredito! Férias!
Heitor: Que bom. Preciso descansar. Então? Vamos viajar?
Marlene: Claro. ________________________ (VER) estes folhetos de viagem.
Heitor: Pra onde você __________________ (GOSTAR) de ir? Sul ou nordeste do Brasil?
Marlene: ______________ (PREFERIR) ir para a praia. Que tal Jequitinhonha?
Heitor: Onde ____ (FICAR)?
Marlene: Em Natal, Rio Grande do Norte. É muito bonito lá.
Heitor: Quanto?
Marlene: Humm. Está um pouco caro.
Heitor: ____________________________ (DAR PARA) dividir o pagamento?
Marlene: Dá. Em dez vezes.
Heitor: Então vamos!

D. **Oral:** Você e seu/sua colega têm o fim de semana livre. Decidam o que fazer. Usem os verbos GOSTAR, FICAR e DAR PARA.

ATIVIDADE	NOME DO ESTABELECIMENTO	LOCALIZAÇÃO
Assistir a um filme		
Jantar		
Fazer compras		
Correr no parque		
Outra: ______________		

LIÇÃO A AMPLIAÇÃO DO VOCABULÁRIO

Preposições e locuções prepositivas

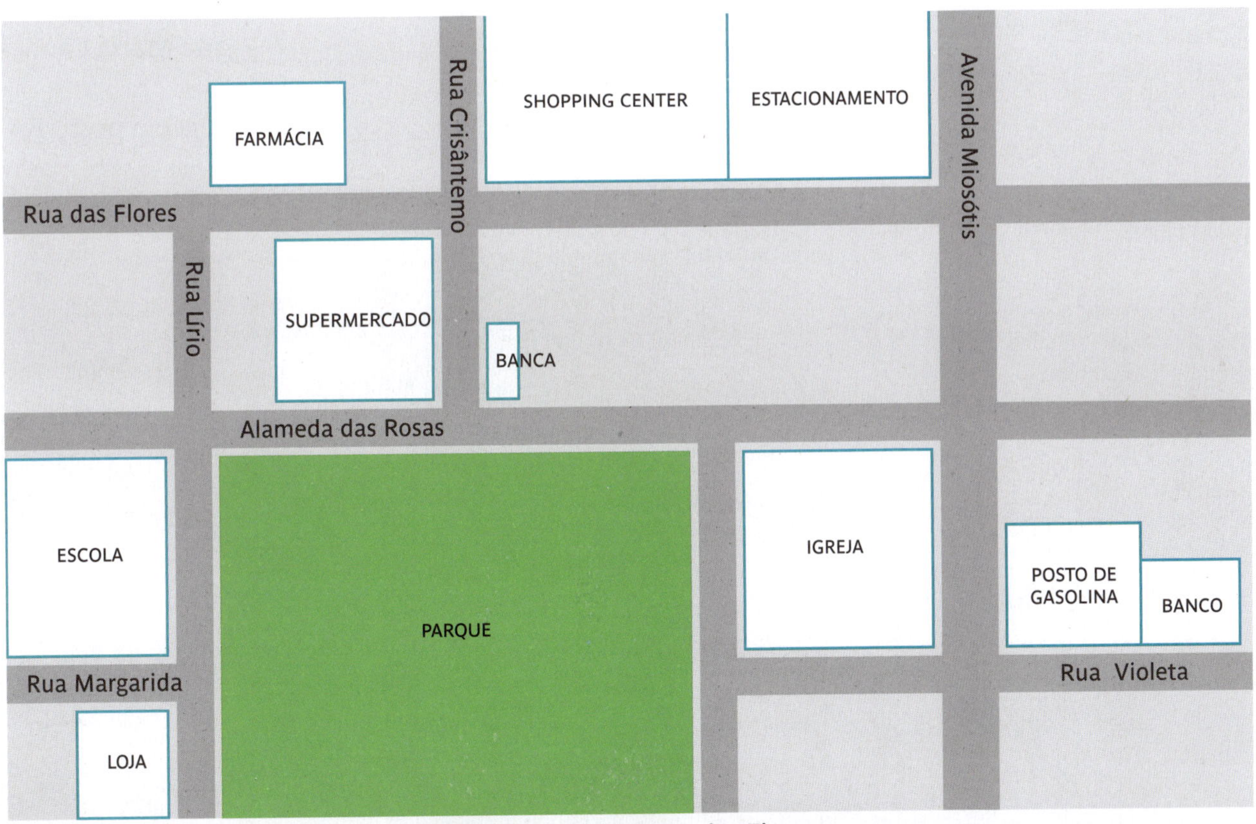

A farmácia fica **na** rua das Flores.
A loja fica na **esquina da** rua Margarida **com** a rua Lírio.
O banco fica **ao lado do** posto de gasolina na rua Violeta.
A banca de jornal fica **em frente ao** supermercado na rua Crisântemo.
O estacionamento fica **atrás do** shopping center na avenida Miosótis.
O parque fica **entre** a escola e a igreja na alameda das Rosas.

A. **Complete as descrições abaixo de acordo com o mapa:**

1. O Café Pingado fica ________________ a escola municipal e academia Força.
2. O parque da cidade fica ____________ shopping center Maior na avenida Central.
3. O posto BA fica ______________________ rua Luis Tomas.
4. A farmácia Saúde fica ______________ supermercado Mega.
5. A loja de departamentos Magnólia fica ____________ prédio de apartamentos.
6. A livraria da Faculdade fica ____________ rua Maria Gomes e da avenida Dr. Carlos Toschi.
7. O restaurante Prato Cheio fica ________ a igreja e o posto BA.

B. 51 **Ouça os diálogos e encontre no mapa os locais mencionados.**

NOTE QUE...

esquerda ← direita →
subir ↑ descer ↓

C. **Trabalhe com um/a colega. Com base no mapa do ex. B, ajude-o/a a chegar aos seguintes locais:**

1. shopping
2. loja de sapatos
3. restaurante

LIÇÃO B PANORAMA

O seu bairro

O Brasil é dividido em estados. Os estados são divididos em cidades. As cidades são divididas em distritos e subdistritos, mas popularmente nós conhecemos os distritos ou subdistritos por bairros.

Como é dividido o seu país? E a sua cidade?

LIÇÃO B DIÁLOGO

52

Repórter: Bom dia! O seu repórter Castro está hoje na Avenida Paulista, com a pergunta "O que você acha do seu bairro?" Por favor, você pode me responder algumas perguntas?

Rodolfo: Claro!

Repórter: O que você acha do seu bairro?

Rodolfo: Bem, eu moro na Vila Mariana. Acho que é um bairro conveniente. Ele fica perto de várias avenidas importantes, como por exemplo, a Av. Paulista.

Repórter: O que tem de conveniente em seu bairro?

Rodolfo: Tem muitos supermercados, restaurantes por quilo, padarias, lojas, uma estação de metrô e muitos ônibus e alguns shopping centers também.

Repórter: Você gosta de seu bairro?
Rodolfo: Claro. Eu gosto de morar lá.
Repórter: Obrigado. Qual é seu nome, idade e profissão?
Rodolfo: Rodolfo. Tenho 23 anos e sou estudante de arquitetura.
Repórter: Obrigado. Bom dia! Por favor, você pode responder algumas perguntas?
Mariana: Posso.
Repórter: O que você acha do seu bairro?
Mariana: Eu moro no Ipiranga. É um bairro muito antigo. Eu gosto de lá.
Repórter: O que tem de interessante no seu bairro?
Mariana: Na verdade, esse bairro não tem muitas opções de lazer. Não tem muitos cafés e nem livrarias. Mas tem o museu Paulista com um jardim e um parque pequeno. Eu gosto de ir lá nos fins de semana.
Repórter: Obrigado. Qual é seu nome, idade e profissão?
Mariana: Meu nome é Mariana. Tenho 18 anos e sou estudante.
Repórter: Obrigado. Bom dia! Por favor,...

LIÇÃO B GRAMÁTICA

Pronomes indefinidos: algum, muitos, nenhum

Pronome indefinido

masculino		feminino	
singular	**plural**	**singular**	**plural**
algum	alguns	alguma	algumas
muito	muitos	muita	muitas
nenhum	nenhuns*	nenhuma	nenhumas*

*Os plurais 'nenhuns' e 'nenhumas' não são usados na conversação.

Pronome indefinido + substantivo

Você tem **algum** dinheiro?
Tem **alguns** shopping centers aqui.
Você conhece **alguma** pessoa daqui?
Você pode responder **algumas** perguntas?

Ele tem **muito** dinheiro.
Não tem **muitos** cafés e nem livrarias.
Você conhece **muita** gente daqui?
Tem **muitas** pessoas lá fora.

Ele **não** tem **nenhum** dinheiro.
Não tem **nenhuma** pessoa aqui.

LIÇÃO B CONSTRUÇÃO DO CONTEÚDO

A. Observe as figuras e descreva o que TEM nelas usando MUITO (A, OS, AS) e ALGUM (A, - UNS, - UMAS)

1. ______________________

2. ______________________

3. ______________________

4. ______________________

5. ______________________

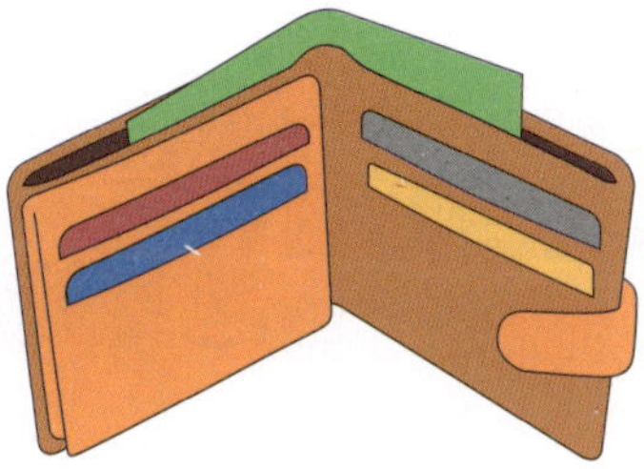

6. ______________________

B. Escolha a opção que melhor completa o diálogo.

José: Acho que a festa é aqui. Você paga o táxi?
Rene: Eu? Por quê?
José: Você tem ______________ (MUITO / MUITOS) dinheiro.
Rene: Tenho sim. Tenho ______________ (ALGUNS / MUITAS) dívidas.
José: A festa é aqui? Não tem ______________ (ALGUM / MUITAS) pessoas...
Rene: Tem ______________ (ALGUMAS / MUITA) mulheres em frente à igreja. Será que é lá?
José: Vamos ver?
Rene: Vamos.

C. **Oral:** Entreviste um/a colega sobre o bairro em que ele/a mora. Descubra se há ALGUNS ou MUITOS dos lugares listados abaixo.

LUGARES	QUANTIDADE		
Bancos	( ) muitos	( ) alguns	( ) nenhum
Padarias	( ) muitas	( ) algumas	( ) nenhuma
Postos de gasolina	( ) muitos	( ) alguns	( ) nenhum
Livrarias	( ) muitas	( ) algumas	( ) nenhuma
Farmácias	( ) muitas	( ) algumas	( ) nenhuma
Bancas de jornal	( ) muitas	( ) algumas	( ) nenhuma

LIÇÃO B AMPLIAÇÃO DO VOCABULÁRIO

Tipos de imóveis

casa térrea

sobrado

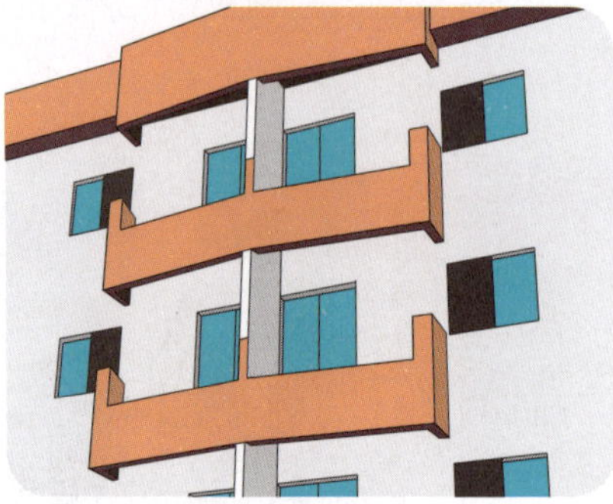

apartamento

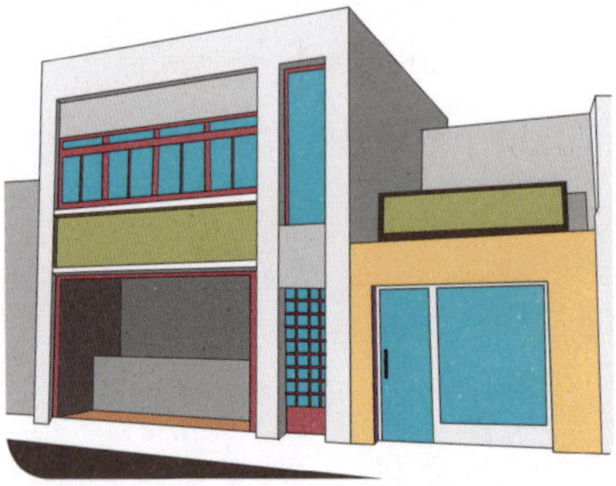

sala comercial

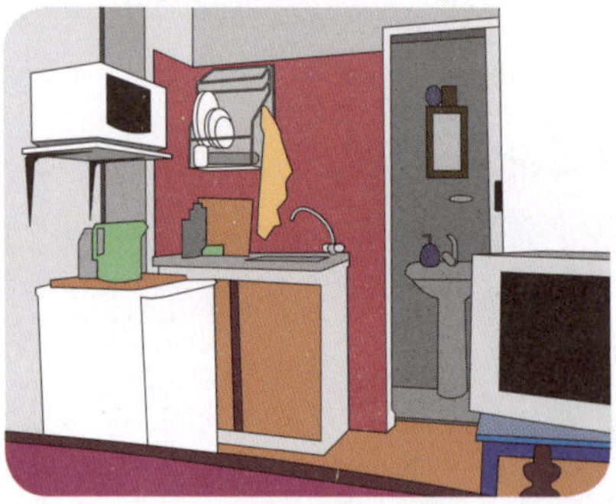

quitinete

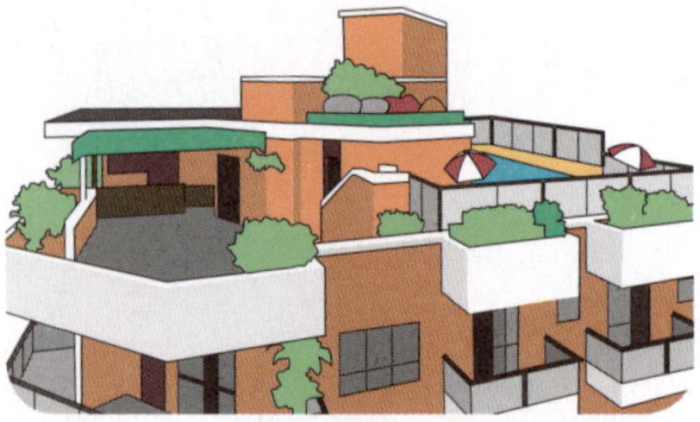

cobertura

A. 53 Ouça as pessoas descreverem suas casas. Numere de 1 a 3.

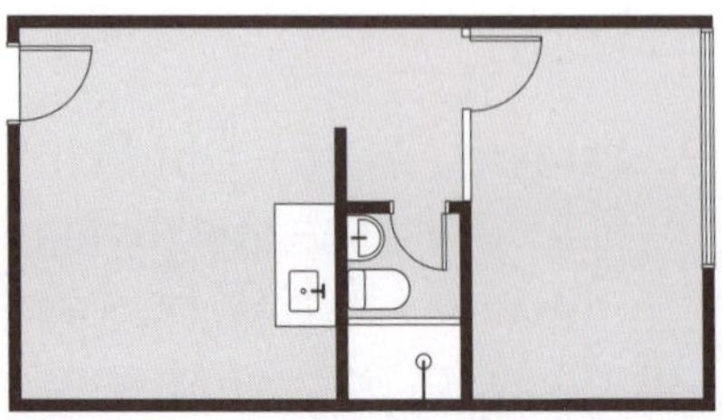

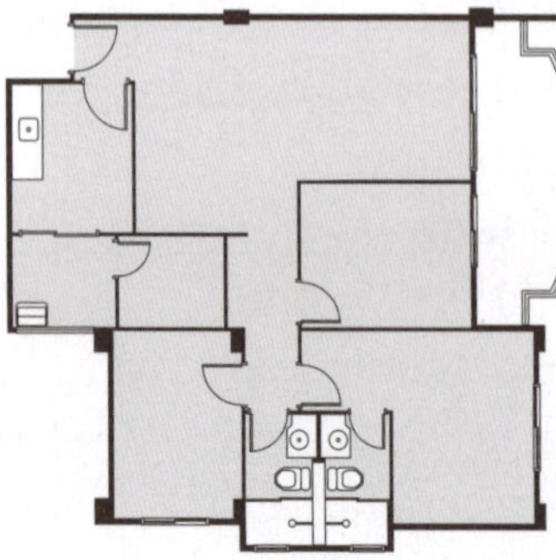

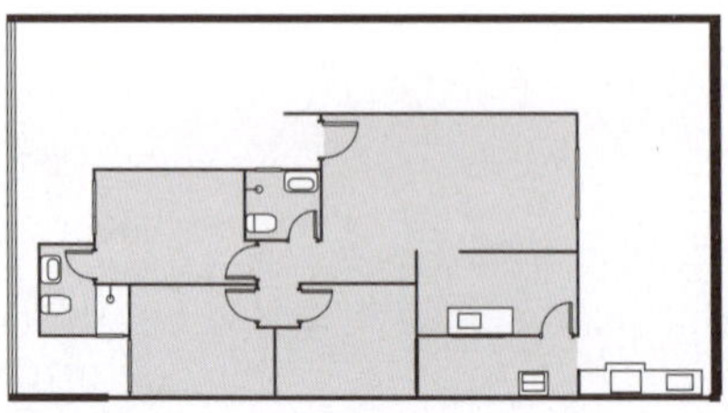

B. Quais são as diferenças entre as três plantas do exercício A? Compare e discuta com um/a colega.

C. Você mora em uma casa térrea, sobrado, apartamento, kitchenette ou cobertura? Quantos cômodos têm sua residência?

LIÇÃO C PANORAMA

Mobília

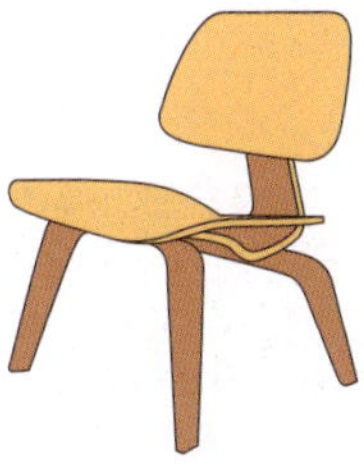
cadeira

mesa

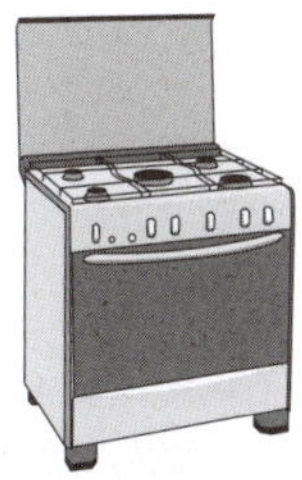
fogão

cortinas

tapete

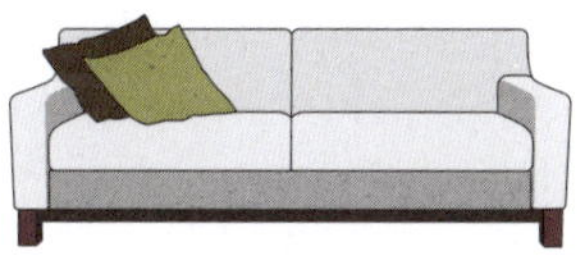
sofá

televisão

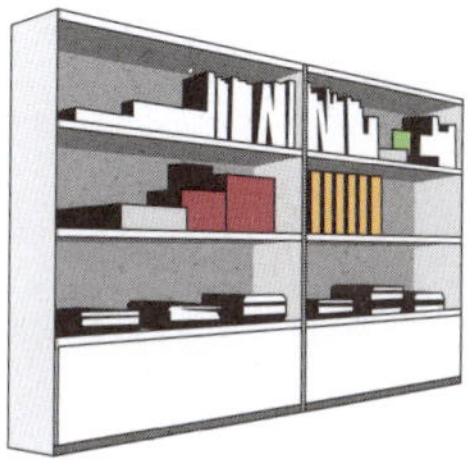
estante

abajur

espelho

geladeira

poltrona

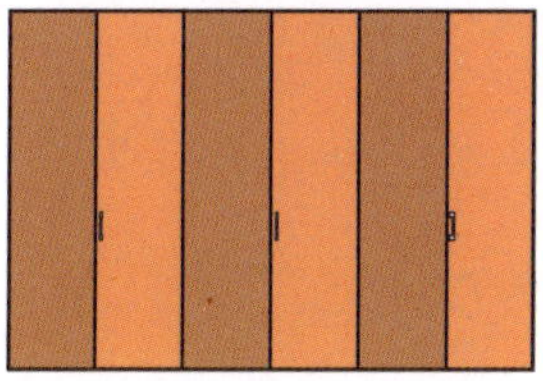
armário

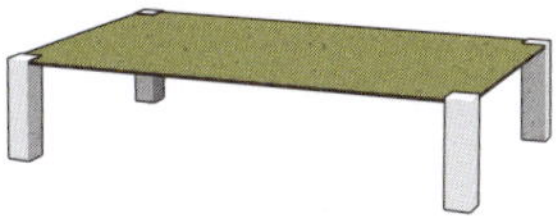
mesinha de centro

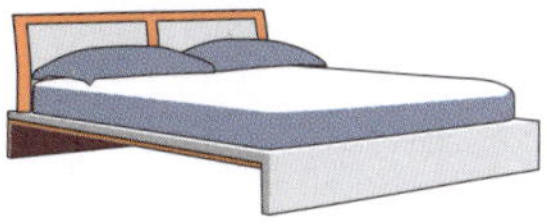
cama

relógio de parede

quadro

Quais objetos acima você tem na sua casa? Quais objetos você gostaria de comprar? Quais objetos você gostaria de trocar?

LIÇÃO C DIÁLOGO

54

Maria: Que apartamento grande, João!
João: Na verdade, ele é tão grande quanto o seu apartamento, mas parece maior porque faltam muitos móveis.
Maria: É, aqui na sala você precisa de um sofá e de uma estante.
João: A cozinha já está quase completa. Tenho as cadeiras, a mesa, os armários, o fogão, mas falta a geladeira.
Maria: E os quartos? Estão completos?
João: Não. Só tenho uma cama e um tapete no meu quarto. O quarto menor está vazio.
Maria: Vamos à Teodoro Sampaio. Lá tem muitas lojas de móveis e os preços são bons...
João: São melhores que no "Lar Center"?
Maria: Claro. O "Lar Center" é muito caro.
João: Você está livre nesse sábado?
Maria: Estou, sim.
João: Então, combinado.

LIÇÃO C GRAMÁTICA

Adjetivos: comparativo

O comparativo pode ser de **igualdade**, de **superioridade** ou de **inferioridade**.

O de **igualdade** é formado por: **tão** + adjetivo + **quanto** + o que se quer comparar	O de **superioridade** é formado por: **mais** + adjetivo + **(do) que** + o que se quer comparar	O de **inferioridade** é formado por: **menos** + adjetivo + **(do) que** + o que se quer comparar
Ele é **tão** grande **quanto** o seu apartamento.	A cidade de São Paulo é **mais** rica **(do) que** a cidade de Salvador.	A região Sul é **menos** populosa **(do) que** a região Sudeste.

regular

Aos adjetivos regulares acrescentam-se apenas os termos em negrito acima.

irregular

Os adjetivos irregulares são quatro, mas apenas na comparação de superioridade e inferioridade. São eles: bom, mau, grande e pequeno. Assim, temos:

singular			plural		
bom (boa)	→	melhor	bons (boas)	→	melhores
mau (má)	→	pior	maus (más)	→	piores
grande	→	maior	grandes	→	maiores
pequeno(a)	→	menor	pequenos(as)	→	menores

O apartamento parece **maior** porque faltam muitos móveis.

O quarto **menor** está vazio.

As **melhores** geladeiras são as modernas.

As **piores** cadeiras são as pequenas.

LIÇÃO C CONSTRUÇÃO DO CONTEÚDO

A. Compare as figuras usando os adjetivos dados.

A 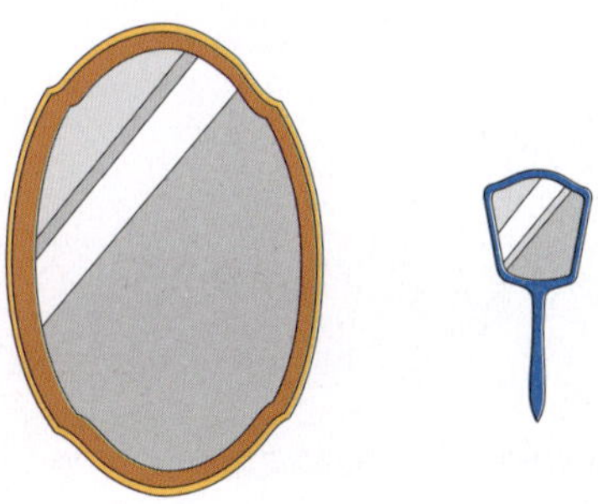 B

Júlia  Renata

1. (grande) ______________________________
____

2. (alta) ______________________________
____

A 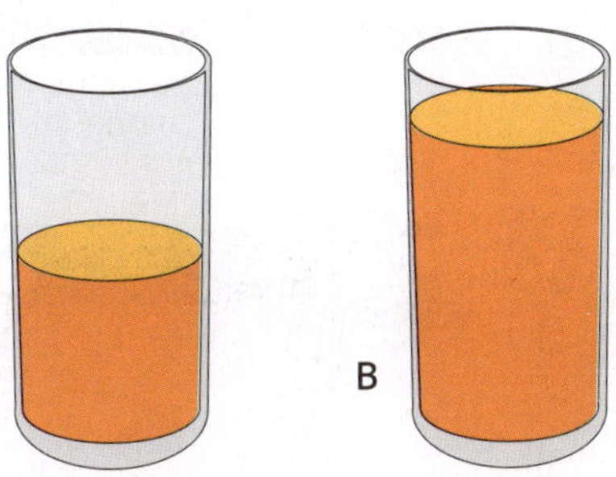 B

A 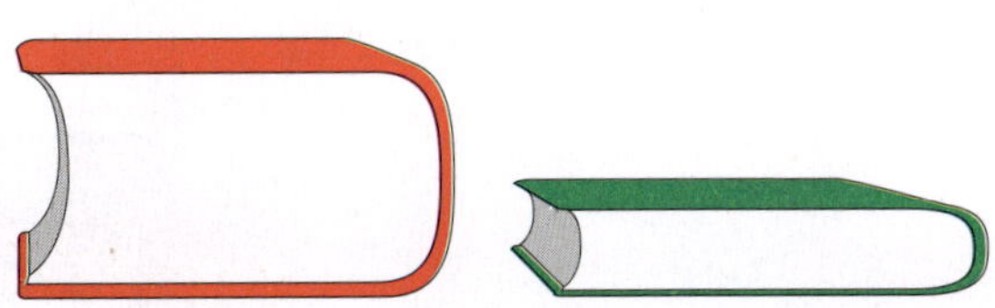 B

3. (cheio) ______________________________
____

4. (grosso) ______________________________
____

B. Escolha as partes que melhor completam as orações. Mais de uma opção é possível.

1. A minha cama é ( ) a. tão moderna quanto a dele.
2. A sua estante é ( ) b. mais bonita do que a da Flávia.
3. O abajur é ( ) c. mais interessantes dos que os vasos.
4. Os quadros são ( ) d. maior do que a sua.
5. Meu apartamento é ( ) e. mais confortável do que a sua casa.
6. A casa dela é ( ) f. menos caro do que o quadro.

Complete as frases com outros comparativos de sua preferência.

C. Oral: **Use os adjetivos dados para fazer perguntas a um/a colega usando comparativos de igualdade, superioridade e inferioridade.**

Ex.: barato (igualdade) ?
Uma casa em (bairro) é tão barata quanto uma casa em (bairro)?

1. interessante (igualdade) ?
2. bonito (a) (superioridade) ?
3. estressante (inferioridade) ?
4. longe (igualdade) ?
5. bom (a) (superioridade) ?
6. complicado (a) (inferioridade) ?

LIÇÃO C AMPLIAÇÃO DO VOCABULÁRIO

Partes da casa

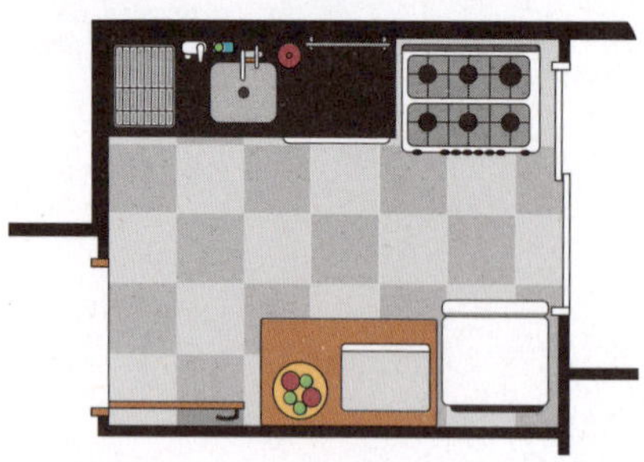
cozinha

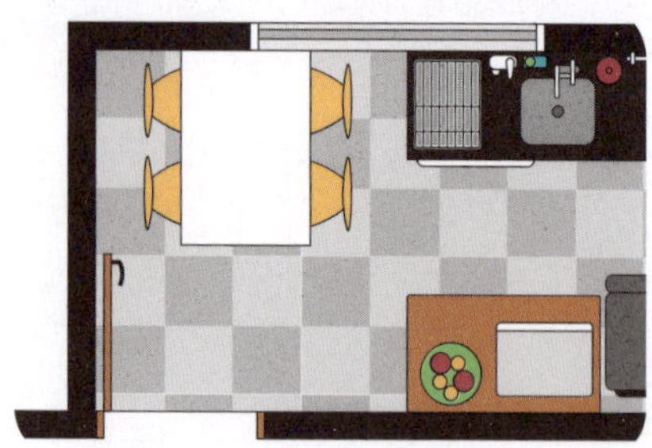
copa

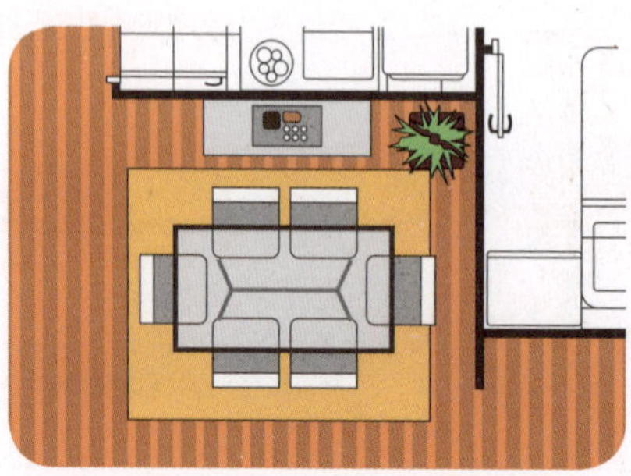
sala de jantar

sala de visita (=sala de estar)

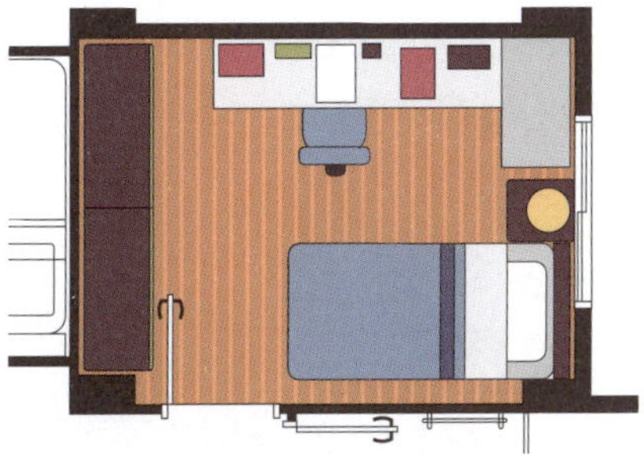
quarto(s) (=dormitório(s))

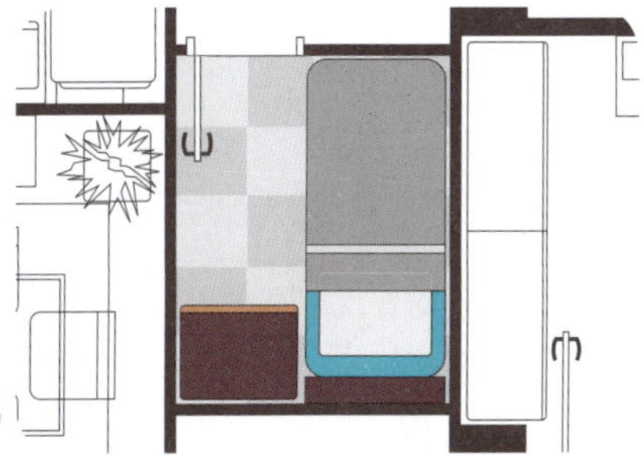
quarto de empregada

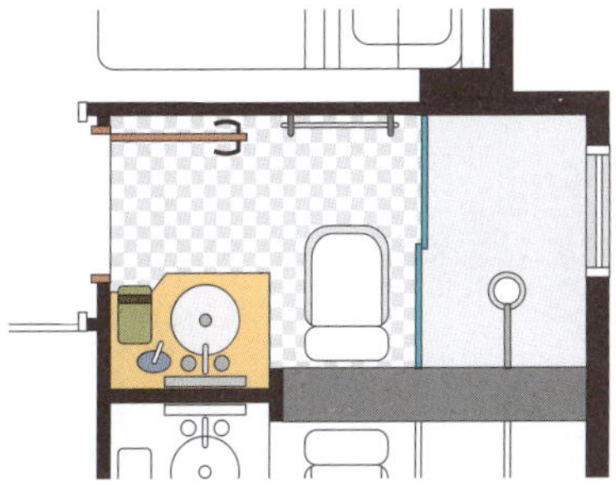
banheiro

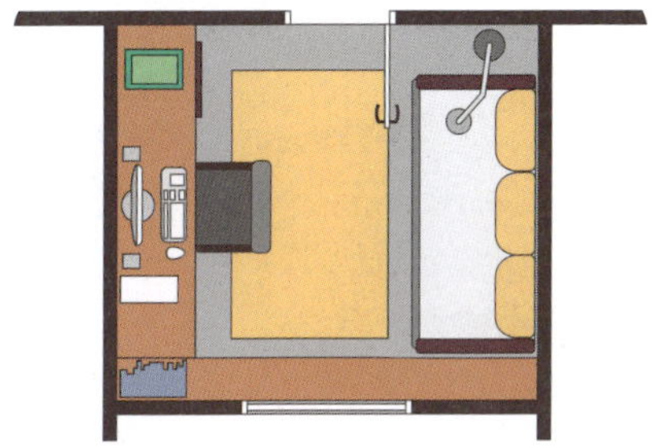
escritório

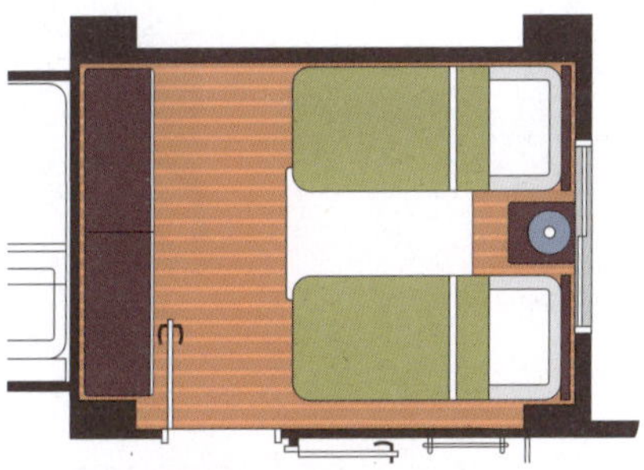
quarto de hóspedes

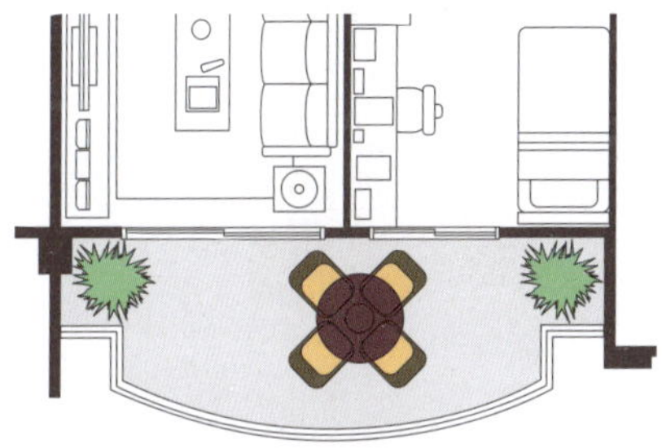
terraço (=varanda)

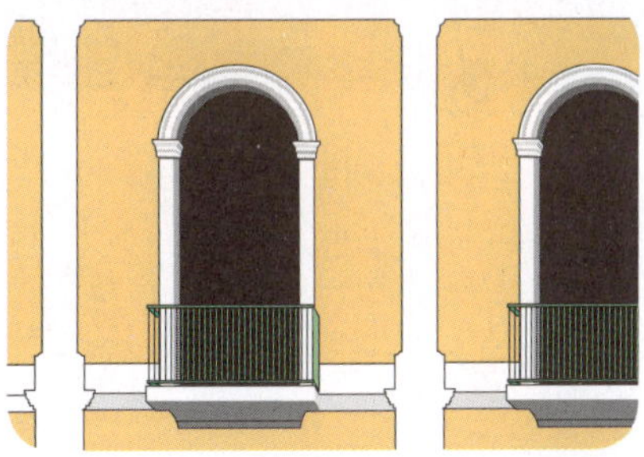
sacada

quintal

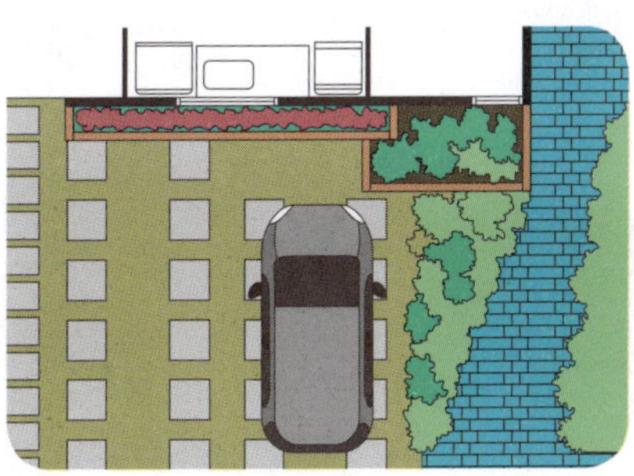
jardim

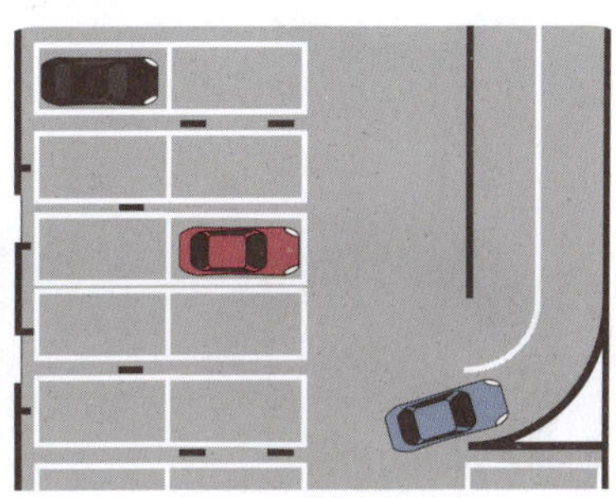
garagem

A. Onde colocar cada um destes objetos? Mais de uma possibilidade é correta.

cozinha ______
sala de jantar ______
quarto ______
banheiro ______
quarto de hóspedes ______
sacada ______
jardim ______
copa ______
sala de estar ______
quarto de empregada ______
escritório ______
terraço ______
quintal ______
garagem ______

B. **Você consegue acrescentar mais um objeto a cada um dos ambientes acima? E na sua casa? O que você tem em cada um destes ambientes?**

LIÇÕES A, B e C COMPREENSÃO AUDITIVA

55 **Ouça os diálogos e assinale V (verdadeiro) ou F (falso) para as afirmações abaixo. Se assinalar F (falso), corrija a informação.**

a. V ( ) F ( ) A senhora precisa ir para um posto de gasolina.
Correção:
______

V ( ) F ( ) A Rua Treze de Maio fica longe da Avenida 7 de Setembro.
Correção:
______

V ( ) F ( ) A senhora não conhece a farmácia.
Correção:
______

b. V ( ) F ( ) Dulce quer assistir a um filme.
Correção:
______

V ( ) F ( ) Dulce prefere comer sanduíche.
Correção:
______

V ( ) F ( ) Elas vão de carro.
Correção:
______

c. V ( ) F ( ) A mãe quer ler as revistas para passar o tempo.
Correção:
______

V ( ) F ( ) As revistas não estão no quarto.
Correção: ______________________________

V ( ) F ( ) As revistas estão na cozinha.
Correção: ______________________________

LIÇÕES A, B e C APLICAÇÃO ORAL DO CONTEÚDO

Você e seu/sua parceiro/a estão comprando um apartamento. Comparem dois apartamentos. Façam perguntas sobre localização, cômodos, atividades para se fazer no bairro etc. Por fim, escolham qual apartamento vão comprar.
Use: TER, CONHECER, PREFERIR, GOSTARIA e DAR PARA.

Apartamento 1
Bairro: ______________
Perto de supermercados, padarias, shopping centers? sim não
Especificar: ______________
____
Cômodos: ______________
4º andar
Área: 130m^2
Piso: bom (novo)
Sacada: pequena

Apartamento 2
Bairro: ______________
Perto de supermercados, padarias, shopping centers? sim não
Especificar: ______________
____
Cômodos: ______________
15 º andar
Área: 170m^2
Piso: bom (novo)
Sacada: muito pequena

LEITURA

Classificados

Leia os classificados abaixo e responda as perguntas.

BOITUVA
R$ 200.000 Casa Térrea, 3 dorms, Cond. fech. www.imobnovolar.br

ATIBAIA
R$ 149.900 V. Rica 5 min centro vdo casa térrea, terr 10 x 30 - (21)8888-9888 c/Júlio

JARDINS
R$ 1.390.000 Novo! Imponente Edifício c/Ótimo Lazer. 3 Sts. hidro, dep.empr., home office, 3 gar - 8888-2321

ALPHAVILLE
R$ 180.000 Apto 3 dorm, 2 vgs, 76[m2] á. ú., coz. plan., Tr.Lourdes 8888-8181

VL CLEMENTINO
R$ 150.000 Próx. ao Hospital S. Paulo, 3dorms, 1banh. soci dir. propr. - (11) 8888-1111 h.c.

ACLIMAÇÃO
Vista p/ parque, 4 dorm sts, 3 ou 4 gars, (+) dep, (11) 8888-3838 c/ Mariana

NOTE QUE...

dorm = dormitório
Gar = garagem
Dep = depósito
Vdo = vendo
Terr = terreno
Tr. = tratar/ falar com
Dep. Empr = dependência de empregada
Hidro = hidromassagem
Vgs = vagas (para carros)
m2 á. ú. = metros quadrados de área útil
coz. plan = cozinha planejada
Cond. fech. = condomínio fechado
Banh. soci = banheiro social

1. Qual apartamento nunca foi usado?
   ____
2. Qual imóvel fica próximo a um hospital?
   ____
3. Quais anúncios mencionam a área?
   ____
4. Qual anúncio é de uma imobiliária?
   ____
5. Quais mencionam o valor?
   ____
6. Por qual anúncio você se interessa mais? Por quê?
   ____

REDAÇÃO

A. Descreva a casa de seus sonhos. Quantos cômodos ela tem? Onde é? Perto de onde?

____

CONSOLIDAÇÃO LEXICAL

Móveis e Imóveis

1. Exclua a opção que não faz parte.

Tipos de imóveis

casa térrea quarto sobrado
apartamento quitinete cobertura

Mobília

mesa e cadeiras fogão cama
cortinas sofá TV
geladeira armários carro

Partes da casa

sala de estar dormitório lavabo escritório
terraço quintal churrasco

Pronúncia do Português – parte 2

VOGAIS NASAIS

As vogais nasais ocorrem quando recebem o sinal gráfico ~ e geralmente antes das letras *m* e *n* (consoantes nasais) dentro de uma mesma sílaba.

Ouça as vogais nasais:
56

Santos dente ponte fim um fã limões

Somente as vogais *a* e *o* recebem o sinal gráfico ~ (til).

Ouça a diferença entre as vogais orais e nasais. Repita em voz alta.
56

massa	–	maçã	pá	–	pão	mito	–	minto
foto	–	fonte	bebê	–	bem	mudo	–	mundo

Ouça o seguinte diálogo prestando atenção nas palavras sublinhadas. Pratique o diálogo com um/a colega.
56

João: Oi, Luiza. Tudo bem?
Luiza: João. Quanto tempo!
João: Você vai comprar ingresso para a apresentação de dança?
Luiza: Vou. Sou fã desse grupo.
João: Ainda temos um tempo. Quer comer alguma coisa?
Luiza: Uma torta de limão.
João: Então vamos. Quero uma de maçã. Eu pago a conta.
Luiza: Legal, mas vamos logo. Ainda tenho que encontrar minha irmã.

Exercício: Improvise um diálogo curto com um/a colega usando as seguintes palavras:

profissão mãe fazendo banco trânsito sempre

Revisão das Unidades 5 a 8

Escolha a alternativa correta.

A.

A: Veja este anúncio, Angélica! Este é o apartamento dos meus sonhos: três quartos, dois ________________ , uma ________________ e uma ________________ , sacada.... Ah, mas é tão caro.

B: Por que você não pede um financiamento no banco?

1. salas de estar - sala de jantar - cozinha
2. banheiros - sala de estar - sala de jantar
3. dormitórios - sala de estar - sala de jantar

B.

A: Você está gostando do seu novo bairro?

B: Estou adorando! Tem de tudo: duas ________________ , alguns restaurantes, dois ________________ , uma ________________ e até um shopping center!

1. padarias - agências dos correios - posto de gasolina
2. padarias - postos de gasolina - agência dos correios
3. agências dos correios – padarias - posto de gasolina

C.

A: Venha me visitar qualquer dia! Minha casa está quase toda mobiliada! Falta pouco, só a ________________ , as ________________ e alguns ________________ .

1. poltrona – mesas – cadeiras
2. mesa – cadeiras – poltronas
3. mesa – cadeiras - armários

Complete os diálogos com os verbos adequados. Conjugue os verbos, caso seja necessário.

ter achar ir estudar estar conhecer trabalhar saber
ver (imperativo) ir preferir ficar buscar ter (haver) ser

A. (ao telefone)

A: Oi, Lu! Tudo bem?

B: Mais ou menos. ________________ cansada. Estou ________________ muito. Acho que não ________________ com vocês ao cinema hoje à noite.

A: Nossa! Que pena, Lu.

B: ______________ que ir.... meu chefe está chamando. A gente se fala mais tarde. Beijo.
A: Tchau, Lu. Beijo.

B.
A: ______________ que trânsito! Estamos atrasados de novo!
B: Vou começar a ______________ para o trabalho de metrô!

C. (ao telefone)
A: Junior, é a Priscila.
B: Alô. O que aconteceu, Pri?
A: Estou sem carro e nesse horário não ________________ mais ônibus pra casa. Você poderia me ______________ ?
B: Claro! Onde você está?

D.
A: Nossa! A Mariana _______________ inteligente mesmo. Passou no vestibular sem fazer cursinho!
B: Mas ela gosta de ______________ . Ela estuda, pelo menos, duas horas por dia!

E.
A: O Natal está chegando. O que você ______________ que podemos comprar de presente pro pai e pra mãe?
B: Acho que não podemos dar um par de meias de novo... o pai não gostou muito...

F.
A: Você ______________ o Pedro?
B: Conheço. Ele trabalha comigo.

G.
A: Por favor, você poderia me ajudar? Você ______________ como chegar ao MASP?
B: Sei. O MASP ______________ logo ali, depois do próximo farol, à esquerda.
A: Obrigado.

H.
A: Aonde você prefere ir no feriado? Pra praia ou pro interior?
B: Eu ______________ a praia. Dá pra ficar na casa da Rita. O que você acha?

Coloque na ordem certa.

a. hoje / ? / você / ir / cinema / quer / ao

____

b. chama / ele / mesmo / ? / se / como

____

Crie perguntas para as respostas abaixo.

a. ____?
Estudo à noite e aos sábados de manhã. E você?

b. ____?
Seu celular está aqui, em cima da mesa.

c. ____?
Não posso, tenho que estudar.

d. ____?
Este é meu marido, Adalberto e minhas filhas, Carina e Moyra.

e. ____?
Estou preparando nosso café da manhã.

f. ____?
Gosto de ir para o interior nos finais de semana.

g. ____?
Conheço. A Rose estuda português comigo.

h. ____?
A lanchonete fica ao lado da farmácia, na esquina da rua das Flores.

Passe as pessoas relacionadas aos verbos para o plural e seus respectivos verbos. Ou seja, 1ª pessoa do singular 'eu' para 1ª pessoa do plural 'nós' etc.

a. Eu prefiro andar de carro.

____

b. Você tem mais experiência do que eu.

____

c. Ela está descansada.

____

d. Ele precisa ir. Estou atrasado.

____

Passe para a forma polida.

a. Eu quero ver um apartamento. ______________________________

b. Nós queremos beber água. ______________________________

Em duplas, pergunte ao/à colega sobre sua rotina durante a semana e nos finais de semana. Consiga o maior número de informações possível.

UNIDADE 9

A gente faz ginástica na mesma academia

LIÇÃO A **PANORAMA**

Descrição física I

cabelo: cor	**cabelo: comprimento**
branco	curto
grisalho	no ombro
preto	comprido
loiro (claro / escuro)	**cabelo: forma**
castanho (claro / escuro)	liso
vermelho	cacheado
ruivo	ondulado
	crespo

olhos: cor	**olhos: tamanho e forma**
castanhos (claros / escuros)	grandes
verdes (claros / escuros)	pequenos
azuis (claros / escuros)	amendoados
pretos	puxados
cor de mel	

Faça sua descrição física: Meu cabelo é ... Meus olhos são ...
Descreva seus colegas.

LIÇÃO A DIÁLOGO

1/57

Regina: Olha, aqui, Mara. Essas são as fotos da nossa turma do colégio.
Mara: Nossa! *Deixa eu ver.* Olha *só* o Pedro. Ele era tão lindo com esses cabelos castanhos, encaracolados e os olhos verdes.
Regina: Olha a Carol! Que diferente! Ela tinha um cabelo lindo: comprido e liso.
Mara: E esse aqui de cabelos grisalhos?
Regina: Este era o professor de História, o Jorge, lembra?
Mara: É verdade. A turma gostava muito dele e eu gostava de estudar História.
Regina: Você acredita que a gente faz ginástica na mesma academia?
Mara: Sério?!

NA CONVERSAÇÃO...
USAMOS "DEIXA EU VER" NO LUGAR DE "DEIXE-ME VER".

NOTE QUE...

"Só", às vezes, é usado para dar ênfase à frase.

LIÇÃO A GRAMÁTICA

Verbos: olhar, ser, ter, gostar e fazer

Modo Indicativo – Presente

FAZER

Eu	faço
Você Ele Ela A gente	faz
Nós	fazemos
Vocês Eles Elas	fazem

O verbo "fazer" é irregular e é da 2ª conjugação. A 2ª conjugação tem os verbos com final "-er".

Olha, aqui, Mara.
Ele **era** tão lindo com esses cabelos castanhos, encaracolados.
Ela **tinha** um cabelo lindo: comprido e liso.
A turma **gostava** muito dele.
Você acredita que a gente **faz** ginástica na mesma academia?

Modo Imperativo

OLHAR

De acordo com a gramática

olha	(tu)
olhe	(você)
olhamos	(nós)
olhai	(vós)
olhem	(vocês)

Modo Imperativo

OLHAR

De acordo com o uso

olha	(você)

Modo Indicativo - Pretérito Imperfeito SER		Modo Indicativo - Pretérito Imperfeito TER		Modo Indicativo - Pretérito Imperfeito GOSTAR	
Eu	era	Eu	tinha	Eu	gost**ava**
Você Ele Ela A gente	era	Você Ele Ela A gente	tinha	Você Ele Ela A gente	gost**ava**
Nós	éramos	Nós	tínhamos	Nós	gost**ávamos**
Vocês Eles Elas	eram	Vocês Eles Elas	tinham	Vocês Eles Elas	gost**avam**

O Pretérito Imperfeito é usado para indicar o que no passado era contínuo ou frequente. Ele também é usado para descrições no passado.

Os verbos "ser" e "ter" são irregulares no Pretérito Imperfeito.

O verbo "gostar" é regular e é da 1ª conjugação. Os verbos regulares da 1ª conjugação seguem o modelo de "gostar".

LIÇÃO A CONSTRUÇÃO DO CONTEÚDO

A. Complete os diálogos com o verbo FAZER no presente e OLHAR no imperativo.

Eva: Nelson, você ______________ (FAZER) ginástica todos os dias?

Nelson: Não. Às segunda e quartas, ______________ (FAZER) natação e, às terças e quintas, ______________ (FAZER) aulas de tênis. E você? ______________ (FAZER) algum exercício físico?

Eva: Não. Mas, quero ______________ (FAZER). ______________, (OLHAR) tem uma academia aqui na esquina.

Nelson: Aqui é a minha academia. Vamos! A gente ______________ (FAZER) juntos. ______________ (OLHAR) como aqui é legal. Tem todos os esportes.

Eva: Tá* bem. Eu ______________ (FAZER) a matrícula agora. Vamos.

* pronúncia de 'Está' = 'Tá'

B. Complete com o verbo GOSTAR no pretérito imperfeito.

1. Júlio ______________ de cantar quando era criança?
2. Paula não ______________ de estudar quando era universitária.
3. Nós ______________ deles na infância.
4. Você ______________ de fazer ginástica na escola?
5. Eu ______________ da minha amiga Letícia.

C. **Complete as descrições das pessoas com os verbos SER e TER no pretérito imperfeito.**

1. Quando ________ 17 anos, Marcelo ________ cabelos compridos e lisos. Ele ________ muito bonito.

2. Quando ________ 19 anos, Gladis ________ cabelos castanhos e encaracolados. ________ muito tímida.

D. **Oral: Entreviste colegas sobre como eram na escola.**

Ex.: A:Você tinha cabelos compridos?
B: Não. Meus cabelos eram curtos.

Ter cabelos lisos	☐ sim	☐ não
Ter cabelos curtos	☐ sim	☐ não
Ter cabelos castanhos	☐ sim	☐ não
Ser tímido (a)	☐ sim	☐ não
Ser estudioso (a)	☐ sim	☐ não
Ser popular	☐ sim	☐ não

LIÇÃO A AMPLIAÇÃO DO VOCABULÁRIO

Outros termos para descrição física

(ser) careca
(ter) pintas = sardas
(ter / usar) barba / bigode / cavanhaque
(usar) aparelho
(usar) óculos
(estar) bem vestido (a)
(ser / estar) atraente
(ser) charmoso
(ser) forte
(estar) em forma

A. Leia as descrições e associe-as às fotos abaixo.

1. A: Nossa! Quem é esse?
   B: Esse é o Ricardo, nosso amigo da faculdade, lembra? Ele é alto, magro e atraente. Ele tem olhos verdes, cabelos castanhos claros e curtos.
   A: Ele está diferente nessa foto... acho que por causa dos óculos...
2. A: E esse? É o Márcio?
   B: É sim.
   A: Ele era tão magrinho e usava cavanhaque. Eu adorava os olhos azuis dele!
3. B: A Maria aqui está diferente... seu cabelo estava ruivo e ela estava bem vestida. A roupa combina com os olhos verdes dela.
4. A: E a Vanessa? Ela está aqui com o namorado! Olha o cabelo dela! Era longo, cacheado e preto. Ela estava em forma, também, ia à academia todos os dias!
5. B: A Silvana tem olhos lindos, né? Grandes e cor de mel!
   A: É mesmo! Aqui ela usava cabelos no ombro loiros e ondulados.
6. A: Olha o Mauro roqueiro. Ele tinha cabelos longos pretos e lisos e usava roupas pretas.
7. B: Nossa amiga, Regiane! Ela não mudou nada! Cabelos longos, pretos e lisos. E continua magrinha.
8. B: Olha o professor Osvaldo aqui.
   A: Nossa! Como ele está diferente. Ele tinha os cabelos e barba brancos!
9. B: E aqui a professora Alda! Ela tinha pintas no rosto, lembra? Ela sempre estava bem vestida.
10. A: Os olhos da Ana Júlia são amendoados e verdes claros e os cabelos são castanhos escuros cacheados, no ombro.

B. Traga fotos de sua família e amigos e os descreva a seus/suas colegas e professor/a.

C. Descreva:

1. Um colega do trabalho

____

____

____

2. Seu professor / professora

____

____

____

3. Um/a colega de sala

____

____

____

LIÇÃO B PANORAMA

Descrição física II

Idade

criança	adulto
adolescente	de meia-idade
jovem	idoso(a)

Aparência geral

lindo(a)	interessante
bonito(a)	charmoso(a)
	atraente

Altura

(muito) alto (a)
de estatura mediana (= nem alto nem baixo)
(muito) baixo(a)

Peso

gordo(a)
magro(a)
elegante (nem gordo e nem magro)

Faça sua descrição física: Eu sou ...
Descreva seus colegas.

LIÇÃO B DIÁLOGO

1/58

Cláudia: Você se lembra do Antônio?
Patrícia: Antônio?
Cláudia: Ele era meu amigo quando eu morava na França, lembra?
Patrícia: Ah, sei. Um alto, magro, de meia-idade. Ele tinha bigode e usava umas roupas estranhas, né?
Cláudia: Isso mesmo.
Patrícia: Ele corria todas as manhãs e, à noite, ia à sua casa para conversar e sempre levava uma flor pra você. Que romântico!
Cláudia: É verdade.
Patrícia: Por que você está lembrando dele agora? Já faz uns quatro anos, né?
Cláudia: É. Faz quatro anos. É que ele está morando no meu prédio, acredita?
Patrícia: Jura? Que legal!

LIÇÃO B GRAMÁTICA

Verbos: correr, ir e fazer (tempo)

LEMBRA?

* O VERBO IR TAMBÉM PODE SER USADO COM A PREPOSIÇÃO **PARA** (PARA + A = PRA; PARA + O = PRO).

Os verbos "correr" e "ir" são regulares no pretérito imperfeito. Os verbos terminados em "-er" e "-ir" têm as terminações iguais aos "correr" e "ir".

O verbo "fazer" + tempo é impessoal.
Faz + número de anos. Exemplo:
Faz um ano.
Faz cinquenta anos.
Faz mil anos.

Ele **corria** todas as manhãs e, à noite, **ia à*** sua casa para conversar (...).
Já **faz** uns quatro anos, né?

Modo Indicativo – Pretérito Imperfeito

CORRER		IR	
Eu	corr**ia**	Eu	ia
Você / Ele / Ela / A gente	corr**ia**	Você / Ele / Ela / A gente	ia
Nós	corr**íamos**	Nós	íamos
Vocês / Eles / Elas	corr**iam**	Vocês / Eles / Elas	iam

O imperfeito é usado para descrever ações ou hábitos no passado.

Exemplo: Ele fumava.
Ela corria.
A gente saía cedo de casa.

Os verbos da 1ª conjugação, ou seja, os terminados em "-ar" são conjugados como o verbo "gostar" que aparece na Lição A, desta unidade.

LIÇÃO B CONSTRUÇÃO DO CONTEÚDO

A. Complete as frases com os verbos abaixo. Mais de uma opção é possível.

levava morava corria íamos usavam ia

1. Eu ________________ na praia quando tinha 23 anos.
2. Nós ________________ pro parque todos os dias.
3. Marta e Jesus ________________ óculos grandes.
4. Você ________________ uma bola pra escola.
5. Luís ________________ pra aula de judô.

B. Preencha as frases com a duração.

1. Faz ________________ anos que eu moro nesta cidade.
2. Faz ________________ meses que eu não visito o médico.
3. Faz ________________ dias que eu assisti a um filme.
4. Faz ________________ horas que eu comi.
5. Faz ________________ semanas que eu ________________.

C. Complete o diálogo com os verbos em parênteses no imperfeito.

Téo: Gil, você ________________ (MORAR) aqui quando era criança?
Gil: ________________ (MORAR). Mas, minha família ________________ (TER) uma casa em outro bairro.
Téo: Sua irmã e você ________________ (BRINCAR) muito na rua?
Gil: O dia todo. A gente ________________ (CORRER) para o supermercado e depois ________________ (LEVAR) pão para minha avó.
Téo: Eu ________________ (SER) muito *levado*. Meu irmão e eu ________________ (USAR) roupas velhas e a gente ________________ (FUMAR) atrás da padaria.
Gil: Nossa! Você ________________ (FUMAR)?
Téo: É... não ________________ (SER) bom. Mas, faz muitos anos. Agora, eu faço esportes todos os dias e não fumo mais.

NOTE QUE...

Aqui, (ser) levado (a) = ser travesso, indisciplinado

D. Oral: Encontre pessoas na turma que...

...moravam em uma cidade pequena quando eram crianças.

____

...eram bons (boas) alunos (as) na adolescência.

____

...fumavam, mas não fumam mais faz muitos anos.

____

...tinham livros em português antes de estudar português.

____

...eram gordinhas quando crianças.

____

LIÇÃO B AMPLIAÇÃO DO VOCABULÁRIO

Cores I

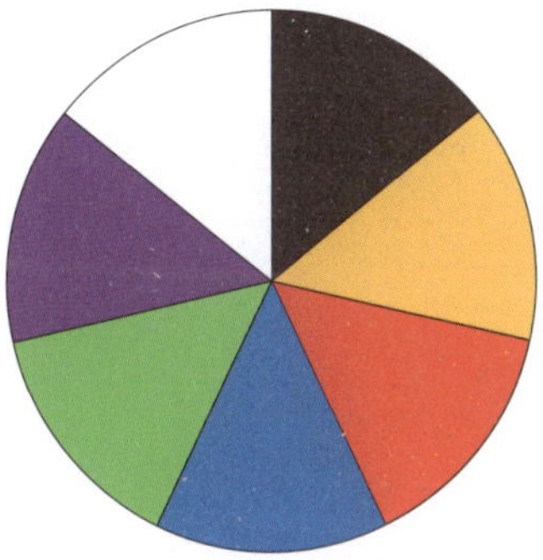

singular	plural
branco (a)	brancos (as)
preto (a)	pretos (as)
amarelo (a)	amarelos (as)
vermelho (a)	vermelhos (as)
azul	azuis
verde	verdes
roxo (a)	roxos (as)

Vestuário I

Feminino (social)

blusa / camisa

conjunto (= saia + blazer ou calça + blazer)

vestido

calça (comprida)

jaqueta

casaco

meia-calça

sapato alto

Masculino (social)

camisa

terno (= calça + paletó)

gravata

calça (comprida)

jaqueta

casaco

meias

sapato

A. Escreva os itens do vestuário que você tem nas cores abaixo.

azul	branco (a)	preto (a)

amarelo (a)	vermelho (a)	verde

B. 1/59 Ouça os diálogos e escolha a opção correta.

1. A roupa favorita de Mariana é:
   - [ ] calça preta
   - [ ] saia e camisa branca
   - [ ] conjunto preto
2. Raquel quer comprar:
   - [ ] um vestido vermelho
   - [ ] uma saia azul
   - [ ] um conjunto preto
3. Rogério está usando:
   - [ ] calça vermelha
   - [ ] gravata amarela
   - [ ] camisa verde

LIÇÃO C PANORAMA

Descrição de personalidade

simpático (a)	[ ]	generoso (a)	[ ]	impaciente	[ ]	sociável	[ ]
ambicioso (a)	[ ]	educado (a)	[ ]	egoísta	[ ]	paciente	[ ]
inteligente	[ ]	trabalhador (a)	[ ]	tímido (a)	[ ]		

Dos adjetivos acima, quais você acha que têm valor positivo ou negativo? Coloque "+" para os positivos e "–" para os negativos.
Quais são suas características pessoais?
Como você descreve seu (sua) melhor amigo (a)?

LIÇÃO C DIÁLOGO

1/60

Pedrinho: Oi, vô! O que o senhor está olhando aí?
Seu Enzo: Umas fotos. Estou me lembrando de uns amigos e parentes.
Pedrinho: Ah, *deixa eu ver* também?
Seu Enzo: Claro. Você sabe quem é este aqui?
Pedrinho: Hmmm... Acho que não.
Seu Enzo: É o seu tio Roque.

Pedrinho: Que diferente, vô!
Seu Enzo: É. Mas ambicioso e impaciente como sempre.
Pedrinho: Que roupas estranhas.
Seu Enzo: Era moda.
Pedrinho: E essa aqui?
Seu Enzo: Esta é uma amiga da Itália. Você não conhece.
Pedrinho: Bonita, né? Você gostava dela, vô?
Seu Enzo: Não. Ela era só uma amiga da sua avó. Ela era muito tímida, mas paciente e generosa.
Pedrinho: E esse?
Seu Enzo: Este é o seu pai.
Pedrinho: *Caramba*, que diferente. Charmoso, né? Parece educado e inteligente com esses óculos
Seu Enzo: Mas seu pai *é* educado e inteligente, Pedrinho!

LEMBRA?
USAMOS "DEIXA EU VER" NO LUGAR DE "DEIXE-ME VER" QUE É MAIS GRAMATICAL.

NA CONVERSAÇÃO...
CARAMBA = NOSSA!

LIÇÃO C GRAMÁTICA

Verbos: lembrar-se, parecer

Estou **me lembrando de** uns amigos e parentes. (= Estou lembrando de uns amigos e parentes.)
(**Ele**) **Parece** educado e inteligente com esses óculos.

Modo Indicativo – Presente

LEMBRAR-SE	
Eu	me lembro
Você Ele Ela A gente	se lembra
Nós	nos lembramos
Vocês Eles Elas	se lembram

O verbo pode ser "lembrar" ou "lembrar-se"

PARECER	
Eu	pareço
Você Ele Ela A gente	parece
Nós	parecemos
Vocês Eles Elas	parecem

O verbo "parecer" é regular e significa aqui "ter a aparência de" ou "dar a impressão de".

LIÇÃO C CONSTRUÇÃO DO CONTEÚDO

A. Observe as figuras e complete as frases com o verbo PARECER na forma afirmativa ou negativa.

1. Maurício ____________________ ambicioso.

2. Dona Maria ________________ simpática.

3. Leca e Juju ____________________ tímidas.

4. Sebastião ________________ trabalhador.

B. Complete o diálogo com os verbos indicados em parênteses.

Jorge: Álvaro, você ______________________ (LEMBRAR) do Juvenal?
Álvaro: Juvenal? Não ____________________________ (LEMBRAR) não.
Jorge: Ele ______________ (TRABALHAR) aqui, mas agora está em outra empresa.
Álvaro: Como ele ____ (SER)?
Jorge: Ele ________________ (TER) muitas pintas no rosto e os cabelos vermelhos.
Álvaro: Ele ___________________ (TER) uma irmã muito simpática que ___________________________ (IR) pro refeitório com a gente?
Jorge: Isso. Ela _______________ (TER) os cabelos bem compridos e ________________ (SER) baixa. _______________ (SER) copeira, mas agora é recepcionista em outro lugar.
Álvaro: Ah! Agora __________________ (LEMBRAR) deles sim. O Juvenal _____________ (USAR) óculos, _______________ (ESTAR) sempre bem vestido e _____________________ (SER) um pouco gordo.
Jorge: Isso. Ele agora está magro. Está correndo e fazendo ioga todos os dias.
Álvaro: Que ótimo. Preciso fazer o mesmo.

C. **Oral:** Observe as figuras abaixo e descreva as pessoas usando o verbo PARECER.

LIÇÃO C AMPLIAÇÃO DO VOCABULÁRIO

Cores II

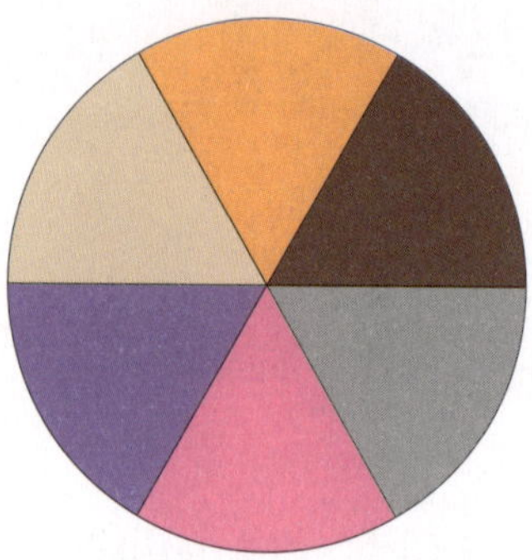

bege
laranja
marrom
cinza
cor-de-rosa
roxo

As cores bege, laranja, cinza e cor-de-rosa não têm diferença entre feminino e masculino, singular e plural. A cor marrom não tem diferença entre feminino e masculino.

Vestuário II

Feminino (esporte e íntimo)

camiseta
short
bermuda
jeans
calcinha
sutiã
camisola
meias
tênis
sandália
chinelo

Masculino (esporte e íntimo)

camiseta
short
bermuda
jeans
cueca
pijama
meias
tênis
sandália
chinelo

A. 1/61 **Ouça os diálogos e complete o quadro abaixo.**

	Roupas	Local
1. Camila		
2. Pedro		
3. Adauto		

B. Que tipo de roupas você usa para:

1. ir ao parque, correr?

____

2. trabalhar?

____

4. visitar um cliente?

____

5. ir ao supermercado?

____

6. viajar a trabalho?

____

7. se exercitar?

____

8. ficar em casa nos finais de semana?

____

9. ir à praia?

____

10. ir a um casamento?

____

LIÇÕES A, B e C COMPREENSÃO AUDITIVA

1/62 **Ouça os diálogos e marque (✓) a alternativa correta.**

1. Jana ( ) tinha cabelos castanhos
( ) tinha cabelos compridos
( ) tinha cabelos curtos

Jana ( ) morava em São Paulo
( ) morava em Brasília
( ) morava em Ribeirão Preto

Jana ( ) ia pro cinema com os primos
( ) ia pro cinema com amigos
( ) ia pro cinema com os irmãos

2. Sérgio ( ) era gordo quando tinha dezoito anos
( ) tinha cabelos loiros
( ) tinha pintas no rosto

Sérgio ( ) era atraente
( ) era sociável
( ) era elegante

Sérgio ( ) gostava das calças vermelhas
( ) gostava da camiseta amarela
( ) gostava da camisa cor-de-laranja

3. A mãe da Lenita ( ) era educada
( ) era impaciente
( ) era inteligente

A mãe da Lenita ( ) não tinha amigas
( ) fumava muito
( ) usava roupas estranhas
A mãe de Lenita ( ) parece sociável na foto
( ) parece simpática na foto
( ) parece interessante na foto

LIÇÕES A, B e C APLICAÇÃO ORAL DO CONTEÚDO

A. **Você e seu/sua colega eram bons/boas amigos/as na adolescência. Vocês encontram-se agora, depois de muito tempo. Falem sobre como eram e sobre as suas mudanças. Use o vocabulário abaixo para montar seus perfis:**

Aluno A	**Aluno B**
cabelos lisos	cabelos pretos
lembrava	usava
morava	estudava
jovem	bonito
sociável	impaciente
gordo	estudioso
magro	usava óculos

B. **Agora, entreviste o/a colega sobre como ele/a *realmente* era, do que gostava e onde morava.**

LEITURA

O significado das cores

Conheça o poder das principais cores e seus reflexos na personalidade.
Além de influenciar o humor, as cores revelam um pouco da personalidade. Muito utilizadas na decoração de ambientes para estimular sensações, elas também podem traduzir um pouco do jeito de ser, de acordo com as preferências de cada um.

Cores preferidas

O **azul** é uma cor que transmite calma e segurança, traz clareza mental e saúde emocional. Revela uma pessoa que gosta de manter as emoções sob controle e que geralmente não demonstra o que sente. O **vermelho** é estimulante, dá energia física e representa a força de vontade e liderança. Também favorece o impulso sexual, mas, em excesso, torna a pessoa agressiva e briguenta.

O **verde** é a mais harmoniosa das cores. Representa as energias da natureza e o crescimento, e revela alguém preocupado com o bem-estar coletivo. Usado em excesso, pode determinar orgulho e arrogância.

O **amarelo** desperta a alegria e a criatividade. Diminui a ansiedade e as preocupações e, ao mesmo tempo, produz desinibição. Conhecendo o poder e o significado das cores, você pode montar um visual que equilibre o seu humor. Mas saiba que as cores de objetos, ambientes e das roupas de outras pessoas também afetam o seu dia a dia.

A. Responda as perguntas abaixo.

1. Você acha que as cores e a personalidade estão ligadas?

____

2. Qual cor transmite tranquilidade? E qual é a cor da força de vontade?

____

B. Qual sua cor favorita? Você acha que ela tem a ver com seu humor?

____

____

____

REDAÇÃO

Descreva uma das pessoas famosas abaixo. Você acha que as cores de sua roupa tem relação com as qualidades que você vê nessa pessoa?

Ex. Gisele Bunchen, Rodrigo Santoro, Brad Pitt, Lula.

____

____

____

____

____

____

____

____

____

____

____

____

____

CONSOLIDAÇÃO LEXICAL

Cores

Nomeie e coloque as cores dos itens de vestuário abaixo. Por exemplo: calça verde, sapatos brancos etc.

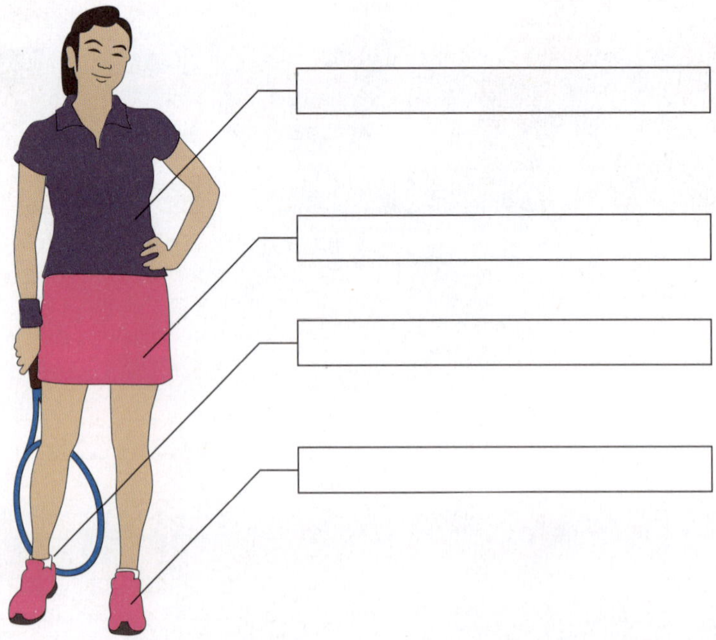

UNIDADE 10

Estou com gripe

LIÇÃO A PANORAMA

A saúde e os remédios

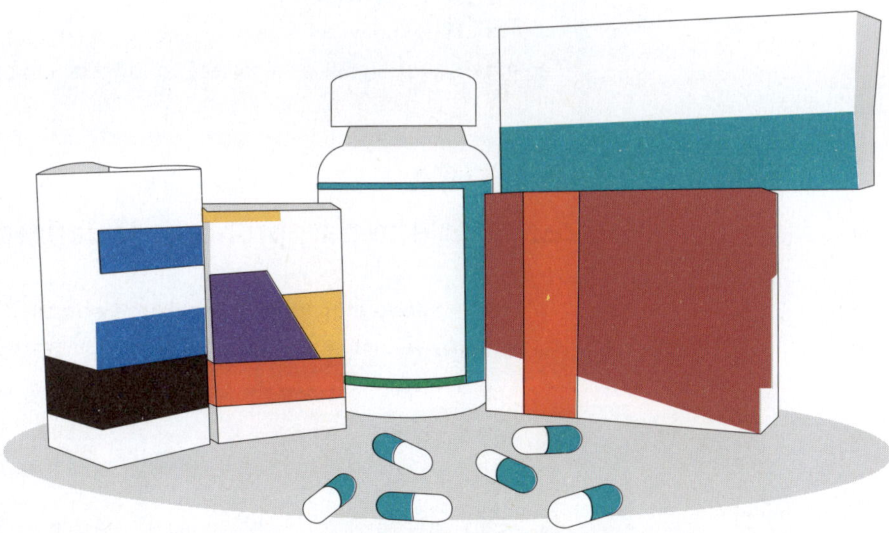

No Brasil, existem o serviço de saúde público, o SUS - Sistema Único de Saúde - e o privado, normalmente, em forma de planos de saúde. Quanto aos medicamentos, a maioria dos brasileiros compra remédios, que não são de tarja preta e também alguns de tarja vermelha, diretamente nas farmácias, como por exemplo: antigripais (para gripes e resfriados); analgésicos (para dores de cabeça e musculares) e antiácidos (para dores de estômago). Esses tipos de remédios não necessitam de receita médica.

E no seu país, quais os serviços de saúde existentes?
Que tipos de remédios as pessoas compram sem receita médica?

LIÇÃO A DIÁLOGO

1/63

Maria: Meu Deus, que cara é essa, Dora?
Dora: Estou com gripe, tosse e muita dor de cabeça.
Maria: Por que você não vai ao médico?
Dora: Pra quê? Não vai *adiantar*. O meu médico normalmente não tem horário. Tenho que marcar hora com uma semana de antecedência. Até lá, já sarei da gripe.
Maria: Nossa, vai a outro médico, então. Você já tomou algo?
Dora: Já tomei tudo. Antigripal, vitamina C... Acho que vou me deitar um pouco agora.
Maria: Isso. Vai descansar. Quer algo? Um chá de limão e alho, talvez?
Dora: Ugh! Claro que não.

NOTE QUE...

"adiantar", aqui, significa "resolver", "solucionar um problema".

LIÇÃO A GRAMÁTICA

Verbos: sarar e tomar; pronome indefinido

Até lá, já **sarei** da gripe.
Você já **tomou** algo?
Já tomei **tudo**.
Quer **algo**?

O "pretérito perfeito" é usado para descrever fatos terminados no passado, geralmente não habituais.
Os verbos "sarar" e "tomar" são regulares e são da 1ª conjugação.
Os verbos regulares da 1ª conjugação seguem o exemplo de "sarar" e "tomar".

Modo Indicativo – Pretérito Perfeito

SARAR		TOMAR	
Eu	sar**ei**	Eu	tom**ei**
Você Ele Ela A gente	sar**ou**	Você Ele Ela A gente	tom**ou**
Nós	sar**amos**	Nós	tom**amos**
Vocês Eles Elas	sar**aram**	Vocês Eles Elas	tom**aram**

Pronome indefinido

Os pronomes indefinidos referem-se à terceira pessoa do discurso de forma imprecisa.

pronomes indefinidos invariáveis: alguns exemplos

alguém ≠ ninguém	Tem **alguém** aí?
	Acho que não tem **ninguém**.
tudo ≠ nada	**Tudo** está claro agora.
	Nada parece claro.
algo (= alguma coisa)	**Algo** está diferente aqui.
cada	**Cada** criança vai receber um presente.

LIÇÃO A CONSTRUÇÃO DO CONTEÚDO

A. Complete os diálogos com os verbos indicados.

1. Lélio: Nossa, estou com muita dor de cabeça.
   Pérsio: De novo? Não ________________ (SARAR) ainda?
   O que você ____________________________ (TOMAR)?
   Lélio: Nada.
2. Raquel: Menina, você tem que ________________ (TOMAR) alguma coisa para essa gripe!
   Telma: Já ____________ (TOMAR), mas não ____________ (SARAR).
3. Mauro: Por que o Paulo está tão estranho?
   Roger: Não sei. Acho que ele ________________ (TOMAR) muito remédio e agora está com sono.
4. Hilda: Oi, Lucas. Suas irmãs já ________________ (SARAR)?
   Elas estavam com uma tosse.
   Lucas: ____________ (SARAR). Elas ____________ (tomar) um xarope muito bom, com própolis e mel.

B. Complete o texto com as palavras do quadro. Você só pode usá-las uma vez.

nada	algo	cada
tudo	alguém	ninguém

Sou o Dr. Menezes. No meu consultório ____________ é organizado. Sempre tem ____________ para atender os pacientes. ________ paciente recebe atendimento personalizado. ________ sai do consultório sem falar comigo. Se um paciente precisar de ____________, ele fala com a secretária. ____________ acontece sem meu conhecimento. Prezo muito a saúde de meus pacientes.

C. **Oral:** Observe as figuras. De acordo com a doença, diga qual remédio a pessoa provavelmente tomou e se ela sarou ou não.

Remédios: **antigripal**, **analgésico** e **antiácido**

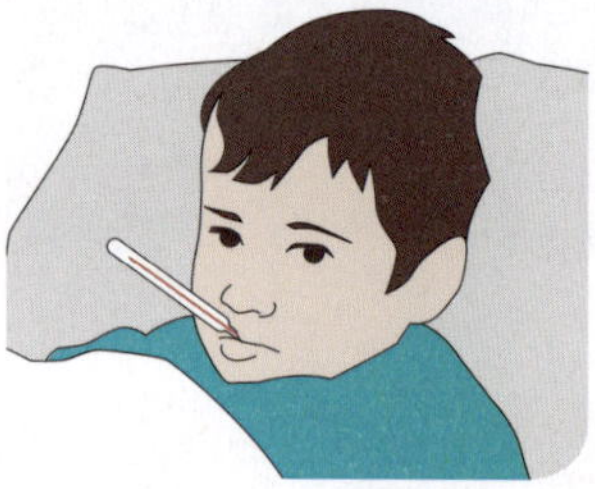

LIÇÃO A AMPLIAÇÃO DO VOCABULÁRIO

Corpo Humano I

A. **Veja as figuras e escreva qual parte do corpo destas pessoas dói.**

1. ____________ 2. ____________ 3. ____________ 4. ____________

B. 1/64 **Ouça os diálogos e complete com a parte do corpo que dói e o motivo.**

1. Parte do corpo: ____________ Motivo: ____________
2. Parte do corpo: ____________ Motivo: ____________
3. Parte do corpo: ____________ Motivo: ____________
4. Parte do corpo: ____________ Motivo: ____________
5. Parte do corpo: ____________ Motivo: ____________

LIÇÃO B PANORAMA

Tipos de tratamento médico

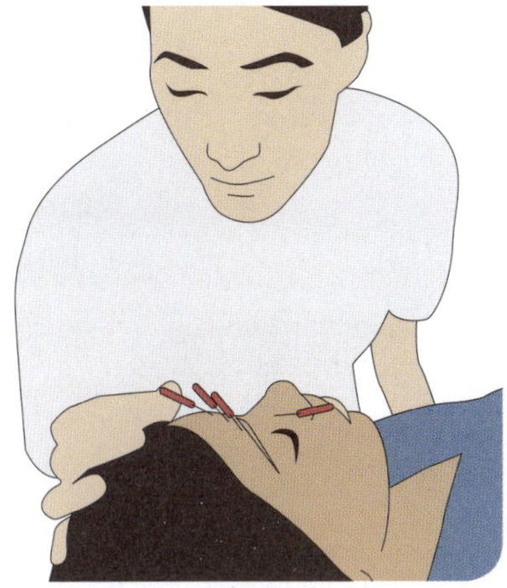

Existem, pelo menos, três tipos de tratamentos para quando estamos doentes. O primeiro é o tratamento médico convencional, ou seja, procuramos um médico alopata. Quando estamos doentes, vamos ao consultório médico ou hospital e seguimos os conselhos do médico. O segundo é o tratamento médico não convencional. Para esse tipo de tratamento, vamos ao consultório de um médico homeopata, que trata os pacientes com remédios à base de ervas. No terceiro tipo, podemos incluir tratamentos como a acupuntura (medicina chinesa e japonesa); florais (remédios à base de flores) e remédios caseiros (chás etc).

Que tipos de tratamento são comuns no seu país?
E você? Quando você fica doente que tipo de tratamento você segue?

LIÇÃO B DIÁLOGO

1/65

Silmara: Que remédio é esse?
Jorge: É para dor nas costas.
Silmara: E você toma assim, sem ir ao médico?
Jorge: Não. Foi o meu médico que receitou. *Sempre que* estou com dor nas costas, eu tomo este remédio.
Silmara: Eu não gosto de remédios. Quando preciso tomar um remédio, normalmente, fico com dor de estômago.

Jorge: E o que você faz, então?
Silmara: Eu faço acupuntura.
Jorge: Mas acupuntura serve para tudo?
Silmara: Para quase tudo. Eu faço algumas sessões com um acupunturista japonês. Ele é ótimo.
Jorge: Mas aquelas agulhas no corpo não doem?
Silmara: Depende. Quando tem alguma inflamação, dói um pouco.
Jorge: *Eu, hein?* Nem pensar.

NA CONVERSAÇÃO...
"EU, HEIN? NEM PENSAR" = DE MANEIRA NENHUMA

NOTE QUE...

sempre que = quando, toda vez que.

LIÇÃO B GRAMÁTICA

Verbo ser; estrutura com verbo ser + sujeito + que; advérbio de frequência

Foi o meu médico que receitou.
Quando preciso tomar um remédio, **normalmente**, fico com dor de estômago.

SER
Modo Indicativo – Pretérito Perfeito

Eu	fui
Você Ele Ela A gente	foi
Nós	fomos
Vocês Eles Elas	foram

A frase "foi o médico que receitou." poderia ser "O médico receitou esse remédio.", mas esta última frase é menos usual. Neste caso, damos ênfase à ação do sujeito.

Foi (verbo ser) + **o médico** (sujeito) + **que** + **verbo** é uma estrutura comum no português falado.
Veja mais exemplos:
Foi o professor que pediu.
Foi a Maria que telefonou.
É a Maria que vai com eles.

Advérbio de frequência
Os advérbios de frequência mostram a constância de uma situação.

alguns exemplos:
sempre ≠ nunca
Eu **sempre** tenho dor nas costas.
Ele **nunca** está com gripe.

quase sempre ≠ quase nunca (variação de "sempre" ≠ "nunca")

com frequência = geralmente, normalmente
Elas ficam com dor de estômago **com frequência**.

às vezes = de vez em quando
Eles estão com dor de cabeça **às vezes**.

dificilmente = raramente
Ela **dificilmente** está com febre.

LIÇÃO B CONSTRUÇÃO DO CONTEÚDO

A. Reescreva as orações abaixo, iniciando-as com o verbo SER no pretérito perfeito.

1. A dentista recomendou esta pasta de dente.

____

2. Nós tomamos aquele remédio.

____

3. Vocês sararam muito rápido.

____

4. O Dr. Braga mandou a receita.

____

5. Eu comprei o antiácido.

____

B. Circule a melhor opção para completar as orações do diálogo.

Farmacêutica: Pois não?
Cliente: Vocês têm antiácido?
Farmacêutica: Temos. Está com dor de estômago?
Cliente: É. Eu (nunca/geralmente) tenho acidez. Como muita gordura.
Farmacêutica: Você só deve comer gordura (às vezes/sempre).
Cliente: Eu sei, mas adoro frituras e churrasco. (Quase sempre/Dificilmente) faço churrasco em casa, com muita caipirinha.
Farmacêutica: Aqui está. Os clientes (quase nunca/geralmente) compram este aqui. É muito bom.
Cliente: Obrigado. Acho que você vai me ver aqui (com frequência/raramente). Semana que vem tem churrasco de novo!
Farmacêutica: Cuide-se.

C. Oral: **Descubra com que frequência seus/suas colegas têm os sintomas listados e se tomam medicamentos.**

Ex.: *A: Com que frequência você tem dor de cabeça?*
B: Eu às vezes tenho dor de cabeça.
A: O que você toma?
B: Tomo um analgésico e chá.

Sintomas	Frequência	Medicamento
Dor de cabeça	( ) Sempre ( ) às vezes ( ) quase nunca	
Dor nas costas	( ) Sempre ( ) às vezes ( ) quase nunca	
Dor de estômago	( ) Sempre ( ) às vezes ( ) quase nunca	
Febre	( ) Sempre ( ) às vezes ( ) quase nunca	
Gripe	( ) Sempre ( ) às vezes ( ) quase nunca	

LIÇÃO B AMPLIAÇÃO DO VOCABULÁRIO

Alguns sintomas

estar com dor no/na/nos/nas
pernas
costas
olhos
pés
pulsos

Normalmente, quando a parte do corpo está no plural, usamos estar com dor **nos/nas**, mas há exceções: **no** peito, **no** pescoço

estar com dor de
cabeça
garganta
estômago
ouvido
barriga

Normalmente, quando a parte do corpo está no singular, usamos estar com dor **de**.

A. **Complete o quadro abaixo com suas informações e compare com um/a colega**

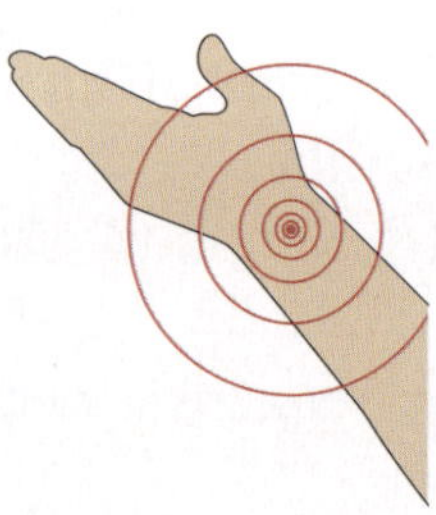

1. ____________

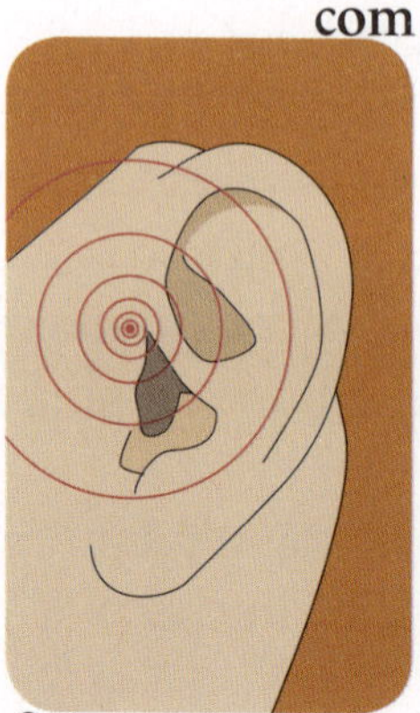

2. ____________

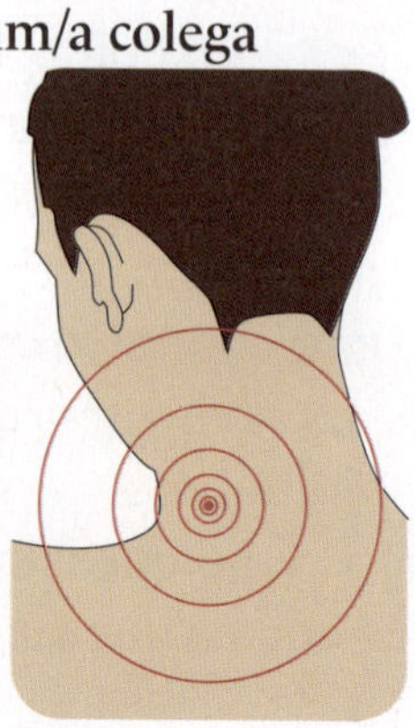

3. ____________

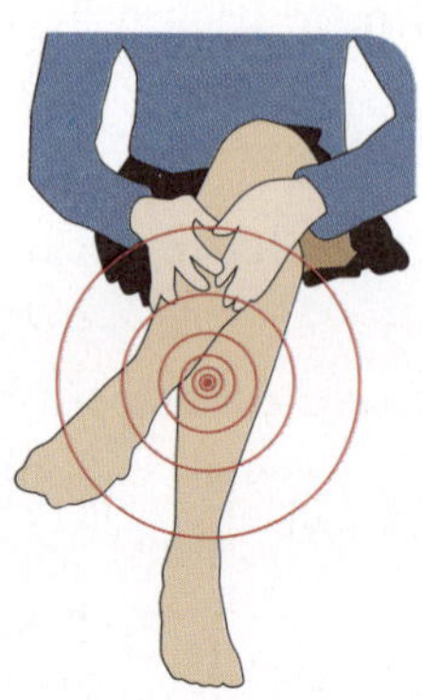

4. ____________

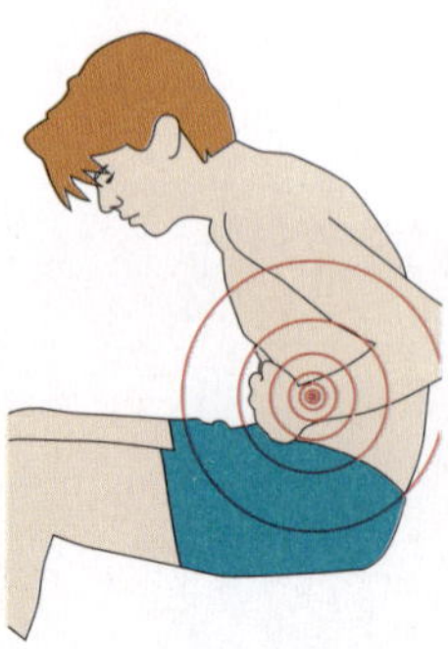

5. ____________

B. 1/66 **Ouça estes pacientes em um consultório médico e responda as perguntas.**

1. a. Qual é o problema?
   b. O que ela tomou?
   c. Ela sarou?
2. a. Qual é o problema?
   b. O que ela tomou?
   c. Ela sarou?

LIÇÃO C PANORAMA

Descrição de condição física ou emocional

Normalmente, nós mudamos nossa condição física ou emocional de bem-estar para mal-estar, quando passamos por algum problema. Alguns sintomas são temporários, então dizemos que "estamos com algo", outros são mais permanentes, então dizemos que "temos algo", outros ainda mudam nossa condição de forma inesperada ou só quando fazemos algo, então dizemos que "ficamos com algo". Vejamos os exemplos:

E você? O que normalmente você está com ...? fica com ...? ou tem ...?

LIÇÃO C 1/67 DIÁLOGO

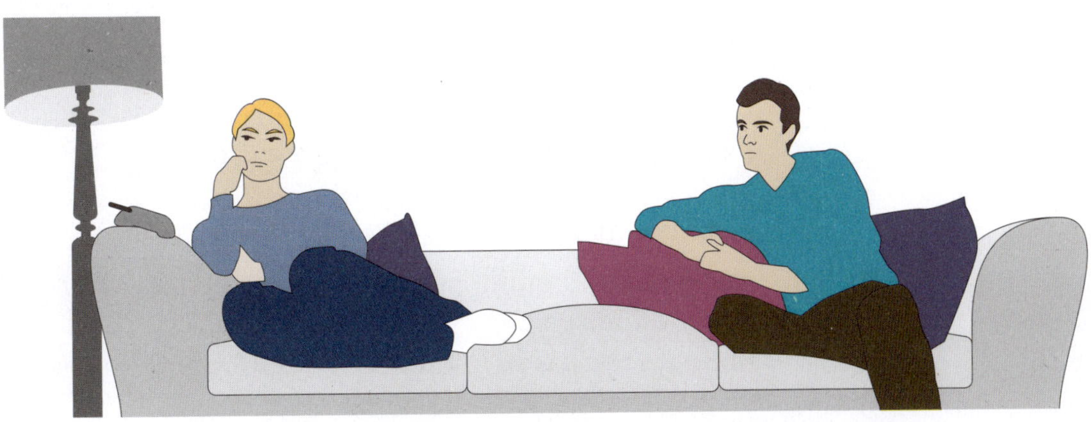

Joana: Eu fico muito brava quando não estou bem, ligo para o médico do convênio e não consigo consulta.

Marcelo: Mas se você está muito mal pode ir ao pronto-socorro.

Joana: Eu sei, mas não acho isso certo. Eu estou pagando. Quero uma consulta para esta semana.
Marcelo: Pois é. Imagina quem depende do serviço público?
Joana: Nem quero pensar nisso. Eu tenho enxaquecas regularmente. Sempre que fico muito nervosa, eu tenho dores de cabeça horríveis.
Marcelo: Você está com dor de cabeça agora?
Joana: Não. Por quê?
Marcelo: Porque você está nervosa.
Joana: É, mas agora estou só um pouco nervosa.
Marcelo: Então, não quero estar por perto quando você ficar muito nervosa.
Joana: Não precisa ficar com medo, eu não mordo.
Marcelo: Nunca se sabe, né?

LIÇÃO C GRAMÁTICA

Verbos: ficar; estar e ter; advérbio de intensidade

Eu **fico** muito brava quando não estou bem, (...).
Eu **tenho** enxaquecas regularmente.
Mas se você **está** muito mal pode ir ao pronto-socorro.
Você **está com** dor de cabeça agora?
Não precisa **ficar com** medo, eu não mordo.

Sempre que fico **muito** nervosa, eu tenho dores de cabeça horríveis.
É, mas agora estou só um **pouco** nervosa.

ficar + adjetivo
Não precisa **ficar triste**, eu gosto de você.

ficar + com + substantivo
Ela **fica com** medo à toa.

estar + com + substantivo
Você **está com** dor de cabeça agora?

ter + sintoma
Eu **tenho** enxaquecas regularmente.

muito + adjetivo
Ela está **muito preocupada**.

um pouco + adjetivo
Eu fico **um pouco nervoso** com o meu chefe.

LIÇÃO C CONSTRUÇÃO DO CONTEÚDO

A. Escolha a melhor opção de acordo com a situação.

1. A: Nossa, comi muito no almoço. Agora (estou com / fico com) dor de estômago.
B: E eu? (Estou com / Tenho) dor de estômago regularmente.

2. A: Você (fica com / está com) gripe?
B: Por quê?
A: Você (está / fica) pálida e espirrando.

3. A: O Carlos (tem / fica com) medo de injeção?
   B: Sempre. É terrível quando precisa tomar uma.

4. A: Nós (estamos / ficamos) muito nervosos quando temos que fazer exame de sangue.
   B: Não é sempre não. É porque hoje eu (estou com / tenho) enxaqueca. Não gosto de fazer nenhum exame com dor.

B. Complete as orações com informações sobre você.

1. Fico *muito* preocupado (a) quando ______________________________ .
2. Fico *um pouco* nervoso (a) quando ______________________________ .
3. Fico *muito* contente quando ______________________________ .
4. Fico *um pouco* triste quando ______________________________ .
5. Fico *muito* disposto (a) quando ______________________________ .

C. Oral: **Use as sugestões abaixo para formular perguntas. Faça as perguntas aos colegas.**

1. dor de cabeça / quando / café ?
2. dor nas pernas / quando / fazer caminhada ?
3. dor nas pernas / agora ?
4. um pouco / cansado (a) / hoje ?
5. dor nas costas / de vez em quando ?
6. dor nas costas / agora ?

LIÇÃO C AMPLIAÇÃO DO VOCABULÁRIO

Estados emocionais e sentimentos: adjetivos e substantivos

estar/ ficar:	ter:
nervoso (a)	ataque de nervos / ódio / raiva
calmo (a)	calma / paciência
tranquilo (a)	tranquilidade
bravo (a)	braveza
violento (a)	violência
sereno (a)	serenidade
ansioso (a)	ansiedade

A. Inclua situações onde você fica...

1. um pouco bravo (a) ______________________________
2. um pouco nervoso (a) ______________________________
3. um pouco preocupado (a) ______________________________
4. muito sereno (a) ______________________________
5. muito ansioso (a) ______________________________

B. Inclua situações onde você...

1. tem um ataque de nervos ______
2. vê violência ______
3. vê muita braveza para nada ______
4. tem serenidade ______
5. precisa ter calma ______

LIÇÕES A, B e C COMPREENSÃO AUDITIVA

1/68 Complete a tabela com as informações que faltam.

	Problemas de saúde	Motivos	Medicamentos
Reinaldo			
Gilda			
Glauce			

LIÇÕES A, B e C APLICAÇÃO ORAL DO CONTEÚDO

Improvise um diálogo com um/a colega sobre os tópicos vistos nesta unidade: saúde e remédios, tratamentos médicos e condições físicas e emocionais. Use as palavras e expressões dadas na ordem que desejar.

ALUNO A	ALUNO B
verbo SARAR no pretérito perfeito	verbo TOMAR no pretérito perfeito
tudo	nada
"foi ele que"	"fui eu que"
quase sempre	às vezes
dor de dente	dor nas costas
muito	um pouco
"fico com"	"fica com"
tranquilidade	ansiedade
antiácido	antigripal

LEITURA

A. Você sabe o que é a fitoterapia? Discuta com os colegas.

Leia o texto abaixo e responda as perguntas.

Cortando o mal pelas raízes

As plantas são usadas como remédio desde o começo da civilização. Alguns especialistas acham que o Brasil tem mais de 10 mil plantas com potencial para usos medicinais. Até hoje, só 3 mil delas estão identificadas e apenas 120 são exploradas comercialmente.

Mas o brasileiro acredita no poder das plantas. Seguindo a portaria federal, que recomenda seu uso no Sistema Único de Saúde (SUS), algumas cidades, como Londrina, têm serviços públicos de fitoterapia, que é o tratamento de doenças com o uso de plantas. Assim, nada melhor que fazer uma horta em casa e ter algumas espécies por perto. Leia o quadro abaixo para ver para que servem algumas plantas. Mas lembre-se: o uso de qualquer substância com fins medicinais pode ser perigoso e deve ser acompanhado por um médico.

Farmácia em casa
Veja para que servem algumas das plantas mais usadas.

Boldo-do-chile
Indicações: combate problemas digestivos e do fígado
Parte usada: folhas
Uso: interno

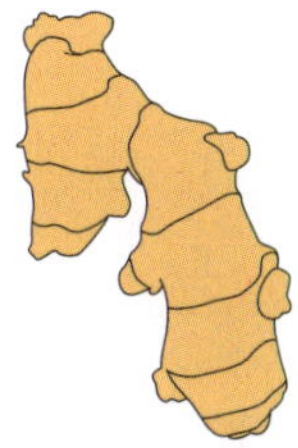

Gengibre
Indicações: antigripal, digestivo
Parte usada: rizoma (caule subterrâneo)
Uso: interno

Ginkgo
Indicações: é usado para ativar o sistema circulatório
Parte usada: folhas, caule e flores
Uso: interno

Alcachofra
Indicações: contra problemas no fígado
Parte usada: folhas
Uso: interno

Adaptado de: http://www.revistaopiniao.net/07.shtml em 04/07/07

1. Quantas plantas com potencial para uso medicinal existem no Brasil?

2. Quantas são exploradas comercialmente?

3. Da lista acima, quais plantas são indicadas para problemas digestivos?

4. Qual planta é indicada contra problemas no fígado?

B. Você acha interessante ter uma horta em casa? Dê sua opinião.

REDAÇÃO

Em qual medicina você mais confia? Por quê? Você acredita na fitoterapia?
O que você faz quando está nervoso(a)? Quais são suas maneiras de relaxar de um dia estressante?
Escreva uma redação com base no texto e questões acima.

____
____
____
____
____
____
____
____
____
____

CONSOLIDAÇÃO LEXICAL

O corpo humano

A. Nomeie cada parte do corpo.

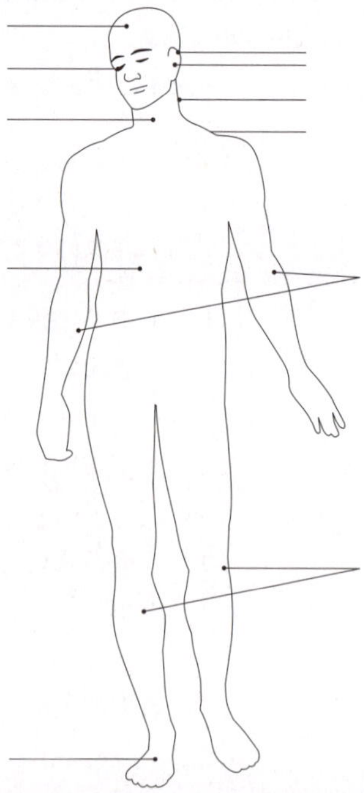

B. **Agora diga qual é o complemento correto para dor (na/nas/no/nos/de) em cada parte nomeada acima.**

Ex. *dor de* cabeça

UNIDADE 11

Você é bom em História do Brasil?

LIÇÃO A **PANORAMA**

Um pouco de História

O Brasil é um país relativamente novo. Portugal descobriu o Brasil em 1500. A colonização só começou em 1530. Mas em 1808 a corte portuguesa fugiu dos exércitos de Napoleão e mudou-se para o Rio de Janeiro. Depois disso muita coisa aconteceu. A Independência ocorreu em 1822, mas o Brasil ainda permaneceu Império. Ele só passou de Império a República em 1889. O primeiro presidente do Brasil foi Deodoro da Fonseca.

O seu país tem uma longa história ou ainda é um país novo como o Brasil?
Conte um pouco da História do seu país.

LIÇÃO A DIÁLOGO

1/69

Carlos: Você é bom em História do Brasil?
João: Mais ou menos. Por quê?
Carlos: Tem um teste aqui. Quer tentar?
João: Bem, vamos lá.
Carlos: Quando Pedro Álvares Cabral descobriu o Brasil?
João: Essa é fácil, né? Em 22 de abril de 1500.
Carlos: Quando a corte portuguesa chegou ao Rio de Janeiro?
João: Será que em 1822?
Carlos: *Deixa eu ver*. Não. Em 1808.
João: Mas tem alguma coisa com 1822, não tem?
Carlos: A Independência do Brasil, né?
João: Nossa, é mesmo.
Carlos: Quando foi a Proclamação da República?
João: Sei que foi em 15 de novembro porque é feriado.
Carlos: 15 de novembro de 1889. *Viu* como eu sou bom em História?
João: Bom nada. Você está com todas as respostas aí.

LEMBRA?
NA CONVERSAÇÃO, FALAMOS: "DEIXA EU VER" EM VEZ DE "DEIXE-ME VER."

NA CONVERSAÇÃO...
USAMOS "VIU" (VERBO VER) PARA CHAMAR ATENÇÃO A RESPEITO DO QUE VAMOS FALAR.

LIÇÃO A GRAMÁTICA

Verbos: começar, permanecer, descobrir, ser e ver

A colonização só **começou** em 1530.

O Brasil **permaneceu** Império.

Portugal **descobriu** o Brasil em 1500.

O primeiro presidente do Brasil **foi** Deodoro da Fonseca.

Viu como eu sou bom em História?

Modo Indicativo – Pretérito Perfeito

COMEÇAR		PERMANECER		DESCOBRIR	
Eu	comecei	Eu	permaneci	Eu	descobri
Você / Ele / Ela / A gente	começou	Você / Ele / Ela / A gente	permaneceu	Você / Ele / Ela / A gente	descobriu
Nós	começamos	Nós	permanecemos	Nós	descobrimos
Vocês / Eles / Elas	começaram	Vocês / Eles / Elas	permaneceram	Vocês / Eles / Elas	descobriram

Os verbos "começar", "permanecer" e "descobrir" são modelos de verbos da 1ª (-ar), 2ª (-er) e 3ª (-ir) conjugação, no pretérito perfeito. Eles são regulares. Os verbos "ser" e "ver" são irregulares.

O pretérito perfeito é usado para descrever ações, geralmente não habituais, concluídas antes do ato de falar. A ação começou e terminou no passado.

SER		VER	
Eu	fui	Eu	vi
Você / Ele / Ela / A gente	foi	Você / Ele / Ela / A gente	viu
Nós	fomos	Nós	vimos
Vocês / Eles / Elas	foram	Vocês / Eles / Elas	viram

LIÇÃO A CONSTRUÇÃO DO CONTEÚDO

A. Complete o diálogo com os verbos indicados no pretérito perfeito.

Livio: Nicolas, como ____________ (SER) a exposição de fotos ontem?
Nicolas: Ótima. Teve música também.
Livio: A que horas ______________________________ (COMEÇAR)?
Nicolas: Por volta das 9hs da noite. Mas eles só ____________________ (COMEÇAR) a tocar música às 10hs.
Livio: Você gostou?
Nicolas: Muito. A Paula e eu ____________ (DESCOBRIR) que adoramos fotografia. Quero fazer um curso. O fotógrafo é meu amigo. Ele não me ________________ (VER). Tinha muita gente lá. Depois do show os músicos _________________ (PERMANECER) lá para conversar com o público. Adorei!

B. Neste parágrafo existem 5 erros. Ache e corrija os erros.

Ontem, minha irmã e eu vemos uma revista sobre história mundial no consultório do dentista. Eu peguei a revista e começou a ler. Minha irmã logo fui para a sala do dentista para ser atendida. Eu li um artigo sobre a revolução russa. Descobrimos muitas coisas interessantes. Minha irmã saiu duas horas depois. Ela me vi na sala e disse: "Vamos pra casa. Odeio dentista!"

C. **Oral:** Use as figuras para criar uma história. Narre os acontecimentos no passado. Use os verbos COMEÇAR, PERMANECER, DESCOBRIR, SER e VER. Ouça a história dos colegas. Quem inventou a história mais criativa?

LIÇÃO A AMPLIAÇÃO DO VOCABULÁRIO

Algumas regências verbais

ser bom em [no (s), na (s)] + substantivo

João é **bom em** matemática e ciências.

O Joaquim tinha muita sensibilidade visual. Ele sabia que era **bom em** cinema.

começar a + verbo

Quando abriu a porta, o bebê **começou a chorar**.

Beny **começou a rir**.

acabar de + verbo

O IBGE **acaba de publicar** o relatório.

Dr. Carlos Ribeiro tinha **acabado de chegar** de São Luís.

Quando **acabou de ler** a carta, Deusa tinha os olhos úmidos.

Acabamos de receber o convite para tocar no Festival de Montreux.

gostar de + verbo / substantivo

Nenhum jogador **gosta de ficar** na reserva.

O mar é tranquilo, com ondas suaves e boas para quem **gosta de esportes** náuticos.

Ele **gosta de automobilismo** e acompanha todas as corridas da Fórmula Mundial.

precisar de + substantivo

Marcos **precisava de dinheiro** para se casar com Zilda.

Criança **precisa de espaço** para ter saúde.

precisar + verbo

Gostaria de ficar um pouco mais com você, mas **preciso ir** a um jantar.

O Corinthians, em péssima fase, **precisa vencer** o time reserva do Flamengo para voltar a respirar.

A. **Complete com o verbo ou o substantivo mais adequado. Mais de uma combinação é possível.**

chorar	contas	barulho	chegar	histórias
discutir	música	brincar	funcionários	falar
descansar	mentira	chover	gastar	dinheiro
conversar	descanso	História	espaço	ler
aventura	concluir	amigos	informações	reforma

ser bom em	começar a	acabar de	gostar de	gostar de	precisar de	precisar

B. Crie frases com cada uma das regências acima estudadas.

1. ______________________
2. ______________________
3. ______________________
4. ______________________
5. ______________________
6. ______________________
7. ______________________

LIÇÃO B PANORAMA

Festas juninas

Existem inúmeras festas no Brasil. Algumas delas são folclóricas, como o bumba meu boi e outras são religiosas, como as festas juninas. As festas juninas acontecem no mês de junho. Elas celebram três santos: santo Antônio (13/06), são João (24/06) e são Pedro (29/06). Essas festas são populares e têm comidas típicas, como batata-doce, pinhão, pipoca, e bebidas típicas, como quentão e vinho quente.

Quais são as festas mais populares no seu país?
O que vocês comem e bebem?
Como celebram?

LIÇÃO B DIÁLOGO

1/70

Marcelo: Faz tanto tempo que não vou a uma festa junina...
Cláudia: Jura? Eu não *perco* uma.
Marcelo: Mas onde tem festa junina hoje em dia?
Cláudia: Em São Paulo, tem nas escolas ou em algum SESC.
Marcelo: Eu quero ir a uma este ano. Eu me lembro com saudade de quando eu era pequeno. Eu sempre ia às festas juninas. A gente fazia a festa na rua de casa. Os vizinhos se reuniam e cada um preparava uma coisa. O seu Antônio tocava sanfona. Nós levávamos a pipoca. A dona Elza levava as batatas-doces. A gente colocava as batatas na fogueira. O seu João levava o pinhão. A gente se divertia muito.
Cláudia: Eu também tenho saudade da minha infância. As festas juninas eram muito comemoradas na minha cidade. Na verdade, elas ainda são. Eu sou do interior da Bahia e lá as pessoas ainda comemoram festas como o bumba meu boi e as juninas.
Marcelo: Eu gostaria de ir a uma dessas festas um dia.
Cláudia: Eu tenho planos de ir à Bahia no ano que vem. Você já está convidado.
Marcelo: Obrigado, Cláudia. Vou pensar nisso com carinho.

NOTE QUE...

"perder" é um verbo irregular. Veja a conjugação de alguns verbos irregulares no apêndice.

LIÇÃO B GRAMÁTICA

Verbos: preparar, fazer, divertir-se, ser.

Os vizinhos se reuniam e cada um **preparava** uma coisa.
A gente **fazia** a festa na rua de casa.
A gente **se divertia** muito.

Modo Indicativo – Pretérito Imperfeito

PREPARAR		FAZER		DIVERTIR-SE		SER	
Eu	prepar**ava**	Eu	faz**ia**	Eu	me divert**ia**	Eu	era
Você Ele Ela A gente	prepar**ava**	Você Ele Ela A gente	faz**ia**	Você Ele Ela A gente	se divert**ia**	Você Ele Ela A gente	era
Nós	prepar**ávamos**	Nós	faz**íamos**	Nós	nos divert**íamos**	Nós	éramos
Vocês Eles Elas	prepar**avam**	Vocês Eles Elas	faz**iam**	Vocês Eles Elas	se divert**iam**	Vocês Eles Elas	eram

LEMBRA?
O PRETÉRITO IMPERFEITO É USADO PARA DESCREVER FATOS FREQUENTES OU REPETIDOS NO PASSADO; DESCREVER PESSOAS, FATOS OU COISAS NO PASSADO ETC.

Os verbos "preparar", "fazer" e "divertir-se" são modelos de verbos da 1ª (-ar), 2ª (-er) e 3ª (-ir) conjugação, no pretérito imperfeito. Eles são regulares. O verbo "ser" é irregular.

LIÇÃO B CONSTRUÇÃO DO CONTEÚDO

A. Complete as frases com a forma correta do verbo e com suas informações pessoais.

1. Quando eu ____________ (SER) criança, gostava de ____________.
2. Quando eu estava na escola, eu ____________ (FAZER) ____________.
3. Quando eu era adolescente, meus pais ____________ (PREPARAR) ____________.
4. Quando eu morava ____________, eu e ____________ ____________ (DIVERTIR-SE) muito.
5. Quando eu tinha ____________, eu ____________ (SER) ____________.

B. Ache a resposta correta para cada pergunta. Escreva os verbos na forma correta.

1. O que você ____________ (FAZER) na infância?
2. Como eles ____________ (DIVERTIR-SE) quando moravam na Europa?
3. Pai, eu ____________ (SER) muito bagunceira?
4. O que seu colega de quarto ____________ (PREPARAR) para o almoço aos domingos?
5. Quando nós ____________ (SER) vizinhas, você comprou um computador?

( ) a. Comidas deliciosas.
( ) b. Sim. Um novo e muito bom.
( ) c. Viajavam de trem.
( ) d. Um terror. Quebrava tudo na casa.
( ) e. Brincava com meus amigos.

C. Oral: Descubra quem no seu grupo...

...era uma criança malcriada.

____

...às vezes preparava o jantar na adolescência.

____

...fazia ginástica há alguns anos atrás.

____

...divertia-se brincando no parque quando criança.

____

...era um (a) ótimo (a) aluno (a) na faculdade.

____

...preparava o café da manhã antes de ir para a escola.

____

...fazia curso de outra língua antes de estudar português.

____

LIÇÃO B AMPLIAÇÃO DO VOCABULÁRIO

Ser ou estar + particípio passado = adjetivo

As festas juninas **eram** muito **comemoradas** na minha cidade. (ser + comemorar)

Nós **fomos** bem **recebidos** lá. (ser + receber)

A festa **estava divertida**. (estar + divertir)

-ar		-er / -ir	
singular	**plural**	**singular**	**plural**
-ado/ -ada	-ados/ -adas	-ido/ -ida	-idos/ -idas

A. Complete as frases com o complemento adequado.

1. Oh, Val, desculpe. Eu ____________ ____________... (ESTAR/ DISTRAIR)
2. Eu ____________ ____________ no sofá quando minha mãe me chamou. (ESTAR/DEITAR)
3. Em 3 de outubro do ano passado, as atualizações ____________ ____________ a cada trinta minutos. (SER/FAZER)

4. Ambrosina tinha vinte e quatro anos e já ______________ ______________. (ESTAR/CASAR)
5. João me contou que algumas ilhas não ______________ ______________, outras eram. (SER/HABITAR)
6. Mário, que até então ______________ ______________, falou. (ESTAR/CALAR)
7. Eles ______________ ______________ excelentes pintores. (SER/CONSIDERAR)
8. Quando Aurélio chegou, eu já ______________ ______________ tomando o primeiro chope. (ESTAR/SENTAR)
9. Os textos, depois de traduzidos, ______________ posteriormente ______________ por um especialista da área. (SER/ANALISAR)
10. A casa ______________ sendo ______________ por R$ 100 mil. (ESTAR/VENDER)

B. 1/71 **Ouça os diálogos e escreva as impressões dos participantes usando ser/estar + particípio passado=adjetivo:**

1. Numa festa de casamento...
Kim ______________
____

2. Em Fernando de Noronha...
Ana Maria e Simone ______________
____

3. Numa pescaria...
Dudu ______________
____

LIÇÃO C PANORAMA

Lendas

Lendas são histórias populares. Elas são narrações orais ou escritas. No Brasil, existem muitas delas. Existe a lenda indígena da vitória-régia que conta que uma índia se apaixonou pela lua. Ela tentou várias coisas para atingir a Lua, mas todas foram inúteis. Um dia, quando viu o reflexo da lua no rio Amazonas, atirou-se no rio e desapareceu. A lua sentiu-se culpada e, por isso, transformou o corpo da índia em uma bela flor: a vitória-régia.

Você conhece alguma lenda? Conte-a resumidamente.

LIÇÃO C DIÁLOGO

1/72

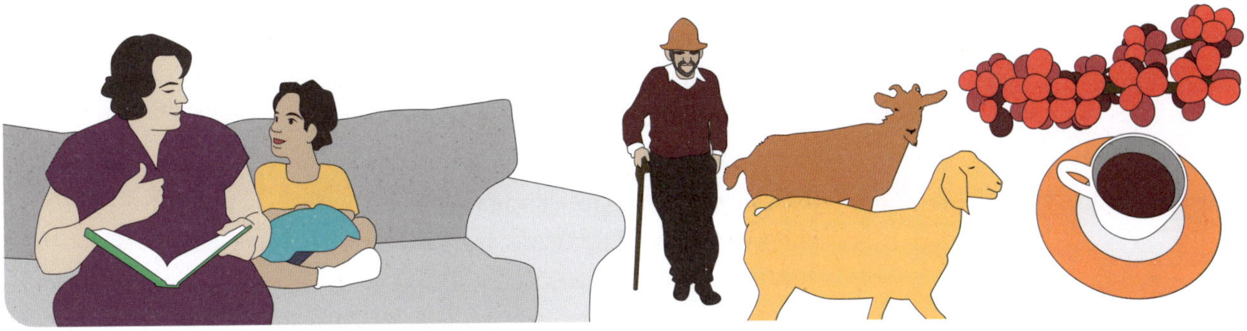

Mário: O que você está lendo?

Regina: Um livro sobre lendas.

Mário: O que são lendas?

Regina: São histórias inventadas.

Mário: Que tipo de histórias?

Regina: Esta aqui é a lenda do café.

Mário: E o café tem lenda?

Regina: Tem várias e essa é uma delas. Quer ouvir?

Mário: Quero.

Regina: Inúmeras lendas tratam da história do café. A mais conhecida é a do ano 800.

Mário: Nossa. Que velha!

Regina: É, bastante. Então, essa lenda conta que um pastor, chamado Kaldi, percebeu que todas as suas cabras ficavam com muita energia sempre que elas comiam uns frutinhos vermelhos. Você sabe o que eram os frutinhos vermelhos?

> NA CONVERSAÇÃO...
> AÍ = ENTÃO

Mário: Eu não, você não contou ainda.

Regina: Eram os grãos de café.

Mário: Mas o café é preto, não é vermelho.

Regina: Mário, o fruto do café. Olhe aqui.

Mário: Ah, que legal!

Regina: *Aí,* Kaldi pensou em experimentar os frutos vermelhos. O que ele fez?

Mário: *Sei lá.*

Regina: Bem, ele fez várias tentativas, mas nenhuma dava muito certo; até que, finalmente, ele torrou e moeu os grãos e depois misturou a eles água quente. Assim, nasceu o cafezinho que tomamos hoje.

> NA CONVERSAÇÃO...
> "SEI LÁ" SIGNIFICA "NÃO TENHO NENHUMA IDEIA; NÃO SEI MESMO".

Mário: Acabou?

Regina: Hahã.

Mário: Conta outra.

Regina: Depois, vamos tomar um cafezinho agora.

LIÇÃO C GRAMÁTICA

Verbo fazer; Pronome indefinido; Pretérito perfeito x Pretérito imperfeito

FAZER

Eu	fiz
Você Ele Ela A gente	fez
Nós	fizemos
Vocês Eles Elas	fizeram

O verbo "fazer" é irregular no pretérito perfeito, ver outros verbos irregulares no apêndice.

Pronomes indefinidos

vários, várias, nenhum, nenhuma
todo, toda, todos, todas

O que ele **fez**?

Tem **várias** (lendas) e essa é uma delas.
Bem, ele fez várias tentativas, mas **nenhuma** dava muito certo.
Kaldi percebeu que **todas as** suas cabras ficavam com muita energia sempre que elas comiam uns frutinhos vermelhos.

Então, essa lenda conta que um pastor, chamado Kaldi, **percebeu** que todas as suas cabras **ficavam** com muita energia sempre que elas **comiam** uns frutinhos vermelhos.

Pretérito perfeito

Kaldi **percebeu** (...) → ação pontual, acontece em um exato ponto no passado.
Ele **torrou** e **moeu** os grãos e depois **misturou** a eles água quente. → ações que acontecem uma depois da outra. Uma ação começa e acaba e depois a outra e a outra.

Pretérito imperfeito

(...) as suas cabras **ficavam** com muita energia sempre que elas **comiam** uns frutinhos vermelhos. → ação contínua no passado.

LIÇÃO C CONSTRUÇÃO DO CONTEÚDO

A. Use as palavras abaixo para completar o diálogo. Use cada palavra uma vez.

vários várias nenhum todo
toda todos nenhuma

Geni: Elisa, onde estão os livros do curso de contabilidade? São _______________ e não estou encontrando _______________.
Elisa: Não sei Geni. __________ os livros que vi estavam no seu quarto.
Geni: _______________ manhã é a mesma coisa. Nunca acho os livros.
Elisa: É. Você já fez isso _________________________ vezes.
Geni: Eu sei. _________________ livro que tiro do quarto desaparece.
Elisa: ___________________________________ ideia de onde estão?
Geni: Não.

B. Complete a história, escolhendo a forma correta dos verbos.

Mariana (teve/tinha) dez anos quando (mudou/mudava) para o Rio Grande do Sul. Em Juiz de Fora, sua família (trabalhou/trabalhava) com venda de carros, mas depois que (mudaram/mudavam) para Porto Alegre (começaram/começavam) um novo negócio. Roberto, seu pai, (decidiu/decidia) abrir uma livraria. Ele (gostou/gostava) muito de ler quando era criança. Seu avô (leu/lia) contos de fadas para ele todos os fins de semana. A livraria (fez/fazia) sucesso durante muitos anos. Mariana (foi/ia) lá com as colegas da escola para folhear os livros. Elas (ficaram/ficavam) na livraria horas e horas. Agora, Roberto tem outro negócio porque a livraria (fechou/fechava). Ele tem um restaurante de comida italiana.

C. **Oral:** O senhor João é um idoso muito simpático. Semana passada, aconteceu algo curioso com ele. Use as figuras para narrar o episódio. Use o pretérito perfeito e o pretérito imperfeito para criar sua narrativa.

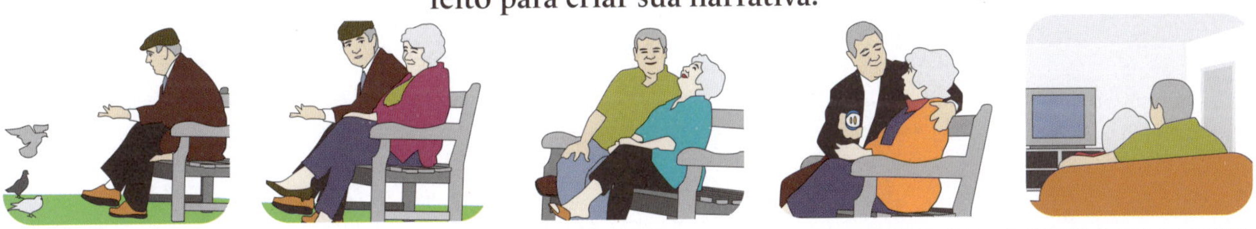

Sugestão de verbos: JOGAR, ALIMENTAR, CONVERSAR, RIR, IR, SENTAR, PRESENTEAR, DAR, PEDIR e MORAR.

LIÇÃO C AMPLIAÇÃO DO VOCABULÁRIO

Tipos de histórias

Romance [Dom Casmurro, Machado de Assis]
Novela [Dom Quixote, Cervantes]
(história em) quadrinhos / tirinha de jornal
Lenda
Conto ou crônica [Flagrante Carioca, Rachel de Queiroz]
Conto de fadas [A Bela Adormecida]

A. Leia as sinopses abaixo e responda: qual livro parece ser mais interessante para você? Por quê?

Conspiração de Nuvens de Lygia Fagundes Telles (Editora Rocco; 136 páginas)

A imortal escritora Lygia Fagundes Telles, ganhadora do Prêmio Camões, o mais importante da língua portuguesa, reúne, em Conspiração de nuvens, contos inéditos, reminiscências da infância, relatos de viagens, crônicas sobre a cidade de São Paulo e perfis de intelectuais brasileiros com quem conviveu.

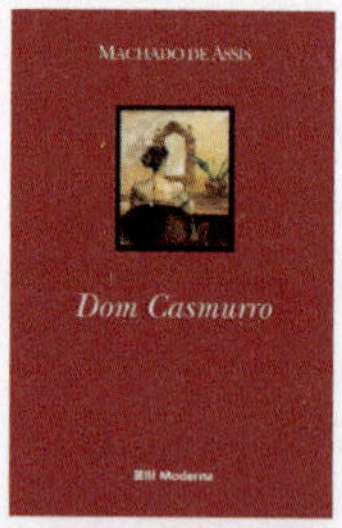

Dom Casmurro de Machado de Assis (Editora Moderna; 160 páginas)
E Bentinho vira Casmurro. Fechado, solitário, corroído pela suspeita que cresceu, cresceu ferindo, impiedosa, condenando a bela Capitu! Mas o que é a verdade e a quem pertence? Quem é seu dono? Bentinho? Com seu estilo fino e elegante, Machado de Assis envolve o leitor, da primeira à última página.

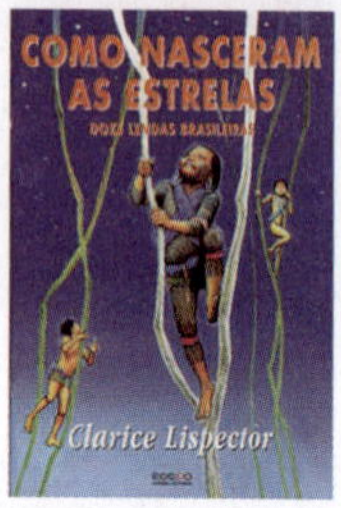

Como Nasceram as Estrelas - Doze Lendas Brasileiras de Clarice Lispector (Editora Rocco; 56 páginas)
Este livro com doze lendas, uma para cada mês do ano, todas elas com uma lição de vida em que índio e caboclo são mestres. Você já tinha pensado que as estrelas podem ser curumins gulosos levados por colibris? E já ouviu falar do uirapuru, o pássaro encantado da sorte que mora na Amazônia? A esperteza de Malazarte já é famosa, assim como a festa no céu para a bicharada da selva. Mas vale conferir os detalhes. E conhecer melhor a linda Yara, a deusa das águas, o saci-pererê, o Negrinho do Pastoreiro amigo das formigas...
(sinopses retiradas do site da Ed. Saraiva).

____

B. Conte, resumidamente, sua história favorita.

____

LIÇÕES A, B e C COMPREENSÃO AUDITIVA

1/73 **Ouça os diálogos e marque (V) verdadeiro ou (F) falso.**

1. ( ) Paulo lia muito porque não tinha muitos amigos.
   ( ) Luiz lia muito na infância.
   ( ) Luiz não era bom em esportes na infância.

2. ( ) A moça bonita limpava a casa.
   ( ) As duas filhas riam da moça bonita.
   ( ) A moça bonita não dançou na festa.

3. ( ) Juca e Hélio moraram juntos.
   ( ) Juca apanhou com um guarda-chuva no cinema.
   ( ) Hélio era muito bagunceiro.

LIÇÕES A, B e C APLICAÇÃO ORAL DO CONTEÚDO

Crie uma história em grupos. A primeira pessoa começa a contar uma história e interrompe. A segunda pessoa continua e assim por diante. Cada pessoa deve usar uma das palavras ou expressões abaixo cada vez que falar.

história em quadrinhos — descobrimos — vi
precisava de — fiz — nenhuma — estava divertido
era bom em — vários — gostamos — foram
preparava — foi recebido — acabei de — todas

LEITURA

A. O que você sabe sobre as Festas Juninas? Você já esteve em alguma? Como foi a experiência?

____

____

Festas Juninas - Tradição e Comidas Típicas

Existem duas explicações para o termo festa junina. A primeira explica que ela surgiu em função das festividades que ocorrem durante o mês de junho. Outra versão diz que esta festa tem origem em países católicos da Europa e, portanto, seriam em homenagem a são João. No princípio, a festa era chamada de Joanina. De acordo com historiadores, esta festividade foi trazida para o Brasil pelos portugueses, ainda durante o período colonial (época em que o Brasil foi colonizado e governado por Portugal).

Comidas típicas

Como o mês de junho é a época da colheita do milho, grande parte dos doces, bolos e salgados, relacionados às festividades, são feitos deste alimento. Pamonha, curau, milho cozido, canjica, cuscuz, pipoca, bolo de milho são apenas alguns exemplos. Além das receitas com milho, também fazem parte do cardápio desta época: arroz doce, bolo de amendoim, bolo de pinhão, bom-bocado, broa de fubá, cocada, pé de moleque, quentão, vinho quente, batata doce e muito mais.

adaptado do site: http://www.suapesquisa.com/musicacultura/historia_festa_junina.htm

B. **Agora, responda as perguntas abaixo.**

1. Quais são as comidas e bebidas típicas das festas juninas?

____

____

2. Você já experimentou alguma? Qual é a sua favorita?

REDAÇÃO

De que festa em seu país você tem saudade? Escreva um pouco sobre ela. Cite comidas e bebidas típicas dessa festa.

CONSOLIDAÇÃO LEXICAL

Colocações – regências verbais

A. Complete com o verbo ou o substantivo mais adequado. Mais de uma combinação é possível.

chocolate almoçar rir vinho investir promoções
colaboradores dançar dormir regras jogar vender entender
transporte fazer escrever falar comer viajar trabalhar em casa

ser bom em	começar a	acabar de	gostar de	gostar de	precisar de	precisar

B. Crie frases para 5 das colocações do exercício A.

1.
2.
3.
4.
5.

UNIDADE 12

Estou a fim de uma moqueca

LIÇÃO A **PANORAMA**

Tipos de comida

Clício Barroso/SambaPhoto

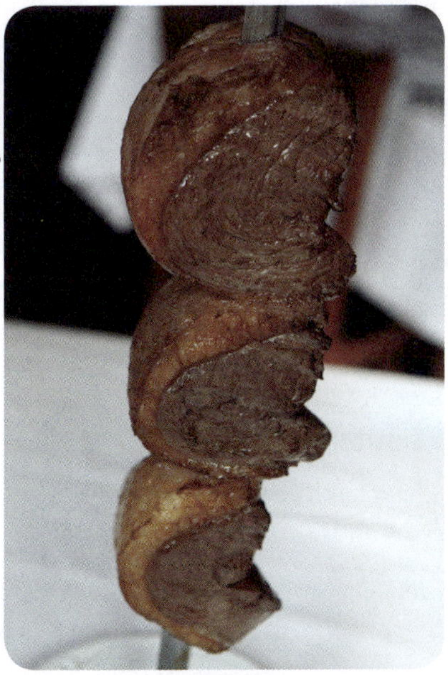

Luciana Figueiredo/SambaPhoto

Todo país tem sua comida típica. O Brasil, por exemplo, tem a feijoada, o churrasco e a moqueca, entre outras. Nas grandes cidades, como São Paulo e Rio de Janeiro, você consegue encontrar todos os tipos de comidas: tanto comidas típicas quanto comidas internacionais.

Qual é a comida típica de seu país?
Qual é a comida de que você mais gosta?

LIÇÃO A DIÁLOGO

2/02

Francisco: Hoje não quero ir ao quilo. *Estou a fim de* uma moqueca.
Fernando: Então, você vai sozinho. Eu não gosto de peixe.
Francisco: Que isso, cara. A moqueca do restaurante do 'capixaba' é muito boa. Além disso, tem outros pratos.
Fernando: Acho que vou ao quilo mesmo. Esses restaurantes são caros e eu ando sem muito dinheiro.
Francisco: Está bem. Fazer o que, né?
Fernando: Chama a Telminha. Outro dia a gente foi a uma pizzaria e ela só comeu pizza de atum. Ela deve gostar de peixe.
Francisco: É mesmo. Ela tinha me falado que queria ir ao 'capixaba' um dia desses. Qual é o ramal dela, mesmo?
Fernando: É o 3956.

Francisco: Oi, Telminha. Que tal ir ao 'capixaba' hoje?
Telminha: Legal, Chico. Você já está indo?
Francisco: Daqui a pouquinho.
Telminha: Então, a gente se encontra lá embaixo, na saída do prédio.
Francisco: *Não, senhora*! Eu passo aí, senão você vai levar um tempão para aparecer.
Telminha: Está bem.

NOTE QUE...

"estou a fim de = estou com vontade de = eu quero muito."

NA CONVERSAÇÃO...

"NÃO, SENHORA (NÃO, SENHOR)." OU "SIM, SENHORA (SIM, SENHOR)." NEM SEMPRE NOS REFERIMOS A ALGUÉM MAIS VELHO, MAS ENFATIZAMOS O QUE QUEREMOS DIZER. NO CASO DE "NÃO SENHORA/SENHOR" PODE HAVER IRONIA OU BRINCADEIRA. NO CASO DE "SIM, SENHORA/SENHOR" PODE HAVER CRÍTICA.

LIÇÃO A GRAMÁTICA

Verbo: andar; mais-que-perfeito composto; diminutivo e aumentativo

Esses restaurantes são caros e eu **ando** sem muito dinheiro.
↓
andar + complemento

Ela **tinha** me **falado** que queria ir ao 'capixaba' um dia desses.
↓ ↓
ter (no imperfeito) + particípio passado do verbo principal

Daqui a **pouquinho**.
↓
pouco + '-inho'

Eu passo aí, senão você vai levar um **tempão** para aparecer.
↓
tempo + '-ao'

Andar + complemento

O verbo 'andar' é regular. 'Andar' + adjetivo = estar ultimamente

Eu ando cansada.

Ele anda estressado.

A gente anda alegre.

Nós andamos com vontade de viajar.

Vocês andam sem ânimo.

Modo Indicativo - Mais-que-perfeito composto

O mais-que-perfeito composto é formado pelo verbo 'ter' no imperfeito + o particípio passado ('-ar' = '-ado'/ '-er/ -ir' = '-ido') do verbo principal

Ele é usado para expressar um fato já concluído antes de outro também passado.

Diminutivo

O diminutivo é formado por um substantivo ou adjetivo + -inho/-inha. Ele pode ter os seguintes sentidos: afetivo, pejorativo ou irônico. O significado do diminutivo depende da entonação da pessoa que fala.

Aumentativo

O aumentativo é formado por um substantivo ou adjetivo + -ão/-ona. Ele pode ter os seguintes sentidos: afetivo, pejorativo ou irônico. O significado do aumentativo depende da entonação da pessoa que fala.

LIÇÃO A CONSTRUÇÃO DO CONTEÚDO

A. Complete o diálogo com os verbos indicados no *pretérito perfeito* (ex.: eu comprei) ou no *mais-que-perfeito composto* (ex.: eu tinha comprado).

Zuleica: Eu ando tão cansada ultimamente! Ontem _________________ (TRABALHAR) o dia inteiro.

Elis: Mas, ontem foi domingo. Eu bem que te ____________ (LIGAR), mas acho que você ______________ (SAIR).

Zuleica: É eu ____________ (IR) ao escritório pegar alguns documentos.

Elis: Cuidado, Zu. Não é bom trabalhar tanto assim!

Zuleica: Eu sei. Na sexta, quando você me ______________(PERGUNTAR) se eu ________________________ (TERMINAR) os relatórios, eu ______________________________ (DIZER) que não. Lembra?

Elis: Agora lembro. Mas, seu chefe ________________ (DIZER) que você podia terminar na segunda-feira, não?

Zuleica: Ele ______________________________ (MUDAR) de ideia.

B. **Reescreva as orações usado o diminutivo das palavras em itálico.**

1. Nosso país é *grande*.
____
____

2. Você quer comer um *frango*?
____
____

3. Quero beber um *café* gostoso.
____
____

4. Sua prima é *bonita*.
____
____

5. Tenho uma *pena* deles!
____
____

C. **Reescreva as orações usando o aumentativo das palavras em itálico.**

1. Quero comer um *sanduíche*.
____
____

2. O Armando é *charmoso*.
____
____

3. O *Paulo* trabalha muito.
____
____

4. Ele tem uma *casa* no interior.
____
____

5. Nossa, que *carro* legal!
____
____

D. **Oral: Use os verbos indicados para narrar uma situação. Observe na linha do tempo qual ação ocorreu primeiro. Use o *pretérito perfeito* (ex.: eu estudei) e o *mais-que-perfeito* (ex.: eu tinha estudado).**

1. estudar → fazer a prova
2. sua colega / fazer relatório → você / fazer relatório
3. você / pagar a conta → seu amigo / pagar a conta do restaurante

LIÇÃO A AMPLIAÇÃO DO VOCABULÁRIO

Divisão da forma de servir os pratos; tipos de comidas e de restaurantes

FORMA DE SERVIR OS PRATOS	TIPOS DE COMIDA E PRATOS	TIPOS DE RESTAURANTE
 Eduardo Barcellos/SambaPhoto	 Ricardo de Vicq/SambaPhoto	 Gal Oppido/SambaPhoto
aperitivo	arroz (arroz e feijão)	restaurante por quilo
entrada	feijão	restaurante a la carte
prato principal	sopa de feijão, de legumes	self-service
bebida: cerveja, caipirinha, água, refrigerante	ovo	lanchonete
sobremesa: bolo, mousse, cafezinho	bife	cantina
	batata frita	pastelaria
	salada de alface, de tomate, de cebola, mista	pizzaria
	massas: macarrão, lasanha, capelletti	churrascaria

LEMBRA?
HÁ VÁRIAS COMIDAS NA UNIDADE 4!

A. 2/03 Ouça os diálogos. O que cada cliente pediu? Em que tipo de restaurante você acha que ele está?

CLIENTES	PEDIDOS	TIPO DE RESTAURANTE
1. Marcelo e Marcos		
2. Juliana		
3. Viviane		
4.Lopes e Lima		

B. Simule a ida a um restaurante. Como você pediria por:

1. Um aperitivo / arroz e feijão, bife e salada / cafezinho / conta
2. Uma cerveja / aperitivo / outra cerveja / conta
3. Água com gás / massa (lasanha) / sobremesa (musse de chocolate) / água / conta

C. Você toma café com frequência? Como é o consumo de café no seu país?

LIÇÃO B **PANORAMA**

Costumes

Cada país tem seus costumes, assim também acontece com o Brasil. Vamos ver agora alguns dos costumes brasileiros mais dificilmente entendidos pelos estrangeiros, como o jeitinho brasileiro – maneira de achar solução para tudo – os beijinhos nos cumprimentos e o atraso nos encontros.

Quais são os costumes mais populares no seu país?
Há algum costume, no seu país, que os estrangeiros acham estranho?

LIÇÃO B DIÁLOGO

2/04

Mitiko: Eu estava lendo aqui que as brasileiras não saíam de casa com o cabelo molhado. Isso é verdade?

Vera: Acho que isso foi um costume, mas muito antigo. Eu, por exemplo, sempre saio com o cabelo molhado.

Mitiko: No Japão, nós temos muitos costumes. O mais estranho para os estrangeiros é não entrar de sapatos em casa.

Vera: Eu acho esse costume muito bom.

Mitiko: Você conhece outros?

Vera: Mais ou menos. Eu estava assistindo a um DVD sobre o Japão, outro dia, quando minha amiga chegou e tive que sair com ela.

Mitiko: Que filme é esse?

Vera: Não sei bem, mas até onde assisti, falava sobre comida, vida nas grandes cidades e mostrava alguns costumes.

Mitiko: Teve algum que você achou estranho?

Vera: Eu não vi o filme todo, mas é verdade que os homens andam sempre na frente das mulheres?

Mitiko: Bem, isso era um costume entre os casais. Não era muito romântico, mas o homem ia na frente como proteção.

LIÇÃO B GRAMÁTICA

Perfeito x Imperfeito: estar + '-ndo'; superlativo

Eu **estava assistindo** a um DVD sobre o Japão, outro dia, *quando* minha amiga **chegou** e **tive** que sair com ela.

- **estava assistindo** ↓ ação contínua no passado
- *quando* ↓ momento em que a ação é interrompida
- **chegou** ↓ ação pontual
- **tive** ↓ ação pontual

O (costume) **mais estranho** para os estrangeiros é não entrar de sapatos em casa.

- **mais** ↓ superlativo relativo de superioridade

Pretérito Imperfeito

O pretérito imperfeito pode ser simples ou composto.

Eu **estava lendo** aqui que as brasileiras não **saíam** de casa com o cabelo molhado.
↓ ação contínua no passado distante — ↓ ação contínua no passado distante

Eu **lia** sobre os costumes do Brasil. → hábito no passado.

Eu **estava lendo** sobre os costumes do Brasil e **descobri** que os brasileiros não são pontuais. → a 1ª ação é contínua no passado quando a 2ª ação pontual ocorre.

Superlativo

Superioridade

o/ a (substantivo) mais + adjetivo

Inferioridade

o/ a (substantivo) menos + adjetivo

Ele é **o** aluno **mais inteligente** da classe.

Ela é **a** menina **menos pobre** do bairro.

Irregulares

bom - o melhor

mau - o pior

grande - o maior

pequeno - o menor

LIÇÃO B CONSTRUÇÃO DO CONTEÚDO

A. Complete com os verbos no *pretérito imperfeito* (ex.: trabalhava) para indicar os hábitos que as pessoas tinham.

1. Simone ______________ (ANDAR) a cavalo quando era criança. Agora ela tem medo.
2. Pedrinho ______________ (TOCAR) flauta muito bem, mas não pratica mais.
3. Graziela e Marina ______________ (SER) muito amigas, mas não conversam mais.
4. Nós ______________ (GOSTAR) de filmes de terror, mas agora achamos muito idiota.
5. Eu ____
____.

B. Complete as orações com o *pretérito imperfeito* (ex.: amava ou estava amando) e o *pretérito perfeito* (ex.: amei).

1. O que ela _______ (FAZER) quando nós _________ (CHEGAR)?
2. Lucas _________ (VER) o filme e ______________ (PERCEBER) depois de dez minutos que não era dublado.
3. Quando a professora ________________ (CHEGAR), todos os alunos ____________________ (ANDAR) pela sala.
4. Eu ____________ (ANDAR) na rua e ____________ (VER) meu primo na frente do banco.
5. Os políticos ___________ (DISCUTIR) quando o presidente do senado ______________________________ (GRITAR).

C. Complete o e-mail com os verbos dados no *pretérito perfeito* ou *imperfeito* e com o *superlativo* dos adjetivos.

De: Regiane Mattos
Para: Lucilene Vieira
Assunto: o texto da aula

Oi, Lucilene. Eu _________ (ver) aqui no texto que, na época, não __________ (ter) estradas boas entre uma cidade e outra e que as pessoas ___________ (usar) cavalos ou __________ (ir) a pé. A ____________ (boa) estrada era de terra e tinha muitos buracos. Parece que as pessoas não __________ (suportar) mais a situação quando finalmente o prefeito __________ (construir) uma estrada boa na região. Agora o movimento de caminhões e carros é o __________ (intenso) daquela área. Podemos falar sobre essa parte do texto na aula. Que acha? A parte __________ (interessante) a gente não precisa acrescentar ao seminário. Me escreva para decidirmos o que fazer.

Beijos, Regiane.

D. Oral: Use os tópicos abaixo para narrar algo que aconteceu a você ou a alguém que conhece. Use verbos no *pretérito imperfeito simples* (ex.: eu trabalhava) ou *composto* (ex.: eu estava trabalhando) e o *pretérito perfeito* (ex.: eu trabalhei).

1. uma situação desagradável no trabalho
2. uma situação de vergonha na frente de muitas pessoas
3. uma situação de sua escolha

LIÇÃO B AMPLIAÇÃO DO VOCABULÁRIO

Costumes brasileiros e expressões

de manhã: tomar um cafezinho ou comer pão com manteiga e tomar café com leite
na hora do almoço: fazer uma refeição com arroz, feijão, carne e salada
em festas: chegar um pouco atrasado
nos finais de semana: almoçar com a família; fazer churrasco com a família e os amigos
nas férias: ir à praia
nas saudações e despedidas: dar beijos no rosto (1, 2 ou 3 beijos, dependendo da região)

tomar todas: beber muito, especialmente bebidas alcoólicas
ser arroz de festa: estar em todas as festas
chorar sobre o leite derramado: lamentar-se por algo que não tem solução/volta ou fato passado
acabar em pizza: quando uma situação não resolvida acaba sem punição, especialmente em casos de corrupção quando os culpados não são punidos
enfiar o pé na jaca: embriagar-se, cometer excessos, cometer um erro
encher linguiça: enrolar, preencher espaço com embromação
pagar o pato: ser responsabilizado por algo que não cometeu
descascar o abacaxi: resolver problema complicado

A. Complete os diálogos abaixo com as palavras e expressões do quadro.

enfiou o pé na jaca | arroz de festa | almoçar | pagar o pato | encher linguiça | dar beijos | churrasco | tomou todas | praia | chorar sobre o leite derramado

1. Vanessa: O que você vai fazer no fim de semana?
Patrícia: Ah, vou ______________________ com a família. Vamos fazer um ______________________.
Vanessa: Que delícia! Posso ir também? Você sabe que sou ______________________.
Patrícia: Claro! Não tem problema. Você leva o vinagrete, tá?
Vanessa: Certo! Combinado!!

2. Raimundo: Aí, cara, não sei o que vou fazer...
João: O que aconteceu, Raí?
Raimundo: Fui usar o computador do meu chefe e não estava funcionando... Só quero ver. Vou ______________________ por uma coisa que não fiz. Eu não devia ter mexido no computador dele ...
João: Não adianta ______________________.
Relaxa. Vai falar com seu chefe. Explique o que aconteceu, tenho certeza que ele vai entender.

3. Roseli: Richard, essa é a Marília, minha irmã.
Marília: Oi, Richard, tudo bem? (Marília dá a mão e um beijo no rosto para cumprimentar Richard)

Richard: Ainda não me costumei direito a ____________________ .
Nunca sei se dou um, dois ou três!
Marília: Aqui, em São Paulo, costumamos dar um beijo só, mas é verdade. Em outras regiões é diferente. Mas, desculpe, você se sentiu incomodado?
Richard: Não, de jeito nenhum! Adoro esse costume brasileiro.

4. Bruno: Você soube do Toninho?
Beto: Não, o que aconteceu?
Bruno: Ele foi a uma festa, ______________________________ e ____ .
Beto: Sério? Por isso que eu só tomo suco...

5. Filha: Mãe, para onde vamos nas férias?
Mãe: Ah, filha, acho que vamos para a casa da sua tia, na ____ .
Filha: Legal!
Mãe: Mas antes de pensar nas férias, você deveria pensar em passar de ano. Pare de ______________________________ e acabe a lição de casa, certo?
Filha: Certo...

B. **Use duas das expressões dadas em um diálogo. Encene-o com um colega.**

LIÇÃO C **PANORAMA**

Convites

As grandes cidades oferecem muitas opções para os turistas e para os visitantes que estão a trabalho, em qualquer lugar do mundo. A vida diurna pode ser muito movimentada, com passeios a parques, museus, feiras, assim como almoços em restaurantes. A vida noturna também tem muita agitação, com bares, restaurantes, casas de shows, teatros, cinemas e lugares para dançar.

O que você mais gosta de fazer na sua cidade?
O que você gosta de fazer quando visita uma cidade grande?

LIÇÃO C DIÁLOGO

2/05

Márcio: Oi, Gláucia, tudo bem?

Gláucia: Oi, Márcio. Quanto tempo!

Márcio: Pois é. Eu vou aí para São Paulo a trabalho, no mês que vem.

Gláucia: É mesmo? Você nunca esteve aqui, né?

Márcio: Não. Vai ser a primeira vez. O que você recomenda? Eu vou ter um fim de semana livre para passear.

Gláucia: Bem, depende do que você gosta de fazer. São Paulo tem muitas opções.

Márcio: Eu gosto de tudo.

Gláucia: Você é mais do dia ou da noite?

Márcio: Eu sou um tipo diurno. Já esqueceu que a gente corria no calçadão, quando você morava aqui em Maceió?

Gláucia: É mesmo. Tenho saudade da praia.

Márcio: Mas agora vamos falar de São Paulo.

Gláucia: Está bem. Aqui tem vários parques. Você pode ir ao Ibirapuera que é o parque mais famoso. Depois você pode tomar uma água de coco lá mesmo e almoçar em uma cantina italiana no Bixiga.

Márcio: Fica longe do parque?

Gláucia: De carro, não muito.

Márcio: E à tarde?

Gláucia: Há uma feira na Liberdade. Você pode visitar o bairro japonês e comprar lembrançinhas.

Márcio: E à noite?

Gláucia: Bem, como eu sou noturna, posso te levar a um teatro, depois a gente vai jantar na Vila Madalena e mais tarde dançar numa casa famosa. *O que você me diz?*

Márcio: Pena que o fim de semana não é este.

NA CONVERSAÇÃO...

"O QUE VOCÊ ME DIZ?" = "O QUE VOCÊ ACHA?"

LIÇÃO C GRAMÁTICA

Verbos: estar e dizer

Você nunca **esteve** aqui, né?
O que você me **diz**?

Modo Indicativo – Pretérito Perfeito ESTAR		Modo Indicativo – Presente DIZER	
Eu	estive	Eu	digo
Você Ele Ela A gente	esteve	Você Ele Ela A gente	diz
Nós	estivemos	Nós	dizemos
Vocês Eles Elas	estiveram	Vocês Eles Elas	dizem

Os verbos "estar" e "dizer" são irregulares.

LIÇÃO C CONSTRUÇÃO DO CONTEÚDO

A. **Complete os diálogos com o verbo ESTAR no *pretérito perfeito* e DIZER no *presente do indicativo*.**

1. A: Ela sempre ____________________ (DIZER) isso!
B: Eu sei. Eu também ______________ (DIZER) sempre para ela que ela precisa parar de repetir a mesma coisa toda hora.
2. A: Você já ________________ (ESTAR) no Rio de Janeiro?
B: Não. Nunca ________________ (ESTAR) lá. As pessoas ______________ (DIZER) que é uma cidade maravilhosa.
3. A: Ela frequentemente ________________ (DIZER) para os funcionários não chegarem atrasados. Mas, às vezes eles têm problemas de transporte.
B: Eu sei. ________________ (ESTAR) no departamento dela hoje e ela comentou comigo.
4. A: Por que eles sempre ________________ (DIZER) que não têm tempo de completar o trabalho?
B: Porque no mês passado eles ______________ (ESTAR) na sede da empresa e na reunião os diretores pediram para eles reduzirem os prazos.

B. Complete as orações com suas informações.

1. No ano passado, eu _______________ (ESTAR) _______________ ____.
2. Na semana passada, eu _______________ (ESTAR) _______________ ____.
3. Eu sempre _______________ (DIZER) para _______________ _______________________________.
4. Eu nunca _______________ (DIZER) para _______________ ____.
5. As pessoas _______________ (DIZER) que eu sou _______________ ____.

C. Oral: Entreviste três colegas e preencha a tabela. Relate aos/às colegas o que descobriu.

Aluno	Sempre diz para seu/sua _______________ (membro da família)	Nunca diz para seu/sua _______________ (pessoa do trabalho)	As pessoas dizem sobre ele/ela

Ex.: *A: O que você sempre diz para seu filho?*
B: Eu sempre digo: "Arrume sua cama!" **ou** *Eu sempre digo para meu filho arrumar a cama.*

LIÇÃO C AMPLIAÇÃO DO VOCABULÁRIO

Lugares e atividades

parque: caminhar, correr, jogar
museu: visitar exposição, conhecer o acervo
feira de artesanato / de comida / de frutas e hortaliças: comprar, comer
restaurante: comer, beber, conversar
bar: comer, beber, conversar, paquerar, encontrar pessoas novas
casas de shows: assistir a concertos, a shows
teatro: ver / assistir a peças, musicais
cinema: ver / assistir a filmes, comer pipoca, tomar refrigerante
danceteria: dançar, beber, conversar, paquerar, encontrar pessoas novas

A. Com base nas fotos abaixo, escreva quais são os melhores lugares para:

tomar refrigerante	assistir a peças e musicais
assistir a filmes	jogar bola
comprar artesanato	comer pipoca
dançar	dançar
beber	andar de bicicleta
comer	assistir a concertos e shows
encontrar pessoas novas	comprar frutas e hortaliças
visitar exposição	paquerar
conversar	
caminhar	

1. ______________________

2. ______________________

3. ______________________

4. ______________________

5. ______________________

6. ______________________

B. Acrescente pelo menos mais uma opção a cada um dos locais acima.

C. 2/06 Ouça trechos de diálogos e sons e escreva onde as pessoas estão. O que é possível fazer nesses lugares?

	Onde estão	O que se pode fazer lá
1.	______________	______________
2.	______________	______________
3.	______________	______________

LIÇÕES A, B e C COMPREENSÃO AUDITIVA

2/07 Samuel, Marina, Alba, Flávio e seu filho estão aproveitando o que a cidade tem a oferecer. Ouça os diálogos e marque com um (X) a resposta correta.

1. Samuel anda...
( ) distraído. ( ) cansado.

Samuel conversou com a mulher...
( ) antes de ela comer o doce. ( ) depois de ela comer o doce.

Samuel vai...
( ) ver uma apresentação de dança. ( ) ver uma peça.

2. Marina está...
( ) impaciente. ( ) calma.

Alba...
( ) já esteve na danceteria. ( ) nunca esteve na danceteria.

Marina...
( ) resolve a situação e entra na danceteria. ( ) desiste e espera.

3. O filho quer comer...
( ) carne. ( ) arroz e feijão.

O casarão...
( ) foi reformado duas vezes. ( ) sofreu um incêndio e só depois foi reformado.

Flávio...
( ) resolveu não ir ao casarão. ( ) resolveu ir ao casarão.

LIÇÕES A, B e C APLICAÇÃO ORAL DO CONTEÚDO

Entreviste um/a colega sobre lugares que você conhece e convide-o/a para ir até lá.

Ex.: *A: Você conhece o restaurante Mama Itália?*
B: Não. Nunca estive lá. Que tipo de comida servem?
A: Só massas. Você está a fim de ir?
B: Claro, mas é baratinho?
A: Não, é acessível...
B: Tá. Vamos. Quando quer ir? ...

Restaurante: ______________________________
Tipo de comida: ______________________________
O (a) colega ( ) já esteve lá ( ) nunca esteve lá
O (a) colega ( ) está a fim de ir ( ) não está a fim de ir
O restaurante é ( ) baratinho ( ) carinho ( ) acessível

Parque: ______________________________
Tipo de atividades: ______________________________
O (a) colega ( ) já esteve lá ( ) nunca esteve lá
O (a) colega ( ) está a fim de ir ( ) não está a fim de ir
O parque é ( ) pertinho ( ) longinho ( ) muito longe

Bar: ______________________________
Tipo das pessoas que frequentam: ______________________________
O (a) colega ( ) já esteve ( ) nunca esteve
O (a) colega ( ) está a fim de ir ( ) não está a fim de ir
O bar é ( ) pequenininho ( ) grandinho ( ) muito grande

LEITURA

A. **Você sabe a diferença entre emigrar, imigrar e migrar? Procure a diferença no dicionário, discuta com um colega e coloque sua definição no espaço abaixo:**

Emigrar: ______________________________
Imigrar: ______________________________
Migrar: ______________________________

B. **O texto a seguir trata da migração de brasileiros para o Japão. O que você sabe sobre o assunto? Discuta com um colega.**

C. **Leia o texto e responda as perguntas:**

Made in Brazil para o Japão

Marsílea Gombata

No ano que vem faz cem anos que um navio saiu do Japão e trouxe para o Brasil os primeiros imigrantes japoneses que deram origem à maior comunidade nipônica fora do território japonês.

Foi preciso um século para o sushi se tornar popular entre os brasileiros. E, hoje, com os emigrantes do Brasil para o Japão, costumes brasileiros começam a ganhar o gosto de habitantes do país do sol nascente.

Desde a metade da década de 1980, cerca de 300 mil brasileiros migraram para o Japão – em sua maioria de primeira e segunda geração – superando os 250 mil imigrantes japoneses que vieram para o Brasil.

A cientista social Luci Tiho estudou a fundo o fenômeno e, em seu doutorado, quis mostrar "como está sendo feito o caminho contrário dos imigrantes japoneses".

– Minha mãe era de Kyoto e veio para plantar café aqui – lembra. – Fiz questão de voltar para lá e saber como imigrantes brasileiros enfrentam dificuldades e se adaptam.

Embora a história da imigração japonesa no Brasil seja mais longa que a dos brasileiros no Japão, Luci explica que a globalização ajudou a interação do Japão com outras culturas e, hoje, há diversas influências brasileiras nos hábitos japoneses: por exemplo, em seu estudo, Luci mostra que certas empresas japonesas promovem churrascos para seus funcionários e os japoneses são fãs de caipirinha. Em refeitórios de fábricas, muitos optam pela comida brasileira. Outros, ainda, gostam de pão de queijo, pastel e coxinha.

Os japoneses também gostam de futebol e da Seleção Brasileira, jovens japoneses estão aprendendo capoeira e frequentam aulas de axé. Há os que gostam de carnaval e, também, os que adoram bossa nova.

A sociedade japonesa é fechada e distante. Mas, com a globalização, o Japão tende a mudar, pois precisa incorporar imigrantes por causa de sua baixa taxa de natalidade – analisa Kiyoteru Tsutsui, sociólogo do Centro de Estudos do Japão, da Universidade de Michigan.

Na década de 1980, o país oriental começou a receber imigrantes por falta de mão de obra. A previsão é de que até 2050, a população japonesa – 127 milhões de habitantes – terá redução de 30% e precisará de 400 mil estrangeiros por ano.

Adaptado do site: http://jbonline.terra.com.br/editorias/internacional/papel/2007/11/04/internacional20071104000.html em 04/11/2007

1. Como a globalização ajudou a interação do Japão com outras culturas?

2. Qual característica da sociedade japonesa é mencionada no texto? O que pode acontecer com a globalização?

3. Enumere algumas das marcas da sociedade brasileira no Japão.

REDAÇÃO

O seu país recebe imigrantes? Quais são as nacionalidades que mais visitam ou imigram para o seu país? Quais costumes de seu país são mais difíceis para os estrangeiros? Com base no texto e nas perguntas acima redija um texto sobre 'pessoas fora de seu território nacional'.

CONSOLIDAÇÃO LEXICAL

Formas no cardápio de servir comidas e bebidas

Coloque o maior número de possibilidades em cada uma das opções abaixo:

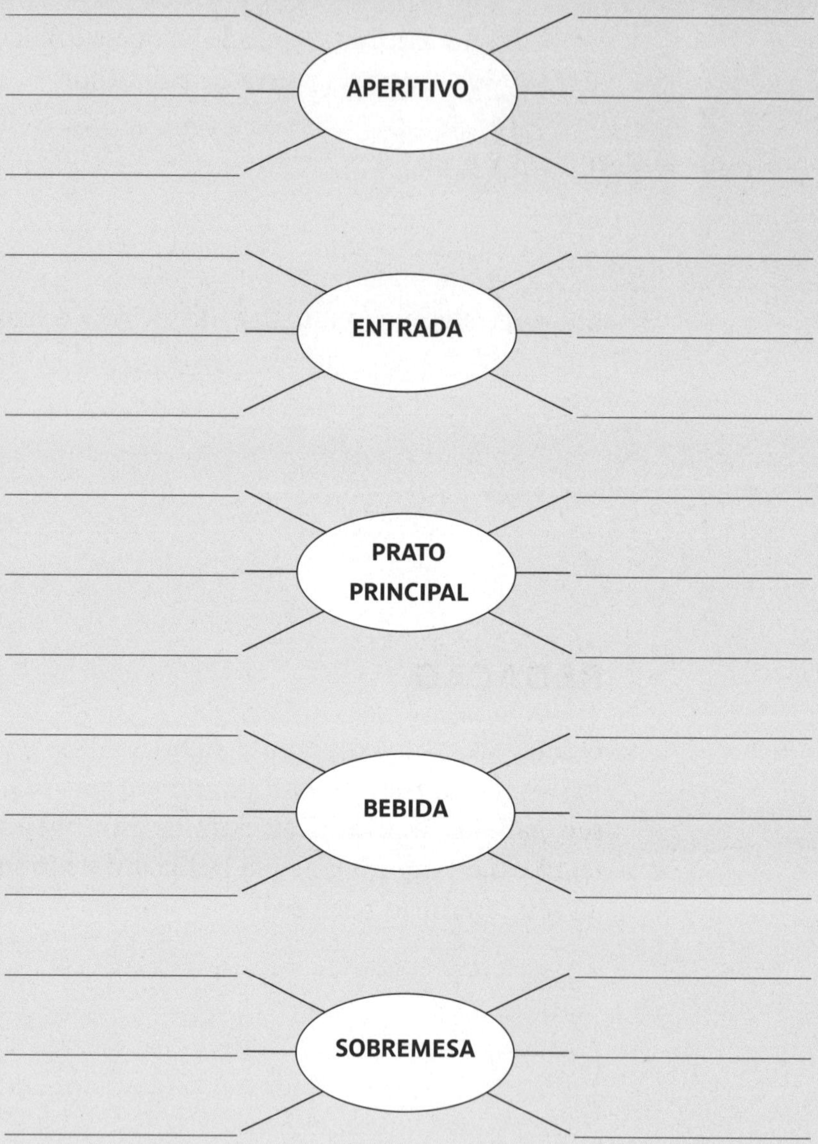

Pronúncia do Português – parte 3

DITONGOS E TRITONGOS

Os ditongos (di = dois) e tritongos (tri = três) são combinações de vogais dentro de uma mesma sílaba. Assim como as vogais isoladas, eles também podem ser orais ou nasais. São pronunciados como um único som, sem pausa entre as vogais.

Ouça exemplos de ditongos. Repita em voz alta.
2/08

Orais:	pai	mau	sei	papéis	meu	viu	foi	dói	fui
Nasais:	mão	vem*	põe	muito					

*Nas terminações – *em*, o *m* não é pronunciado. Adiciona-se a vogal *i* nasalizada.

Ouça exemplos de tritongos. Repita em voz alta.
2/08

Orais:	Paraguai	enxaguei	delinquiu
Nasais:	saguão	delinquem	saguões

Exercício: Ouça o diálogo e complete as partes das palavras que estão faltando com ditongos ou tritongos.
2/08

Manuel: P____l____! Você aqui no aeroporto. V____ viajar?
Paulão: M____s p____s est____ chegando do Rio de Jan____ro. Mas, me fala. Como está a Sora____?
Manuel: Bem. Está em Brasíl____ hoje.
Paulão: E os filhos? Q____s os nomes deles mesmo?
Manuel: Roger____ e Fabríc____. O m____s velho está no Urug____ estudando.
Paulão: Bem, bom te ver. Ah, dep____s de amanhã é meu aniversár____. Passa lá em casa.
Manuel: Fal____. A gente se vê.

VOGAIS *E* E *O* EM POSIÇÃO FINAL

2/08 A posição da vogal na palavra pode alterar sua pronúncia. Observe o comportamento das vogais *e* e *o* (seguidas ou não de *s*) átonas no final das palavras. Como elas estão sendo pronunciadas?

verdade	gente	sempre	febre	neste
claro	obrigado	acho	pescoço	braços

Como se pode observar a vogal *e* final soa como *i* e a vogal *o* final soa como *u*.

2/08 Ouça o texto abaixo. Repita em voz alta. Peça ao professor ou a um(a) colega que observe sua pronúncia. Preste atenção nas palavras sublinhadas.

"Nas grandes cidades existem vários tipos de restaurante. Nas áreas mais nobres, um sanduíche pode custar o mesmo que um prato à base de carne vendido em um local menos privilegiado."

Revisão das Unidades 9 a 12

Escolha a alternativa correta:

A. (telefone tocando...)

A: O telefone toca, toca, mas ____________ atende. Acho que não tem ____________ em casa.

1. alguém – ninguém
2. ninguém – alguém
3. ninguém – ninguém

B. (no consultório médico)

A: Onde dói?

B: Estou com dor de ____________ , dor de ____________ e dor nas ____________ .

A: Deixe-me ver. Bem, é só uma gripe. Você está com ____________ . Tome este remédio e descanse alguns dias.

1. cabeça – garganta – costas – febre
2. perna – barriga – olhos – febre
3. pé – braços – pescoço – febre

C.

A: Está tudo bem, Norberto?

B: Não, estou ____________ . Roubaram meu carro.

A: Tente ficar ____________ . Você já foi à polícia fazer o B.O.?

B: Ainda não. Vou agora.

1. calmo – nervoso
2. nervoso – calmo
3. nervoso – calma

D.

A: Toni, você é ____________ Física?

B: Mais ou menos. Por quê?

A: Comecei a estudar para a prova, mas estou com uma dúvida.

1. bom na
2. bem em
3. bom em

Complete os diálogos com os verbos adequados. Conjugue os verbos, caso seja necessário.

tomar usar ir estar ser gostar ficar ir
olhar (imperativo) andar estar ver dizer fazer (tempo) ser ter

A.

A: ______________ a Daniela! Nossa, como ela está linda!
B: ______________ uns três anos que eu não a via. Ela mudou o cabelo, está loira.

B.

A: O que você ______________ de fazer quando era criança?
B: Meus avós ______________ um sítio e, toda semana, minha família e eu íamos para lá.

C.

A: Olha o Eduardo! Como ele está diferente! Agora ele ____________ óculos e ____________ mais forte. Será que ele está indo à academia?
B: Acho que sim. Ele ______________ mais magro quando adolescente.

D.

A: Você pratica algum esporte?
B: Eu ______________ no calçadão nos finais de semana.

E.

A: Está tudo bem, Sandra?
B: Mais ou menos. Estou meio gripada.
A: Você ______________ algo para a gripe?
B: Tomei.

F. (ao telefone)

A: E aí, Gaspar? O que você fez nas férias?
B: Eu ______________ para o Rio de Janeiro. ______________ lá uma semana!
A: Como ______________ ?
B: Muito legal. Fui ao Pão de Açúcar, ao Cristo Redentor... E ______________ muitas pessoas famosas!

G.

A: Então, eu descobri que clonaram meu cartão de crédito, acredita?
B: O que você fez?
A: ______________ ao banco. Acho que agora está tudo bem.

H.

A: Vamos à Festa da Achiropita , querido? Estou com vontade de comer comida italiana. O que você acha?
B: Hum... Vamos! As pessoas ____________ que lá é possível provar o melhor da comida italiana: fogazzas, polentas, macarrão, canolli...

A: Eu ______________ com vontade de tomar vinho.
B: Vinho e macarronada! Perfeito! Vamos!

Coloque na ordem certa.

a. pediu / a / foi / minha / que / chefe

____

b. eu / eu / quando / muito / era / me / divertia / criança

____

Crie perguntas para as respostas abaixo.

a. ____?
Eu faço musculação três vezes por semana.

b. ____?
Às vezes eu tenho dor nas costas.

c. ____?
Foi o médico que receitou.

d. ____?
Adoro romances. O meu favorito é o ______________ .

e. ____?
Aquela cobertura está sendo vendida por R$ 300.000,00.

f. ____?
Esse restaurante é baratinho? Eu ando sem muito dinheiro.

g. ____?
Vamos! Estou a fim de ver aquela peça "Trair e coçar é só começar".

h. ____?
Em São Paulo, a Festa de N. S. Achiropita é comemorada nos finais de semana de agosto.

Escreva os opostos:

a. A Valentina está calma.

____

b. A Mônica está ocupada hoje e tem provas difíceis mais tarde.

____

c. O trem está cheio e eu estou atrasada para minha consulta.

____

d. O Beto tem um carro novo.

____

Troque a pessoa do verbo pela que está em parênteses e faça as mudanças necessárias:

a. Eu preparava o almoço todos os dias. (ELES)

____

b. Eu ia para a praia todos os finais de semana. (VOCÊS)

____

c. Eu nunca estive no Rio Grande do Sul. (A GENTE)

____

d. Ela tinha me falado que ia sair de férias na semana que vem. (ELAS)

____

Em duplas, pergunte ao/à colega o que ele/a costumava fazer quando era criança. Consiga o maior número de informações possível.

UNIDADE 13

Estou fazendo planos para viajar

LIÇÃO A PANORAMA

Planos

É parte da natureza humana fazer planos. Os planos não variam muito e são comuns a todos: planos da vida particular (casamento, casa própria, filhos); planos da vida acadêmica (escolha da faculdade e da carreira a seguir); planos profissionais (escolha da empresa a trabalhar e cargo a ocupar); planos de viagem (desde pequenas viagens no feriado prolongado até viagens fora do país) e, claro, pequenos planos do cotidiano (onde almoçar, comemorações de aniversário etc). No entanto, nem sempre conseguimos realizar nossos planos ou, às vezes, damos mais ênfase a uma área da vida que a outra; porém, o mais importante de tudo é sempre fazer planos.

Você faz muitos planos?
Você concorda com a afirmação de que "o mais importante de tudo é sempre fazer planos"? Por quê?

LIÇÃO A DIÁLOGO

2/09

Luis: Que papelada é essa?
Ana: São minhas contas...
Luis: Você tem que pagar tudo isso?
Ana: Não. Estou fazendo planos para viajar.
Luis: Nossa que legal, mas precisa de tanta coisa assim?
Ana: É. Quero ficar uns dois meses fora. Vou em dezembro, quando a escola fecha, e retorno em fevereiro, antes de a escola reabrir.
Luis: Pra onde você vai?
Ana: Estou planejando uma viagem para o Egito e depois quero visitar o Oriente Médio.
Luis: Você enlouqueceu? Com toda aquela violência no Oriente Médio e você quer ir para lá?
Ana: A Carla foi e adorou.
Luís: A Carla é endinheirada e, além disso, tem parentes em Jerusalém.
Ana: Eu sei, por isso estou fazendo tantas contas.
Luis: Mas você não está planejando ir sozinha, está?
Ana: Não. Tenho mais dois amigos interessados na viagem. Quer ir também?
Luis: Não, obrigado. Não sou tão aventureiro assim.

LIÇÃO A GRAMÁTICA

Conjunção coordenada conclusiva e derivação

Conjunção coordenada conclusiva

Eu sei, **por isso** estou fazendo tantas contas.
↓
por esse motivo

Derivação

Que **papelada** é essa?
↓
papel + ada = muito papel

Vou em dezembro, quando a escola fecha, e **retorno** em fevereiro, antes da escola **reabrir**.
↓
re + tornar = voltar de novo
↓
re + abrir = abrir de novo

Você **enlouqueceu**?
↓
en + louco + ecer = perder a razão/ficar louco

A Carla é **endinheirada** e, além disso (...)
↓
en + dinheiro + ar (+ particípio) = ter muito dinheiro

LIÇÃO A **CONSTRUÇÃO DO CONTEÚDO**

A. Escolha a conclusão que melhor completa cada sentença.

1. Muito açúcar faz mal à saúde.	( ) Por isso estou fazendo exercícios em casa.
2. Viajar é ótimo para relaxar.	( ) Por isso comprei uma agenda.
3. Não consigo tempo para ir ao clube.	( ) Por isso estou planejando ir para a Flórida.
4. Sempre esqueço meus compromissos.	( ) Por isso estou trabalhando muito e economizando.
5. Tenho muitos planos para o futuro.	( ) Por isso estou de regime. Agora uso adoçante.

B. **Substitua as palavras e expressões sublinhadas por palavras com os sufixos –ada, ar e er ou com os prefixo re- e en-. Faça as adaptações necessárias.**

Laerte: Nossa, o que é aquele <u>monte de mulher</u> reclamando perto da máquina de café?
Nilton: É que a máquina quebrou e não sai nenhum café ou chocolate *light*.
Laerte: Mas, a secretária já enviou o pedido de conserto faz tempo.
Nilton: Então, tem que <u>enviar de novo</u>.
Laerte: Iiiii. Mais <u>um monte de papel</u>. Sempre que tem pedido é isso.
Nilton: Acho que é urgente. As garotas não querem ficar <u>gordas</u>. Eu mesmo vou <u>escrever</u> o pedido de novo.
Laerte: Melhor fazer isso já.

C. **Oral: Entreviste os colegas. Ache alguém na turma que...**

... odeia trabalhar com papelada.
... já enlouqueceu no trânsito.
... relê os e-mails que escreve antes de mandar.
... engorda com facilidade.
... tem amigos endinheirados.

Os entrevistados devem responder SIM ou NÃO e completar a ideia com POR ISSO.

Ex.: *A: Você odeia trabalhar com papelada?*
B: Não, até gosto. Por isso sou secretária. Minha mesa tem sempre muita papelada.

LIÇÃO A AMPLIAÇÃO DO VOCABULÁRIO

Prefixos e sufixos

Prefixos

en-, em*-: dinheiro → endinheirar
louco → enlouquecer
rico → enriquecer
pobre → empobrecer
gordo → engordar
magro → emagrecer

re-: abrir → reabrir
começar → recomeçar
afimar → reafirmar
organizar → reorganizar

* antes de **p** e **b** usa-se **m**, por exemplo, e**mp**obrecer, e**mb**urrecer.

Sufixos

-ada: papel → papelada
dente → dentada
laranja → laranjada
banana → bananada

Existem muitos prefixos e sufixos em português. Eles formam substantivos, adjetivos, advérbios e verbos. Para uma lista mais completa, consulte o apêndice deste livro.

A. Adicione o sufixo –ada ou o prefixo re- às palavras abaixo:

1. moço: ______
2. conhecer: ______
3. forno: ______
4. vassoura: ______
5. dinheiro: ______
6. criança: ______
7. escrever: ______
8. mulher: ______
9. ler: ______
10. unir: ______

B. Adicione os prefixos re- ou en- (em-) às palavras abaixo, transformando os substantivos em verbos:

*Exemplo: raiz – **en**raiz**ar***

1. bola: ______
2. candidatar: ______
3. bolor: ______
4. afirmar: ______
5. tirar: ______
6. agendar: ______
7. pilha: ______
8. dívida: ______
9. cara: ______
10. vergonha: ______

C. **Complete as frases abaixo com uma das palavras dos exercícios A e B que você acabou de fazer. Não esqueça de conjugar o verbo, quando necessário:**

1. Maria Joaquina ____________________ (PILHA, *pretérito perfeito*) a roupa no armário.
2. Emilly gasta uma ____________________ (DINHEIRO) com bobagens.
3. Ai, vai chover... Essa parede ____________________ mais ainda. (BOLOR, *futuro*)
4. O presidente vai se ____________________ nas próximas eleições. (CANDIDATAR, *infinitivo*)
5. Moreira se ____________________ (DÍVIDA, *pretérito perfeito*) comprando um carro novo.
6. O padeiro tirou uma ____________________ (FORNO) de pães quentinhos agora mesmo.
7. Sidney ____________________ (AGENDA, *futuro*) uma consulta com o médico.
8. Kátia se ____________________ (VERGONHA, *pretérito perfeito*) do que fez.

LIÇÃO B **PANORAMA**

Passado, presente, futuro: transportes e comunicação

No passado, as pessoas usavam animais como transporte e a comunicação era muito lenta. Levou muito tempo até a invenção da roda. O trem, por exemplo, foi inventado há mais de cem anos, o que não é muito. Porém, essa invenção mudou de forma radical a vida cotidiana, ou seja, a comunicação entre as pessoas aumentou. Dessa época para cá, muita coisa evoluiu, pois são invenções após invenções: carros, aviões, jatos, foguetes. Hoje, sabemos que o homem já foi à Lua e existem sondas viajando para outros planetas, como, por exemplo, Marte. A comunicação mudou também, uma carta que levava dias para chegar, hoje chega em segundos a qualquer lugar do mundo via internet. E no futuro, como será nossa comunicação e para onde estará viajando o homem?

Como a comunicação entre as pessoas acontecia antigamente, além do que foi citado no texto acima?
Como você acha que vai ser o transporte no futuro?

LIÇÃO B DIÁLOGO 2/10

Cíntia: Vó, a senhora acha que as pessoas eram mais felizes no passado que agora?

D. Doca: Por que a pergunta, querida?

Cíntia: Porque parece que ninguém tem tempo para ninguém. Todo mundo está sempre correndo, mas fica parado no trânsito. É internet, celular, mas ninguém parece falar com ninguém.

D. Doca: Que pessimismo é esse, menina?

Cíntia: É que ultimamente tenho feito muitas coisas e não tenho tido tempo para os meus amigos.

D. Doca: É, você tem razão, hoje em dia parece que o tempo não espera ninguém, mas antigamente nós tínhamos outros problemas.

Cíntia: Que problemas, vó?

D. Doca: Não tínhamos tanto conforto.

Cíntia: Como assim?

D. Doca: Não tínhamos tantas máquinas como hoje.

Cíntia: Mas, vó, vocês tinham mais tempo livre, não?

D. Doca: Depende. Hoje vocês perdem tempo no trânsito, a gente perdia tempo esperando o transporte público que era reduzido.

Cíntia: Vocês conversavam mais e davam mais atenção às pessoas, não é?

D. Doca: Acho que isso também dependia da pessoa. Uma carta para o exterior, por exemplo, levava uma semana ou mais para chegar e os telefonemas para o exterior, então, eram caríssimos.

Cíntia: É, pensando melhor acho que nada é perfeito, né?

D. Doca: Sabe o que é, Cíntia, toda época tem as suas vantagens e desvantagens.

Cíntia: E o que eu faço com o Dudu?

D. Doca: Quem é Dudu?

Cíntia: Meu novo namorado. Ultimamente, ele não tem tido tempo para mim.

D. Doca: Ah, então era isso? Bem, veja as vantagens desta época, você não precisa se preocupar tanto com o Dudu. Você tem a opção do Beto, do Carlos, do ...

LIÇÃO B GRAMÁTICA
Pretérito perfeito composto e superlativo

É que ultimamente **tenho feito** muitas coisas e não **tenho tido** tempo para os meus amigos.

(...) e os telefonemas para o exterior então eram **caríssimos**.

Pretérito perfeito composto

	TER
Eu	tenho tido
Você Ele Ela A gente	tem tido
Nós	temos tido
Vocês Eles Elas	têm tido

O pretérito perfeito composto é formado pelo presente do verbo 'ter' + o particípio passado de outro verbo ('-ar' → ado, '-er/ -ir' → ido ou irregulares*).

Ele é usado para indicar a repetição ou a continuidade de um fato iniciado no passado e que continua no presente. Ele vem acompanhado de adjuntos adverbiais como desde, ultimamente, esses dias, recentemente etc.

Na linguagem do dia a dia, ele é substituído pelo 'presente contínuo'.

Ex.: Tenho trabalhado muito ultimamente.
Estou trabalhando muito ultimamente.

* para os particípios irregulares ver apêndice no final deste livro.

Superlativo

O superlativo, como vimos na unidade 12, é formado da seguinte forma:

o/ a (substantivo) mais + adjetivo (superioridade)
o/ a (substantivo) menos + adjetivo (inferioridade)

Ele é **o aluno mais inteligente da classe.**

Ela é a menina menos pobre do bairro.

irregulares

bom – o melhor
mau – o pior
grande – o maior
pequeno – o menor

O superlativo ao lado se chama 'superlativo relativo'. Temos também um outro superlativo que se chama 'superlativo absoluto sintético'. Ele é formado da seguinte maneira:

adjetivo + -íssimo(a)
belo – belíssimo
caro – caríssimo

irregulares

bom – boníssimo, ótimo
mau – péssimo
grande – máximo
pequeno – mínimo

LIÇÃO B CONSTRUÇÃO DO CONTEÚDO

A. Complete o diálogo com o pretérito perfeito simples (ex.: eu fiz) ou composto (ex.: *eu tenho feito*).

Lígia: Você ________________ (ESTUDAR) muito ultimamente, Pri.
Priscila: É mesmo. ________________ (PASSAR) horas em cima dos livros para entrar na faculdade.
Lígia: Você ________________ (ESTUDAR) ontem? Eu ________________ (LIGAR) pra sua casa, mas ninguém ________________ (ATENDER).
Priscila: Claro que ________________ (ESTUDAR). É que, desde a semana passada, ________________ (IR) à biblioteca diariamente para me concentrar melhor.

Lígia: É... Esses dias ______________ (DEDICAR) todo meu tempo aos estudos também.

Priscila: Estudos? Mas, você não estuda.

Lígia: É que ______________ (RESOLVER) pesquisar os melhores bares e restaurantes da cidade. Só no fim de semana passado ______________ (IR) a quatro lugares diferentes!

Priscila: Muito esperta você...

B. **Complete a crítica de filme abaixo com superlativos relativos (ex.: *o pior*) ou absolutos sintéticos (ex.: *péssimo*).**

Sonho de Viver – drama ★★★★☆

Sonho de Viver realmente surpreende. É um dos ______________ (bom) dramas dos últimos tempos. O orçamento foi ______________ (pequeno) do ano para filmes desse porte, mas, mesmo assim, o filme emociona por sua ______________ (bela) fotografia e delicadeza na interpretação. O protagonista passa por ______________ (mau) momentos em sua vida e acaba em um sanatório, ______________ (mau) do país. Lá, ele passa por momentos ______________ (difícil) até ser resgatado por uma amiga de infância. *Sonho de Viver* é um filme profundo e sensível.

C. **Oral:** Entreviste dois colegas e preencha a tabela.

ATIVIDADE	COLEGA 1	COLEGA 2
	______________ (nome)	______________ (nome)
Melhor filme que já viu	______________	______________
Pior filme que já viu	______________	______________
Um filme belíssimo	______________	______________
Um filme longuíssimo	______________	______________
Tem ido ao cinema ultimamente?	( ) sim ( ) não	( ) sim ( ) não
Viagem mais longa que já fez	______________	______________
Viagem mais chata que já fez	______________	______________
Tem viajado ultimamente?	( ) sim ( ) não	( ) sim ( ) não
Um curso ótimo	______________	______________
Um curso chatíssimo	______________	______________

LIÇÃO B **AMPLIAÇÃO DO VOCABULÁRIO**

Objetos

Antigos		**Modernos**	
carruagem	máquina de escrever	ônibus	carro
trem a vapor	telefone	trem elétrico / metrô	tocador de MP3/ MP4
enceradeira	carta	aspirador de pó	computador
ferro a carvão	navio	ferro a vapor / ferro elétrico	celular
fogão a lenha		fogão a gás / fogão elétrico	e-mail / mensagem instantânea
forno		micro-ondas	Skype
carro de boi			avião
vitrola			

A. Ligue os objetos a suas funções e aos adjetivos moderno ou antigo.

vitrola
trem
fogão
tocador de MP3/4
e-mail
metrô
ônibus
ferro
carro
avião
carta
máquina de escrever
celular
computador
telefone

cozinhar
passar roupas
ir a lugares, transportar pessoas, meio de transporte
datilografar relatórios, correspondências
digitar relatórios, correspondências, escrever e ler e-mails
falar com outras pessoas de um lugar fixo
comunicar, por meio da escrita, com outras pessoas
tocar discos, ouvir músicas
baixar e ouvir músicas
falar com outras pessoas de qualquer lugar

antigo
moderno

B. Com base nas fotos abaixo, escreva o nome dos objetos, se eles ainda são usados e para que são usados. Veja os exemplos:

Ex.1. A vitrola não é mais usada. Ela era usada para tocar discos e ouvir músicas.

Ex.2. O tocador de MP3/ MP4 é usado para baixar e ouvir músicas.

1. ______________________

2. ______________________

3. ______________________

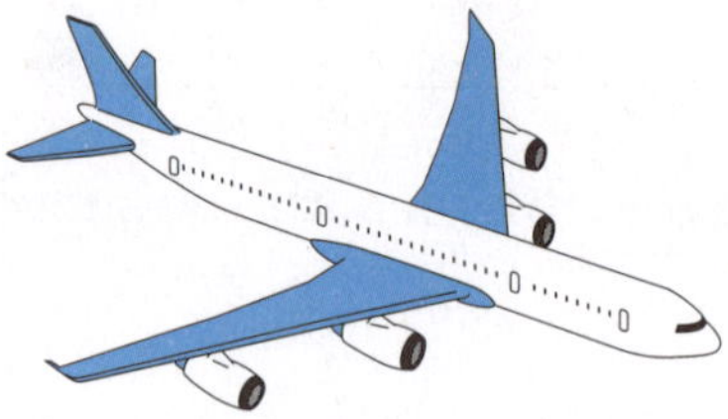

4. ______________________

5. ______________________

6. ______________________

C. Responda as perguntas:

1. Qual é o meio de comunicação escrita que você mais utiliza?

2. Você escreve muitos e-mails?

3. Você utiliza um estilo de escrever diferente para cartas, faxes e e-mails? Se sim, por quê?

LIÇÃO C PANORAMA

Os tempos atuais

O corre-corre do dia a dia faz com que as pessoas se estressem muito. São muitas atividades: trabalho, escola, academia, família e muitas cobranças: do chefe, do professor, do marido ou esposa e dos filhos. Ao mesmo tempo, a sociedade cria cada vez mais áreas de lazer e divertimentos. Tudo parece acontecer muito rápido e as pessoas sentem que o tempo é reduzido para acompanhar tudo e que o dinheiro ganho evapora rapidamente.

Você acha que existem muitas cobranças nos dias de hoje? Quais são elas?
Qual é a impressão que você tem da forma que o tempo passa?

LIÇÃO C DIÁLOGO

2/11

Marcos: Susana, onde você gostaria de passar as férias?
Susana: Em Florianópolis. Por quê?
Marcos: Porque você me falou que precisa de férias.
Susana: Eu falei que preciso, mas não posso.
Marcos: Mas, Susana, você tem que fazer planos, do contrário, nunca vai tirar férias.
Susana: Eu tinha feito planos de viagem faz uns dois anos, mas meu chefe me despediu. Ele disse que eu precisava melhorar meu inglês e fazer um curso de informática. Aí, foi aquele corre-corre para arrumar outro emprego.

Marcos: Mas conseguiu, não?

Susana: Consegui, mas estou pagando minhas dívidas agora. Além disso, faço aulas de inglês e de espanhol. E meu novo chefe já falou para eu voltar para a faculdade.

Marcos: Tudo bem, mas não custa sonhar.

Susana: Então vai lá... eu faria uma viagem a Cancun, compraria um monte de bugiganga e não estudaria *nem* trabalharia mais.

Marcos: Tudo bem que é sonho, mas não precisa exagerar.

NOTE QUE...

'nem' = e não.

LIÇÃO C GRAMÁTICA

Futuro do pretérito e pretérito mais-que-perfeito composto

Susana, onde você **gostaria** de passar as férias?
↓
gostar + ia

(...)eu **faria** uma viagem a Cancun, **compraria** um monte de bugiganga e não **estudaria** nem **trabalharia** mais.
faria ↓ verbo irregular*; compraria ↓ comprar + ia; estudaria ↓ estudar + ia; trabalharia ↓ trabalhar + ia

* veja abaixo como transformar os verbos como 'fazer'.

Eu **tinha feito** planos de viagem faz uns dois anos, mas meu chefe **me despediu**.
tinha feito ↓ 1ª ação, no passado, ocorre antes de outra ação no passado; me despediu ↓ 2ª ação no passado

Futuro do pretérito

TRABALHAR

Eu	trabalhar**ia**
Você Ele Ela A gente	trabalhar**ia**
Nós	trabalhar**íamos**
Vocês Eles Elas	trabalhar**iam**

* Os verbos como 'fazer', 'dizer' e 'trazer' perdem o '-ze', ficando 'far-', 'dir-' e 'trar-'+ os acréscimos acima: '-ia', '-ia', 'íamos', '-iam'.

Pretérito mais-que-perfeito composto

LEMBRA?

VIMOS ESTE TEMPO VERBAL NA UNIDADE 12.

O mais-que-perfeito composto é formado com o verbo 'ter' no imperfeito + o particípio passado ('-ar' = '-ado'/ '-er/ -ir' = '-ido') do verbo principal

Ele é usado para expressar um fato já concluído antes de outro também passado.

LIÇÃO C **CONSTRUÇÃO DO CONTEÚDO**

A. **Complete o diálogo com os verbos dados no futuro do pretérito (ex.: *eu faria*).**

Eda: Rô, recebi um dinheiro bom hoje no emprego.
Roberto: Mesmo? O que vai fazer com ele?
Eda: Não sei. O que você ______________________ (FAZER)?
Roberto: Eu ______________ (TROCAR) de carro e ________________ (COMPRAR) uma TV nova. A sua é velhíssima.
Eda: Não quero um carro novo e minha TV funciona muito bem.
Roberto: O seu irmão não ____________________ (DIZER) isso. Ele ____________________ (GASTAR) todo o dinheiro com coisas novas para a casa de vocês.
Eda: É, eu ________________ (DEVER) perguntar para ele antes de gastar, assim nós ________________ (DECIDIR) juntos. Afinal, a casa também é dele.

B. **Complete os diálogos com o pretérito perfeito composto (ex.: *eu tenho feito*) ou o mais-que-perfeito composto (ex.: *eu tinha feito*).**

1. A: Nossos pais ______________ (DISCUTIR) muito ultimamente.
   B: Também acho. Vamos conversar com eles.

2. A: Por que você mandou aquele e-mail todo errado? O Paulo não corrigiu pra você?
   B: Quando o Paulo me avisou, eu já ____________________ (ENVIAR).

3. A: Por onde você anda? Não o vejo mais por aqui.
   B: ____________________ (FAZER) visitas a clientes em outras cidades desde que mudei de departamento.
   A: Eu __________________ (AVISAR) que seria assim, lembra? Mas, você não acreditou em mim.

4. A: Nossos funcionários __________________ (PERDER) muito tempo no trânsito. Eles ________________ (CHEGAR) atrasados com frequência. Que devemos fazer?
   B: Não sei. Eu ______________________ (COMENTAR) com o Armando, mas os outros funcionários disseram que não era problema e ele não fez nada.

C. **Oral: Descubra o que os colegas fariam nas situações dadas.**

1. Uma mulher chega correndo assustada e diz que precisa do seu carro para levar alguém ao hospital, mas ela está sozinha. O que você faria nessa situação?

2. Você vê o barman colocar o dedo dentro da sua bebida sem querer. Ele não diz nada e entrega a bebida para você. O que você faria nessa situação?

3. Seu melhor amigo pede para ver a resposta da prova porque ele ficou doente e não estudou. Sua professora vê vocês conversando durante a prova. O que você faria nessa situação?

4. Seu chefe lhe pede para fazer um trabalho para o diretor de empresa. Você faz tudo certo, mas seu chefe muda várias coisas antes de mandar o trabalho para o diretor. As mudanças foram péssimas e seu chefe não diz ao diretor que ele foi responsável pelas mudanças. O diretor vem tirar satisfações com você. O que você faria nessa situação?

LIÇÃO C AMPLIAÇÃO DO VOCABULÁRIO

Atividades / Ensino do Brasil

Curso de idiomas
- português para estrangeiros
- inglês
- espanhol
- francês
- alemão

Ensino básico
- Educação infantil
- Ensino fundamental
- Ensino médio
- Ensino profissionalizante

Curso de informática
- Windows
- Pacote Office (MS Word/Excel/PowerPoint/Access/Outlook)
- PageMaker
- Corel Draw
- Internet
- Programação

Ensino superior
- Graduação
- Pós-graduação
  - Curso de Especialização
  - Mestrado
  - Doutorado

A. **Complete a entrevista abaixo com a melhor opção:**

especialização informática graduação
educacional idiomas fundamental

Entrevistador: Boa tarde, sente-se, por favor.

Ana Obrigada.

Entrevistador: Estou aqui com seu currículo e realmente você parece ser a pessoa que estamos procurando. Só gostaria de fazer algumas perguntas.

Ana: Claro!
Entrevistador: Me fale um pouco mais sobre sua formação ________________ .
Ana: Bem, eu nasci no Rio, mas moro em São Paulo desde os sete anos. Então, concluí o Ensino __________ em uma escola perto da casa dos meus pais. Minha ______________________ é em Administração de Empresas, minha ___________________ é em Marketing, pela Universidade de São Paulo. Pretendo iniciar o Mestrado no ano que vem, também em Marketing.
Entrevistador: Certo. E quanto aos ___________________________ falados?
Ana: Sim, falo inglês e francês fluentemente e estou fazendo um curso de alemão. Estou no nível intermediário.
Entrevistador: Cursos de ____ ?
Ana: Sim, tenho o pacote Office e Corel Draw.
Entrevistador: Muito obrigado, Ana.

B. Responda as perguntas:

1. Como é o sistema de ensino em seu país? Ele é muito diferente do brasileiro?

____

____

2. Quais cursos você fez ou está fazendo? Eles são ou foram importantes para sua carreira? Por quê?

____

____

C. Entreviste seu/sua colega. Pergunte detalhes de sua formação educacional. Utilize a entrevista acima e o quadro como modelos.

LIÇÕES A, B e C COMPREENSÃO AUDITIVA

2/12 **Ouça três pessoas que estão prestes a começar uma nova fase da vida. Responda as perguntas.**

1. Jean – Entrevista para um novo emprego

a. O que Carol faria no lugar de Jean?

____

____

b. Por que Jean comprou um terno novo?

____

____

c. O que Jean tem feito nos último meses?

____

____

2. Melina – Primeira participação em um musical
a. O que o diretor faria no lugar de Melina?

____

____

b. Por que os ensaios são longos?

____

____

c. O que Melina tem feito desde o ano passado?

____

____

3. Ricardo – Mudança de país
a. O que Teresa faria no lugar de Ricardo?

____

____

b. Por que Ricardo já consegue comunicar-se em japonês?

____

____

c. O que Ricardo tem feito quase todos os dias?

____

____

LIÇÕES A, B e C APLICAÇÃO ORAL DO CONTEÚDO

Faça o exercício com um/a colega. Tente adivinhar se seu/sua colega...

1. S ( ) N ( ) ...faria uma viagem sozinho (a) para o deserto do Saara.
2. S ( ) N ( ) ... tem assistido muita TV ultimamente.
3. S ( ) N ( ) ... tinha pensado em aprender outra língua antes de estudar português.
4. S ( ) N ( ) ...já foi o (a) melhor aluno (a) da classe na infância.
5. S ( ) N ( ) ... faria um curso de dança (qualquer tipo de dança).
6. S ( ) N ( ) ... tem pensado em realizar alguma grande mudança na vida.
7. S ( ) N ( ) ... tinha lido algo sobre o Brasil antes de começar a usar este livro.
8. S ( ) N ( ) ... tem um péssimo hábito que ele (a) normalmente não revela.
9. S ( ) N ( ) ... passaria seis meses sozinho (a) em uma ilha deserta.
10. S ( ) N ( ) ... tem comido muita comida gordurosa.

Depois de assinalar SIM ou NÃO, confirme com seu/sua colega quantas você acertou.

Ex.: *A: Você faria uma viagem sozinha para o deserto do Saara?*
B: Eu? Nunca. Odeio calor.
A: Eu sabia! Acertei.

LEITURA
Destaques

A. Leia as criticas de filmes, retiradas da Revista Veja Rio, e responda as perguntas:

HAIRSPRAY - EM BUSCA DA FAMA
Duração117 min.
Censura: Livre.
Gênero: Musical
Cotação: ★★★☆☆
Mais informações: de Adam Shankman (Hairspray, EUA/ Inglaterra, 2007).
Ambientada em 1962 na Baltimore natal de John Waters (diretor do filme homônimo de 1988, que originou o musical da Broadway de 2002), a trama mostra o conservadorismo do lugar. Mas Tracy Turnblad (Nikki Blonsky) muda o rumo das coisas. Gorducha e cheia de energia, ela adere à moda dos cabelos armados e tem um sonho: participar de um programa de canto e dança na TV. O galãzinho da atração, Link Larkin (Zac Efron, de High School Musical), encanta-se com seu gingado e a ajuda a chegar lá. A fofa vira estrela e modelo de comportamento. Há letras engajadas e ritmo suingado num musical divertido e empolgante. John Travolta, em papel menor, rouba a cena como a mãe da protagonista.
CINEMAS EXIBINDO ESTE FILME
UCI New York City Center Sala 11
Horário: 14h35, 17h10, 19h50, 22h30. Domingo (18) e terça (20)

MEU MELHOR AMIGO
Duração96 min
Censura: Livre
Gênero: Comédia
Cotação: ★★★★☆
Mais informações: de Patrice Leconte (Mon Meilleur Ami, França, 2006).
Arrogante e antipático, François (Daniel Auteuil) só tem olhos para sua loja de antiguidades em Paris. Como as amizades dele se restringem aos colegas de profissão, a sócia decide fazer uma aposta: François terá dez dias para apresentar o melhor amigo. Como o comerciante ficou enfurnado nos negócios a vida toda, a tarefa será quase impossível. Mas eis que surge o boa-praça Bruno (Dany Boon). Falastrão e solitário, esse humilde taxista vai adicionar simpatia e doçura no amargo cotidiano de François. Diretor de pérolas como Um Homem Meio Esquisito (1989), o francês Patrice Leconte traz agora uma sentimental comédia de apelo popular sem descambar nas emoções fáceis. Divertida no ponto certo, a fita ganha brilho com a surpreendente atuação do desconhecido Boon que, acredite, rouba a cena do versátil Auteuil.
CINEMAS EXIBINDO ESTE FILME
Estação Barra Point Sala 2
Horário: 15h30, 19h30st
Estação Ipanema Sala 2
Horário: 13h15, 15h15, 17h15, 19h15, 21h15

A FAMÍLIA DO FUTURO
Duração102 min
Censura: Livre
Gênero: Animação
Cotação: ★★★★★
Mais informações: de Stephen Anderson (Meet the Robinsons, EUA, 2007).
Animação por computadores com graça, agilidade e colorido farto sob a grife dos estúdios Disney. Na trama, o órfão Lewis chegou aos treze anos com a criatividade de um pequeno gênio. Durante uma apresentação numa feira de ciências,surge o estranho Wilbur, que levará Lewis a conhecer as maravilhas do mundo do futuro.
CINEMAS EXIBINDO ESTE FILME
Cinemark Downtown Sala 4
Horário: (em 3D, dubl.): 12h05. Quarta (21) e quinta (22) não haverá sessão CI Kinoplex

Adaptado de http://vejabrasil.abril.com.br/rio-de-janeiro/a/filmes/

1. Você gosta de assistir a filmes no cinema? Qual foi o último filme a que assistiu? Do que se tratava?

2. A que tipo de filmes você tem assistido ultimamente?

3. Dentre os filmes apresentados acima, qual deles você gostaria de assistir? Por quê?

REDAÇÃO

Qual foi o melhor ou o pior filme a que você já assistiu? Escreva uma crítica para um jornal, revista ou blog brasileiro.

CONSOLIDAÇÃO LEXICAL

Tipos de filmes

Inclua os tipos de filmes que você conhece. Quais são os de que mais gosta?

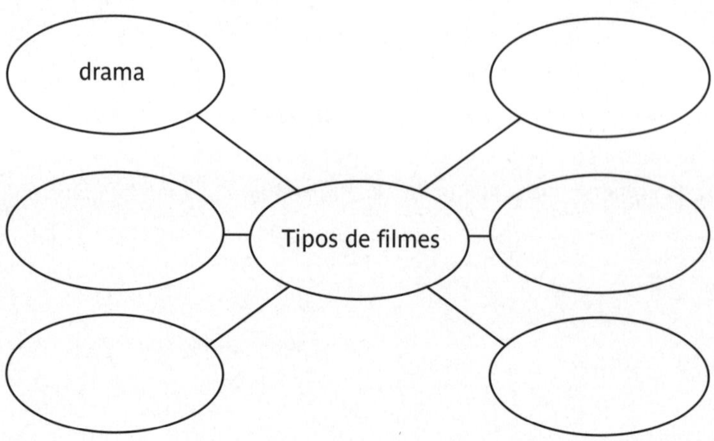

UNIDADE 14

Alô? Quem fala?

LIÇÃO A

PANORAMA

Comunicação

Hoje em dia entrar em contato com alguém ficou muito fácil, temos: telefone, celular, e-mail, Messenger, Skype etc. Quando a pessoa para a qual telefonamos não se encontra, temos a opção de deixar recado. O recado pode ser deixado em secretária eletrônica, caixa postal ou para a pessoa que atendeu ao telefone.

Qual é o meio que você usa para encontrar as pessoas com quem você quer falar?
Você costuma deixar recado em secretárias eletrônicas?

LIÇÃO A DIÁLOGO

2/13

Sueli: Alô!
Fernando: Alô. Por favor, a Carla.
Sueli: Ela não está. Quer deixar recado?
Fernando: Não, obrigado. Eu ligo depois.
(mais tarde)
Sueli: Alô!
Fernando: Alô. Por favor, a Carla está?
Sueli: Ela ainda não chegou. Você gostaria de deixar recado?
Fernando: Por favor, ela tem celular?
Sueli: Não. Ela não gosta de celular.
Fernando: Você a vê ainda hoje?
Sueli: Vejo, sim.
Fernando: Bem, então, diga que o Fernando ligou.
Sueli: Tudo bem, Fernando. Ela tem o seu número, né?
Fernando: Tem, sim. Obrigado.
Sueli: De nada.

LIÇÃO A GRAMÁTICA

Pronomes pessoais I

Você a vê ainda hoje? (a = Carla)

Pronomes pessoais retos (sujeito)	Pronomes pessoais oblíquos (objeto direto)
Eu	me
Você Ele Ela A gente	o, a (lo, la, no, na)
Nós	nos
Vocês Eles Elas	os, as (los, las, nos, nas)

1. Os pronomes 'o(s)' e 'a(s)' funcionam como **objeto direto.**

Pedro: - Eu vi o Paulo ontem.
Clara: - Verdade? Eu **o** vi na semana passada (o = Paulo)

2. Quando o verbo terminar em '**z**', '**s**', ou '**r**' os pronomes 'o(s)', 'a(s)' mudam para 'lo(s)'ou 'la(s)'.

Exemplo:
verbo terminado em **z**: **fiz + a = fi-la**
Eu fiz a lição = Eu fi-la. (Não é usado na linguagem oral)

verbo terminado em **s**: fazei**s** + o = fazei-lo

Fazeis o bolo. = Fazei-lo. (Não é usado na linguagem oral)

verbo terminado em **r**: dize**r** + a = dizê-la

Eles vão dizer a verdade. = Eles vão dizê-la.

3. Quando o verbo termina em som nasal, os pronomes 'o(s)', 'a(s)' mudam para 'no(s)', ou 'na (s)'.

Exemplo:

verbo terminado com som nasal: vira**m** + os = viram-nos

Eles viram os ladrões. = Eles viram-nos. (Não é usado na linguagem oral)

verbo terminado com som nasal: p**õe** + a = põe-na

Ela põe a caneta dentro da bolsa. = Ela põe-na dentro da bolsa. (Não é usado na linguagem oral)

LIÇÃO A **CONSTRUÇÃO DO CONTEÚDO**

A. **No bilhete abaixo, substitua as palavras grifadas por pronomes pessoais (sujeito, objeto direto).**

Lenira,
Ontem finalmente consegui comprar o computador. O computador tem uma configuração fantástica. Vou enviar a configuração por e-mail, assim você pode avaliar a qualidade. Os preços estavam ótimos. Vou enviar os preços também. Peguei o fax com manual. Eu li o manual rapidinho e os técnicos já instalaram o fax. Colocaram o fax ao lado da foto copiadora. Depois eu ligo para combinarmos a instalação dos programas. Eu aviso você quando o técnico marcar a visita.
Um abraço,
Joana M.

B. **No diálogo seguinte há quatro pronomes pessoais usados de forma errada. Ache-os e substitua-os pelos pronomes pessoais corretos.**

Lígia: Chico, o que aconteceu com seu celular? Eu ligo e só dá ocupado.

Chico: Não sei. Vou leva-o para consertar. No mês passado ele teve o mesmo problema.

Lígia: Mas, não explicaram nada?

Chico: Na verdade, minha mulher levou-no para consertar. Mas, ela não perguntou qual era o problema.

Lígia: Você vai à loja na hora do almoço?

Chico: Vou. Quer vir comigo? Assim, a gente come aquela lasanha que você gosta.

Lígia: Ótimo. Vou devorar-la inteira. Mas, posso convidar o Lucas? Ele chamou eu para almoçar hoje.

Chico: Claro.

C. Oral:

1. Faça as seguintes perguntas a um(a) colega. Para responder use os verbos dados e os pronomes pessoais oblíquos.

Ex.: *A: O que você acha da Madonna?*
B: Eu a admiro pela ousadia.

admirar	detestar	invejar	adorar
não entender	compreender	não conhecer	

O que você acha da/do ______________________________?
(nome de artista)

O que você acha da/do ______________________________?
(nome de político)

O que você acha da/do ______________________________?
(nome de personagem histórico)

O que você acha da/do ______________________________?
(nome de atleta)

O que você acha da/do ______________________________?
(nome de personalidade)

O que você acha da/do ______________________________?
(sua opção)

LIÇÃO A AMPLIAÇÃO DO VOCABULÁRIO

Nível de formalidade – recados

Ao pedir para anotar um recado

Imperativo (por exemplo: Diga para ...) [informal]

Por favor + imperativo / imperativo + por favor [+ formal]

Você pode ... [informal] / Você poderia ... [formal]

Ao perguntar se a pessoa quer deixar recado

Você quer ... ? [informal] / Você gostaria de ... ? [formal]

Você deve ... [informal] / Você deveria ... [formal]

A. **Informal ou formal? Que tipo de linguagem deve ser usada com as pessoas abaixo?**

1. chefe: ______
2. esposa / esposo: ______
3. filhos: ______
4. professor: ______
5. colegas de trabalho: ______
6. pai / mãe: ______
7. pessoas que você acabou de conhecer: ______
8. amigos: ______

B. **Forme frases usadas ao telefone com as palavras/expressões abaixo:**

Você	gostaria de	me ajudar?	para ele /ela	me ligar mais tarde?
Por favor,	quer	pedir	um momento	no celular dele/dela
	pode	aguardar	mais tarde	
	poderia	ele/ela	que eu liguei?	
	diga para	anotar	um recado	
	deveria	deixar	me ligar?	
	deve	ligar	por favor	

1. ______
2. ______
3. ______
4. ______
5. ______
6. ______
7. ______
8. ______
9. ______
10. ______

C. **Pratique estes diálogos ao telefone com um/a colega.**

	Aluno A	**Aluno B**
1.	Atenda ao telefone do Sr. Abreu. →	Peça para falar com o Sr. Abreu, do departamento de Marketing.
	Diga que ele não está e se ofereça para anotar um recado. →	Aceite e diga o recado.

Peça para repetir, caso seja necessário. → Agradeça e se despeça.

2. Atenda ao telefone d__ ____________________ → Diga seu nome e de onde está falando e peça para falar com __________, do departamento de Compras.

Diga que el__ não pode atender ao telefone no momento. → Pergunte se você pode deixar um recado.

Diga que sim. → Diga o recado, agradeça e se despeça.

Despeça-se.

D. Utilize os modelos dados em B, mas use uma linguagem mais informal. Pratique com um/a colega.

LIÇÃO B PANORAMA

Telefonemas para empresa

Quando você telefona para um local comercial, normalmente a telefonista ou recepcionista atende ao telefone e fala o nome da empresa, depois se identifica, falando o seu nome e só depois cumprimenta, dizendo 'bom dia', 'boa tarde' ou 'boa noite'. Depois disso, em caso de empresa grande, a telefonista transfere sua ligação para o ramal do funcionário com quem você deseja falar.

O que as pessoas falam ao atender um telefonema comercial no seu país?
Sua empresa utiliza ramais para os funcionários?
Você costuma ligar para locais comerciais no Brasil? Quais?

LIÇÃO B DIÁLOGO

2/14

Jaqueline: WTCZ, Jaqueline, boa tarde.

Caio: Boa tarde, Jaqueline. Eu gostaria de falar com o Sr. Costa. É o Caio da Zuppo Ltda.

Jaqueline: Um momento, sr. Caio. O ramal dele está ocupado. O senhor poderia ligar mais tarde?

Caio: Não posso. Vou entrar em uma reunião agora, mas, por favor, diga-lhe para ligar para o Caio Zuppo, no meu celular, o mais rápido possível.

Jaqueline: Tudo bem, sr. Caio. Eu lhe darei o recado.

LIÇÃO B GRAMÁTICA

Pronomes pessoais II

Diga-**lhe** para ligar para o Caio Zuppo. (Diga para o sr. Costa)

Eu **lhe** darei o recado. (Eu darei o recado para o sr. Costa)

Pronomes pessoais retos (sujeito)	Pronomes pessoais oblíquos (objeto indireto) + preposições: a, até, contra, de, em, entre, para, por, sem
Eu	para mim
Você Ele / Ela A gente	lhe (para você) lhe (para ele/ela) lhe (para a gente)
Nós	nos (para nós)
Vocês Eles / Elas	lhes (para vocês) lhes (para eles/elas)

O pronome 'lhe(s)' funciona como **objeto indireto**, ou seja, é usado com um verbo + preposição.

Pedro: Você pode **dar** este pacote **para** a Luzia.

Clara: (para Luzia) Luzia, o Pedro me pediu para **lhe** dar este pacote. (lhe = para a Luzia)

Luzia: Obrigada, Clara.

Clara: De nada.

LIÇÃO B CONSTRUÇÃO DO CONTEÚDO

A. Substitua as palavras sublinhadas por pronomes pessoais oblíquos.

1. A: Maria, eu pedi <u>para você</u> deixar a encomenda no escritório. O que aconteceu?
   B: Não tive tempo, desculpa.

2. A: Este livro é muito legal. Quem deu este presente <u>para você</u>?
   B: Não é meu, não. É da Joana. O Jorge deu o livro <u>para ela</u> de presente de aniversário.

3. A: Nossos gerentes ainda não sabem?
   B: Não. Quem vai contar <u>a eles</u>?

4. A: O Marcos disse <u>a nós</u> que não vai terminar o curso.
   B: Nossa. Por quê?

B. Complete o diálogo com pronomes pessoais oblíquos (para mim, lhe, nos, lhes).

A: Mariano, por que você não ________________ ligou?
B: Mas, eu te liguei. Ninguém atendeu.
A: Eu estava dando aula.
B: É que eu nunca lembro quando você está dando aulas.
A: Eu já ________________ falei algumas vezes.
B: Já falou sim, mas com uma vida louca como a sua, fica impossível lembrar.
A: Então, acho melhor eu ________________ telefonar.
B: Concordo. Você pode ligar ____________ a qualquer hora.
A: Ou eu poderia ligar para a Samanta. Ela também entende do assunto.
B: Pode ser, mas qualquer coisa ________________ ligue.
A: Pode deixar. Qualquer dúvida, eu ligo. Obrigado.

C. Oral: Trabalhe em pares ou em grupos. Pergunte aos/às colegas o que eles/as dariam de presente para as pessoas da sala. Na sua vez de responder use os pronomes pessoais oblíquos (lhe, lhes, nos) ou a preposição PARA, como no exemplo.

Ex.: A: Leia, o que você daria de presente para o Luiz (ou para a Mônica e para o Agenor)?
B: Eu <u>lhe</u> daria um carro (ou Eu lhes daria um carro).
A: Por quê?
B: Porque ele toma três ônibus para chegar aqui.

LIÇÃO B AMPLIAÇÃO DO VOCABULÁRIO

Expressões usadas ao telefone I

Não conseguindo falar ao telefone

O telefone está ocupado.

A ligação caiu.

Não consigo completar a ligação. A linha sempre cai.

Está chamando, mas ninguém atende.

O telefone está tocando. Quem vai atendê-lo?

Acabou a bateria do meu celular.

Preciso carregar a bateria do meu celular.

A. **Coloque as frases abaixo na sequência correta.**

1. O Paulo ainda está aí?
Se ele voltar ainda hoje, peça que me ligue em casa. Acabou a bateria do meu celular.
Boa tarde e até amanhã.
Zuppo, Ângela, boa tarde.
Um momento, Sr. Caio... Está chamando, mas ninguém atende.
Oi, Ângela, é o Caio novamente. A ligação caiu.
Pois não, Sr. Caio. Boa tarde.
Olá, Sr. Caio.

A: ______________________________
B: ______________________________
A: ______________________________
B: ______________________________
A: ______________________________
B: ______________________________
A: ______________________________
B: ______________________________

B. **Complete as frases abaixo com o que achar adequado.**

1. (telefone tocando)
C: O telefone está tocando... ______________________________
____
A: Eu atendo! Alô?
B: Alô! Mônica? Aqui é o Renan...
A: O que é esse barulho?
B: É o meu celular. A bateria está acabando.______________________________
____
A: Alô?.... alô?

2. Carlos: Nívea, você conseguiu falar com o pessoal da Alemanha?
Nívea: Não, senhor. ______________________________
____
Carlos: Você poderia tentar novamente mais tarde?
Nívea: Sim, claro.

LIÇÃO C PANORAMA

Ao telefone

No Brasil, normalmente, nós não nos identificamos ao atender ao telefone. Também, a pessoa que liga, às vezes, pergunta 'Quem está falando?' ou simplesmente diz o nome da pessoa com quem quer falar, como por exemplo, 'A Ana está?' Quando você liga para um lugar e a ligação cai em outro lugar, costumamos nos desculpar e dizer 'foi engano'.

O que você diz, no seu país, quando liga para um lugar?
Quando você atende ao telefone, você sempre se identifica, falando o seu nome?

LIÇÃO C DIÁLOGO

2/15

Sílvia: Alô!
Sérgio: Alô! A Solange está?
Sílvia: Solange? Aqui não tem ninguém com este nome.
Sérgio: Ah, desculpe, foi engano.

Camila: Alô!
Sérgio: Alô! A Solange está?
Camila: Está, um momento.
Solange: Alô!
Sérgio: Oi, Sô. Tudo bem?
Solange: Oi, Serginho. Tudo bem e você?
Sérgio: Tudo. Sô. Eu estou te ligando para te lembrar de que a festa do Betão é amanhã.
Solange: Amanhã? Mas amanhã eu ainda estou sem carro.
Sérgio: Sem problema. Você vai comigo. A que horas passo aí pra te pegar?
Solange: Às 9hs. Está bom pra você?
Sérgio: Ótimo. Combinado, então.

LIÇÃO C GRAMÁTICA

Pronomes pessoais III

Eu estou **te** ligando para **te** lembrar de que a festa do Betão é amanhã. (O '**te**' refere-se ao sujeito 'tu' e não 'você', como no diálogo, mas ele é muito usado na linguagem oral.).
Você vai **comigo**.

Pronomes pessoais retos (sujeito)	Pronomes pessoais oblíquos (objeto indireto)
Eu	comigo
Você	com você
Ele / Ela	com ele/ela
A gente	com a gente
Nós	conosco
Vocês	com vocês
Eles / Elas	com eles/elas

LIÇÃO C **CONSTRUÇÃO DO CONTEÚDO**

A. Complete o diálogo com os pronomes pessoais oblíquos *comigo, com você(s), conosco, com ela/ele, com a gente, com elas/eles.*

Miguel: Aonde você está indo, Roberta?

Roberta: Vou passar na farmácia para comprar um remédio e depois vou dar uma caminhada no parque. Quer vir ________________?

Miguel: Caminhar ______________? Não sei. Estou um pouco cansado.

Roberta: É. Vai ser legal. Vou encontrar meus amigos da aula de dança na frente do parque em meia hora.

Miguel: Mas, você vai caminhar ______________? Pensei que você fosse sozinha.

Roberta: Qual o problema? Deixa de frescura e venha caminhar ________ ________. A gente vai conversando e não sente o tempo passar.

Miguel: Você me convenceu. Vou colocar os tênis. Só um minuto.

B. Observe a figura e escolha a alternativa correta para cada questão.

Situação 1. O que você acha que o homem está dizendo?

( ) "Não trago mais vocês comigo."

( ) "Garçom, quero falar com você."

( ) "Vocês querem brincar com ela?"

Situação 2. O que você acha que a cliente está dizendo?

( ) "Quer almoçar conosco?"

( ) "Podemos entrar com ele?"

( ) "Onde estamos?"

Situação 3. O que você acha que a moça está dizendo?
( ) "Por favor, garçonete."
( ) "O que você quer?"
( ) "Venha almoçar conosco."

Situação 4. Imagine-se nesse restaurante. Quem está com você? O que estão comendo?

____

____

____

C. Oral: Você e seus/suas colegas estão combinando de ir a um churrasco juntos/as. Algumas pessoas possuem carros, outras não. Decidam quem vai com quem. Quem tem carro, oferece carona. Quem não tem, pede carona. Use os pronomes pessoais oblíquos com a preposição COM.

Ex.: *A: Quem quer ir comigo?*
B: Eu não preciso. Vou com ela.
C: Nós vamos todos em um carro. Alguém quer ir conosco? Ainda tem um lugar.

LIÇÃO C AMPLIAÇÃO DO VOCABULÁRIO

Expressões usadas ao telefone II

Alô! Quem fala?
Alô! Quem está falando?
Foi engano. / Desculpe, acho que caiu em outro lugar.
Com quem você quer falar? / Com quem você gostaria de falar?
Você quer deixar recado? Você gostaria de deixar recado?
Eu ligo depois. / Eu ligo mais tarde.
Você poderia pedir para ele / ela me ligar mais tarde?

A. Coloque as frases abaixo na sequência correta.

1. É 5888-8885
Sem problemas.
Alô? Quem fala?
Com a Márcia. Ela está?
Acho que você ligou no número errado. Não tem ninguém aqui com esse nome.
Ah, desculpe, foi engano.
É a Clarisse. Com quem você quer falar?
Qual é o número aí?

A: ______
B: ______
A: ______
B: ______
A: ______
B: ______
A: ______
B: ______

2. Não, eu ligo mais tarde. Obrigado.
Alô, por favor, o Pedro está?
Alô?
Não, ele saiu. Quer deixar recado?
A: ______
B: ______
A: ______
B: ______

B. **Complete as frases abaixo com o que achar adequado.**

1. A: ______
B: Bom dia, posso falar com a Catarina, por favor?

2. A: Alô?
B: Alô, ______, a Joana está?
A: Não, ela saiu. ______
B: Você poderia pedir para ela ______?
A: Claro!

C. **Crie um diálogo mais formal e outro mais informal ao telefone utilizando pelo menos 4 das expressões estudadas nesta unidade.**

______
______
______
______
______
______
______
______
______
______
______
______
______

LIÇÕES A, B e C

COMPREENSÃO AUDITIVA

2/16 **Escute as conversas telefônicas a seguir e assinale (V) verdadeiro e (F) falso para cada frase.**

1. ( ) Nestor não pediu para Bianca ligar para ele.
   ( ) Bianca vai ligar de novo no dia seguinte.
   ( ) Nestor vai para a entrevista sozinho.

2. ( ) Michel ligou de madrugada.
   ( ) Kiko é muito amigo de Michel.
   ( ) Kiko vai sair com o pessoal da faculdade.

3. ( ) Manuel está no quarto.
   ( ) João combinou de buscá-lo no hotel.
   ( ) João precisa recarregar a bateria do celular.

LIÇÕES A, B e C

APLICAÇÃO ORAL DO CONTEÚDO

Ligue para um (a) colega da turma e encene as duas situações abaixo. Use o maior número de pronomes pessoais oblíquos.

Situação 1:
Convide-o (a) para fazer algo com você. (situação informal)

Situação 2:
Seu (sua) colega é, na verdade, seu (sua) colega de trabalho ou professor (a) da faculdade. (situação formal)

LEITURA

A. **Você gosta de falar ao telefone? Quanto tempo você gasta em média ao telefone?**

____

____

____

____

____

B. **Leia o texto abaixo e responda as perguntas.**

Mulheres passam cinco anos ao telefone, diz estudo

da Ansa, em Berlim

As mulheres, ao longo de sua vida, passam em média quatro anos e nove meses falando ao telefone, segundo um estudo publicado pela revista alemã “Bild”.

O estudo, realizado por cientistas britânicos, indica que os homens passam 18 meses a menos do que as mulheres ao telefone. Uma mulher, durante a sua vida, faz 288 mil telefonemas com uma duração média de dez minutos.

Homens e mulheres alegam pretextos semelhantes para encerrar a comunicação e habitualmente se referem à campainha que tocou ou à urgência de necessidades fisiológicas.

Retirado de http://www1.folha.uol.com.br/folha/ciencia/ult306u14044.shtml em 25/11/07

B. **De acordo com o trecho acima, as mulheres falam mais ao telefone do que os homens. Você concorda com esta afirmação? Por quê?**

REDAÇÃO

Com base no texto acima, escreva uma redação e discuta: quem você acha que fala mais em situações formais, como na empresa, os homens ou as mulheres? Explique as razões

CONSOLIDAÇÃO LEXICAL

Complete os diálogos ao telefone abaixo.

UNIDADE 15

Quer ir ao cinema comigo na quinta?

LIÇÃO A PANORAMA

Bate-papo

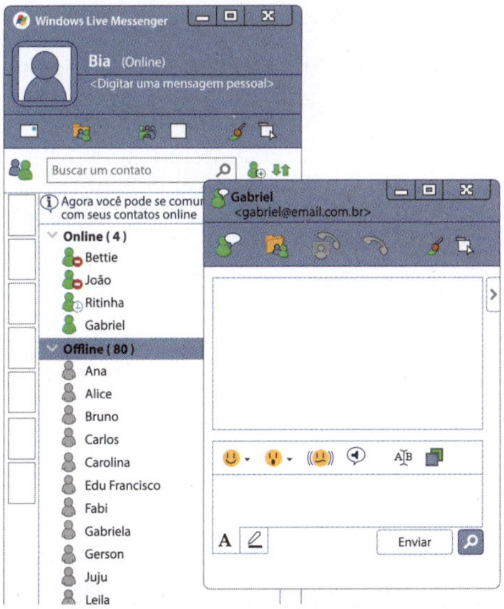

Hoje em dia, os adolescentes, no Brasil, usam o Messenger e o Skype para conversar, mas estes programas de bate papo não estão restritos aos adolescentes, eles são usados por pessoas das mais variadas faixas etárias.

Você já usou ou usa o Messenger, o Skype ou outro programa de bate papo?
O que você acha deles?
Qual recurso você mais utiliza para se comunicar no dia a dia?

LIÇÃO A DIÁLOGO

2/17

Sandra: Oi, você está aí?
Solange: Estou.
Sandra: Só queria te contar uma coisa.
Solange: Conta.
Sandra: Vou sair com o Paulo.
Solange: Jura? Como assim?
Sandra: Bem, ele me ligou ontem e me perguntou: "Quer ir ao cinema comigo na quinta?" Aí eu disse: "Não posso."
Solange: Por quê?
Sandra: Charme.
Solange: E aí?
Sandra: Bem, aí ele me disse: "A gente pode ir na sexta, então!"
Solange: E ...
Sandra: Eu disse: "Na sexta, me convidaram para uma festa."
Solange: Que horror! Que mentirosa!
Sandra: Um pouco de charme não faz mal.
Solange: E aí?
Sandra: Aí ele me perguntou: "E no sábado, você vai sair?" E eu disse: "à tarde, sim, mas, à noite, ainda não tenho compromisso."
Solange: Pobre Paulo.
Sandra: Então, a gente vai ao cinema no sábado à noite

Paulo: Oi, você está aí?
Júlio: Estou um pouco ocupado. Por quê?
Paulo: Só queria te contar uma coisa.
Júlio: Conta logo.
Paulo: Vou sair com a Sandra.
Júlio: Legal.
Paulo: Mas foi difícil, cara.
Júlio: Difícil como?
Paulo: Primeiro eu perguntei para ela se ela queria ir ao cinema comigo na quinta e ela disse que não podia.
Júlio: Ah, ...
Paulo: Aí, eu disse que a gente podia ir na sexta.
Júlio: Ah, ...
Paulo: Aí ela disse que a tinham convidado para uma festa.
Júlio: Você devia ter desistido. Que menina difícil!
Paulo: Não, claro que não. Eu perguntei se ela iria sair no sábado e ela me disse que à tarde sim, mas que à noite ela ainda não tinha compromisso.
Júlio: E você insistiu?
Paulo: É. Então, a gente vai ao cinema no sábado.

LIÇÃO A GRAMÁTICA

Discurso direto e indireto: perguntas e declarações

Discurso direto		Discurso indireto
Pergunta		**Pergunta**
Indicativo - Presente	⟶	**Indicativo - Pretérito Imperfeito**
Bem, ele me ligou ontem e me perguntou: "**Quer** ir ao cinema comigo na quinta?"		Primeiro eu perguntei para ela **SE** ela **queria** ir ao cinema comigo na quinta(...).
Indicativo - Futuro	⟶	**Indicativo - Futuro do Pretérito**
Aí, ele me perguntou: "E no sábado, você **vai sair**?"		Eu perguntei **SE** ela **iria sair** no sábado (...).
Declaração		**Declaração**
Indicativo - Presente	⟶	**Indicativo - Pretérito Imperfeito**
Aí eu disse: "Não **posso**."		... ela disse **QUE** não **podia**.
Indicativo - Pretérito Perfeito	⟶	**Indicativo - Mais-que-perfeito composto**
Eu disse: "Na sexta me **convidaram** para uma festa."		Aí ela disse **QUE** a **tinham convidado** para uma festa.(= Aí ela disse **QUE a haviam convidado** para uma festa. → não é usado na linguagem oral)

LIÇÃO A CONSTRUÇÃO DO CONTEÚDO

A. Passe as frases a seguir para o discurso indireto.

1. Marilda: "Não vou mais *mandar* torpedos para você."
   Marilda ______________________________
2. Sérgio: "As pessoas responsáveis pela lan house *estão* presentes?"
   Sérgio ______________________________
3. Sidney: "*Fiz* uma aula inteira pelo Skype."
   Sidney ______________________________
4. Lineide: "Para quem você *está* mandando essa mensagem?"
   Lineide ______________________________
5. Melina: "Eu tenho todos os programas para conversar on-line."
   Melina ______________________________

B. Quando estamos narrando um evento, muitas vezes não usamos DISSE, PERGUNTOU etc. Leia os diálogos e complete as frases com discurso indireto.

1. Mauro: Oh, meu Deus! Esqueci minha mochila! Estou perdido. Que faço?
   Lucas: Não sei.

Quando Mauro entrou no metrô, percebeu que_______________ a mochila.

2. Júlia: Nosso chefe vai chegar em dois minutos. Anda logo, Renato. Acho que não conseguiremos falar com ele.
   Renato: Estou pronto. Vamos.
   Eu pedi para o Renato se apressar porque achei que não _______________ falar com nosso chefe.

3. Lília: Você sabe nadar?
   Pedro: Sei.
   Lília: Ainda bem.
   Quando nosso bote virou, dei graças a Deus que o Pedro _______________.

4. Sandra: Você vai chegar para o jantar?
   Amauri: Vou chegar umas 7 da noite.
   Minha esposa me perguntou_______________para o jantar. Eu disse a ela que_______________umas 7 da noite.

C. Oral: Fale as frases dadas a um/a colega. Ele/a, por sua vez, deve relatar à sala o que lhe foi dito ou perguntado usando o discurso indireto.

Ex.: *Sueli: Onde você mora, Paulo?*
Paulo: A Sueli me perguntou onde eu morava.

1. Você dará aulas de português um dia?
2. Onde o (a) professor (a) estudou?
3. O país tem muitas oportunidades de crescimento.
4. Eu não morei em muitos países.
5. Logo, usaremos os computadores para todos os afazeres domésticos.
6. Os funcionários da minha empresa recebem vários benefícios.

7. ____
   (pergunta – futuro do presente do indicativo)

8. ____
   (declaração – pretérito perfeito do indicativo)

9. ____
   (pergunta – presente do indicativo)

10. ____
    (declaração – futuro do presente do indicativo)

LIÇÃO A **AMPLIAÇÃO DO VOCABULÁRIO**

Comunicação via computador

atividades		**recursos**
escrever, enviar, receber, ver	⟶	e-mail
bater papo/ conectar/ enviar arquivos	⟶	Messenger
bater papo/ ligar pelo	⟶	Skype
pesquisar/ ler/ entrar no	⟶	site
navegar na	⟶	internet
ter, entrar na, ler	⟶	página na internet
ter, entrar no, ler	⟶	blog

A. **Complete os diálogos abaixo com a melhor opção.**

ligar para	e-mail	ler	entrar no
Messenger	escrever	receber	ver

1. Chefe: Você já enviou o ____________________ para a filial na Argentina, Margarida?
   Margarida: Ainda não. Estou acabando de ________________ , senhor.
   Chefe: Certo. Quando ____________ uma resposta, me avise, ok?

2. A: A internet está ligada?
   B: Está sim. Você quer usar?
   A: Quero ____________________ meus e-mails e falar com um amigo pelo ____ .
   B: Quem?
   A: Como você é curiosa!
   B: Espera só um minutinho, deixa eu acabar de _____________ essa matéria na página do jornal.

3. A: Mari, o Skype está ligado? Preciso _______________ o Paolo, na Itália.
   Mari: Está sim. Peça a ele para __________________ meu blog! Coloquei umas fotos bem legais da gente lá.
   A: Tá certo...

LEMBRA?
'TÁ' É COMO NORMALMENTE FALAMOS 'ESTÁ'.

B. **Responda as perguntas abaixo.**

1. Você recebe/ envia muitos e-mails? Quantos? Eles são, em sua maioria, profissionais ou pessoais?

____

____

____

____

2. Você tem o costume de navegar na internet em suas horas vagas? Em que tipo de *sites* costuma entrar?

LIÇÃO B **PANORAMA**

Recados

O recado é uma mensagem curta escrita ou oral. É comum o uso de recados no nosso dia a dia. Quando escritos, os recados também costumam ser via celular e, neste caso, recebem o nome de torpedo.

Você costuma enviar ou receber muitos recados? Se sim, para quem?
Você envia ou recebe muitos torpedos?

LIÇÃO B **DIÁLOGO**

2/18

Lurdes: Si, por favor, ligue para o seu pai e veja se ele quer ir à festa da Sônia hoje à noite. Estou atrasada, tchau.

Simone: Tchau.

(mais tarde)

Simone: Oi, pai, a mãe me pediu pra ligar pra ver se o senhor quer ir à festa da Sônia hoje à noite.

Pedro: Diga a sua mãe que eu gostava dessas festas da Sônia, mas agora não as suporto mais. Prefiro ficar em casa. Ah, Si, peça uma pizza para depois das 10hs.

(mais tarde)

Lurdes: Oi, Si. Ligou pro seu pai?

Simone: Liguei.

Lurdes: E ele vai à festa?

Simone: Não. Ele disse que gostava dessas festas da Sônia, mas não as suporta mais.

Lurdes: O quê? Mas *eu* quero ir à festa.

Simone: Bem, ele mandou eu pedir uma pizza para depois das 10hs.

Lurdes: Então, envie um torpedo para ele e diga que ele vai comer a pizza sozinho.

LIÇÃO B GRAMÁTICA

Discurso direto e indireto: ordens e declarações

Discurso direto **Imperativo**	**Discurso indireto** **Infinitivo**
Si, **ligue** para o seu pai e **veja** se ele quer ir à festa da Sônia hoje à noite.	Oi, pai, a mãe me <u>pediu</u> pra **ligar** para **ver** se o senhor quer ir à festa da Sônia hoje à noite.
Si, **peça** uma pizza para depois das 10hs.	Ele <u>mandou</u> eu **pedir** uma pizza para depois das 10hs.

Indicativo - Pretérito Imperfeito	⟶	Indicativo - Pretérito Imperfeito
Indicativo - Presente (verdades permanentes)	⟶	Indicativo - Presente
Diga a sua mãe que eu **gostava** dessas festas da Sônia, mas agora não as **suporto** mais.		Ele disse que **gostava** dessas festas da Sônia, mas não as **suporta** mais.

LIÇÃO B CONSTRUÇÃO DO CONTEÚDO

A. Passe as frases a seguir para o discurso direto.

1. Luciano me pediu para entrar no blog dele e ler a crônica sobre a internet.
Luciano: "____
____"

2. Bruno disse que quando era adolescente, passava muitas horas em frente ao computador.
Bruno: "____
____"

3. Caio mandou eu me conectar no Skype para economizar com a conta telefônica.
Caio: "____
____"

4. Eugênio perguntou se eu gosto de entrar em salas de bate-papo e *sites* de relacionamento.
Eugênio: "____
____"

5. Zenaide pediu para eu não falar mais sobre problemas do *site* com o gerente e sim com ela.
Zenaide: "____
____"

B. Reescreva o diálogo a seguir em forma de narração, passando as falas de discurso direto para indireto.

Mara: Geraldo, por favor, pegue estes textos aqui e coloque no *site*.
Geraldo: Eu fazia este trabalho, Mara, antes de o José chegar. Agora, quem faz é ele.
Mara: Tudo bem, obrigada. Chame o José na minha sala então.
Geraldo: Ele está fora do país.
Mara: Bem, então ligue para ele e avise que precisamos dos serviços dele com urgência.

____
____
____
____
____
____
____
____
____
____
____
____
____
____

C. **Oral:** Dê 5 ordens a um/a colega. Use tanto a linguagem formal (por favor) quanto a informal. O/A colega deve relatar para a turma o que lhe foi ordenado.

Ex.: *Lúcio: Cátia, por favor, coloque minha bolsa sobre a mesa.*
Cátia: O Lúcio me pediu para colocar sua bolsa sobre a mesa.

LIÇÃO B AMPLIAÇÃO DO VOCABULÁRIO

Comunicação escrita e oral

verbo		meios
dar, receber, transmitir, escrever, passar	⟶	recado (s)
dar, receber, transmitir, escrever, passar	⟶	mensagem (ns)
fazer, aceitar, recusar	⟶	pedido (s)
fazer, receber, aceitar, recusar	⟶	encomenda (s)
fazer, receber, aceitar, recusar, adiar	⟶	convite (s)
escrever, enviar (mandar), receber	⟶	torpedo (s)
fazer, receber, atender, transferir	⟶	ligação (ões)

A. O que é, o que é?

No escritório

1. Você escreve. Você transmite. Você dá. Você passa. Você recebe.

____

2. Você atende. Você faz. Você recebe. Você transfere.

____

3. Você faz. Você aceita. Você recusa.

____

4. Você adia. Você recusa. Você aceita. Você recebe. Você faz.

____

5. Você manda. Você escreve. Você recebe. Você envia.

____

6. Você aceita. Você recusa. Você faz. Você recebe.

____

B. Quais são os locais em que você se comunica usando um dos meios de comunicação acima? E com quem você se comunica?

Ex.: Ligação: No trabalho, na rua (celular), em casa. Normalmente ligo para meus amigos, esposa, marido...

1. ______________________________
2. ______________________________
3. ______________________________
4. ______________________________
5. ______________________________
6. ______________________________

C. Coloque a palavra mais adequada no texto.

transmitir	encomenda	convite	torpedo
	transferência	pedido	

Fazer HOJE!!!!

✓ A ______________ pela Fedex chega hoje! Aceitar!
✓ Aceitar o ______________ do chefe para almoçar com os clientes do Paraná.
✓ Ativar a ______________ de chamadas para a mesa do Tadeu nos meus dias de folga.
✓ Fazer o ______________ das peças que estão faltando.
✓ ______________ o seguinte recado para a Fabiana: O pedido número 8543 foi cancelado.
✓ Mandar um ______________ para a esposa. Vamos viajar hoje!!!!

LIÇÃO C PANORAMA

Eventos

As grandes empresas costumam promover eventos. Normalmente, dá muito trabalho e leva muito tempo organizar todas as atividades, conseguir o local e verificar todos os detalhes do evento. Há também muitas pessoas envolvidas, desde os convidados até as pessoas que preparam a comida a ser servida.

Você já participou de algum evento? Você já organizou algum evento? Quais são as principais coisas de que um evento precisa para ter sucesso?

LIÇÃO C DIÁLOGO

2/19

Taís: Márcio, a Clara me disse, há pouco, que está tudo bem para o evento da semana que vem.

Márcio: Quase tudo, Taís.

Taís: Como quase, Márcio? Ela não me disse isso.

Márcio: O que você perguntou à Clara?

Taís: Como assim?

Márcio: Você perguntou pra ela se faltava algo?

Taís: Não. Eu apenas lhe perguntei se estava tudo bem com os preparativos do evento.

Márcio: Está tudo bem, mas faltam alguns detalhes.

Taís: Por exemplo?

Márcio: Precisamos fechar com o hotel a comida que vai ser servida e ver se a aparelhagem, como microfones, computadores e projetores do hotel funcionam bem.

Taís: Ah, ainda bem. Não são muitas coisas.
Márcio: Como eu disse, faltam alguns detalhes.
Taís: Bem. Confio em você. Deixo tudo em suas mãos. Você é meu braço direito, certo?

LIÇÃO C GRAMÁTICA

Posição dos pronomes que atuam como objetos

Em linguagem oral:	**Em linguagem escrita:**
sujeito + pronome objeto + verbo	sujeito + verbo + pronome objeto (observe o uso do hífen)
Márcio, a **Clara me disse**, há pouco, que está tudo bem pra o evento da semana que vem.	A **Clara disse-me**, há pouco, que está tudo bem.
Você **lhe perguntou** se faltava algo?	**Você perguntou-lhe** se faltava algo?

Palavras que atraem o pronome em linguagem oral e escrita:
sujeito + palavra que atrai o pronome (não, apenas etc) + pronome objeto + verbo.
Ela <u>não</u> me disse isso.
Eu <u>apenas</u> lhe perguntei se estava tudo bem com os preparativos do evento.

Outras palavras que atraem o pronome: **ambos, todo, tudo, alguém, qualquer, outro, que, quem etc***
*** ver lista completa no apêndice**

LIÇÃO C CONSTRUÇÃO DO CONTEÚDO

A. Complete o diálogo com pronomes pessoais oblíquos nas posições que julgar mais adequadas usando também as palavras em parênteses.

Vinícius: Gi, eu não ______________ (CONTEI) sobre minha conversa com a Elena, contei?
Gisele: Não. O que ela ____________________ (DISSE)? Que você deve ______________________________________ (ESQUECER)?
Vinícius: Mais ou menos isso. Ela __________________ (FALOU) que não quer mais receber ligações, mensagens, torpedos e convites meus.
Gisele: Você vai ____________________ (OBEDECER)? Afinal, você não fez nada. Ela está completamente enganada. Vou____________ (MANDAR) um torpedo dizendo que quero falar com ela. Marco um encontro. Aí, você aparece lá.
Vinícius: Boa ideia. Alguém ________________________ (DISSE) que ela irá à academia hoje. Combine com ela lá e eu apareço.
Gisele: Pra que servem os amigos?

B. **Corrija erros que achar com os pronomes objetos.**

1. Eu ainda não dei-te meu endereço de e-mail.
2. Vou sempre dizê-la a verdade para que nossos negócios sejam claros.
3. Ambos deram-me o mesmo presente.
4. Os web designers acharam-o muito simples. Querem um *site* com mais recursos.
5. Nós apenas transferimo-lo para o Rio de Janeiro após o término do projeto.

C. **Oral: Siga as figuras e narre o que está acontecendo. Use as palavras indicadas.**

enviar
mensagem
lhe

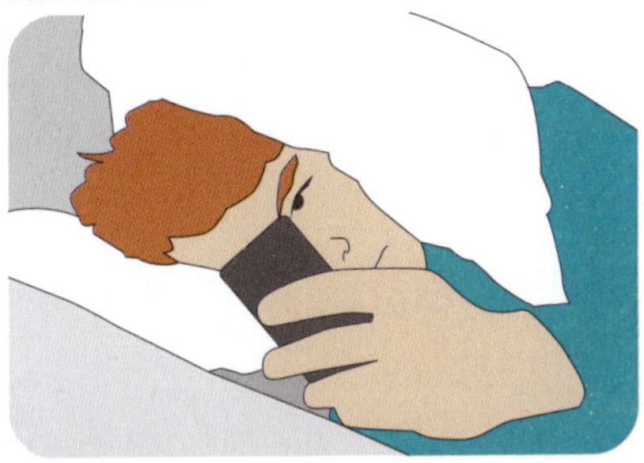

receber
torpedo

mandar
levar
documentos

perguntar
lhe

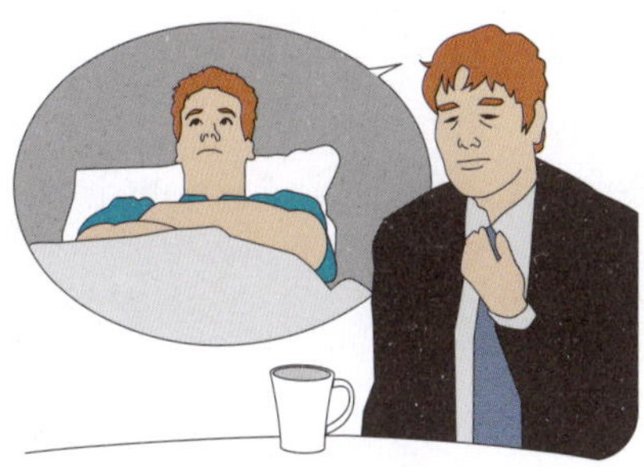

responder
dormir

LIÇÃO C AMPLIAÇÃO DO VOCABULÁRIO

Expressões com partes do corpo

deixar nas mãos (de alguém)
ser o braço direito
Exemplo: Confio em você. **Deixo** tudo **em suas mãos**. Você é **meu braço direito**, certo?

ser todo ouvidos
Exemplo: Pode falar qual é o seu problema. **Sou todo ouvidos**.

estar com a pulga atrás da orelha
Exemplo: Ouvi dizer que a minha empresa está com problemas. Meu chefe anda calado. Acho que vai ter cortes. **Estou com a pulga atrás da orelha**.

estar de olho em

Exemplo: Adoro comprar sapatos. **Já estou de olho em** um par que vi na semana passada. Só estou esperando receber o pagamento para comprá-lo.

estar com dor de cotovelo

Exemplo: A Mariana está namorando o meu ex-namorado. Quando ela me contou, não fiquei entusiasmada porque não gosto mais dele. Ela me disse que **estou com dor de cotovelo** porque estou sozinha. Você também acha?

ter olho gordo

Exemplo: O Ricardo está sempre querendo saber o que eu comprei e quanto paguei para depois comprar algo parecido. Mas nunca parece estar satisfeito com o que comprou, parece querer o meu. Eu sinto que ele **tem olho gordo**. Não gosto disso.

entrar com o pé esquerdo

Exemplo: Por favor, Lucas, chega de azar! Você tem que **entrar** no Ano-Novo **com o pé** direito e não com o **esquerdo**.

A. Ligue as expressões às definições.

1. deixar nas mãos (de alguém)
2. ser o braço direito
3. ser todo ouvidos
4. estar com a pulga atrás da orelha
5. estar de olho em
6. estar com dor de cotovelo
7. ter olho gordo
8. entrar com o pé esquerdo

a. ter desejo, com intentos sobre (alguém ou algo)
b. ter desejo ardente de possuir ou conseguir alguma coisa de outrem; inveja, cobiça
c. estar com suspeita de alguma coisa; desconfiado
d. poder decisório; domínio, controle, cuidado
e. ter despeito provocado pelo ciúme ou pelo fato de se ter sofrido alguma decepção amorosa
f. estar com azar, muito mal
g. prestar total atenção
h. ser principal e eficaz auxiliar; braço forte

B. Complete as frases abaixo com a melhor expressão do quadro. Conjugue os verbos, se necessário.

braço direito	deixar nas mãos	dor de cotovelo
a pulga atrás da orelha	ser todo ouvidos	estar de olho

1. A: Letícia, olha só que vestido lindo!
B: É mesmo... mas olha o preço.
A: Ai, ____________________ nele há tanto tempo. Será que eles aceitam cartão de crédito?

2. Pat: Van, preciso falar com você.
Van: Claro! ________________________________ . O que foi?
Pat: É o Júlio. Não sei mais o que fazer para ele me chamar pra sair.
Van: ____________________ de Deus. Vai dar tudo certo, amiga!
Pat: Espero que sim.

3. A: Mateus, você sabe que você é meu ________________ aqui na empresa, não é?
B: Poxa, obrigado, sr. Avanir.
A: Por isso quero que você me faça um favor. Estou com ________________ quanto a um de nossos funcionários. Você pode ficar de olho nele para mim, por favor?
B: Claro, pode deixar.

4. Paulo: Ah, cara, estou chateado.
Júlio: O que foi?
Paulo: Desisti da Sandra. Ela não é nada daquilo que eu imaginava. Lembra aquele dia que nós fomos ao cinema? Depois disso estou tentando falar com ela e ela nem me liga ou responde os meus recados. Pensando bem, acho que ela nem é tão bonita assim e...
Júlio: iiii, acho que você está é com ____________________ .
Paulo: Você está louco! Bem, talvez só um pouco...

C. Você já passou por uma situação na qual começou com o pé esquerdo? Como foi? Acabou dando certo no final?

____

____

____

____

LIÇÕES A, B e C COMPREENSÃO AUDITIVA

2/20 Ouça os diálogos e marque V (verdadeiro) ou F (falso) para cada frase.

1. ( ) O chefe da Carminha pediu para ela refazer a proposta de orçamento.
( ) A colega da Carminha gosta muito dela e a apoia.
( ) A colega da Carminha disse: "Ela sai todos os dias mais cedo do que os outros funcionários".

2. ( ) A recepcionista disse que o entregador não podia deixar a encomenda na recepção.
( ) A recepcionista perguntou ao entregador sobre o remetente.
( ) Marlene mandou a recepcionista abrir o pacote na recepção.

3. ( ) A esposa disse: "Vou chamar o técnico hoje".
( ) A esposa disse: "O som está falhando".
( ) A esposa disse: "Não vou conseguir ouvir direito minha irmã".

LIÇÕES A, B e C APLICAÇÃO ORAL DO CONTEÚDO

Troque opiniões com um/a colega sobre as seguintes afirmações. Ao final da discussão relate à sala o que foi discutido.

"As relações pessoais estão enfraquecendo porque resolvemos tudo por e-mail, vídeo conferência e outros recursos tecnológicos".

"O tempo que economizamos com a tecnologia nos permite passar mais tempo com as pessoas de que gostamos".

"Quem não sabe operar computadores bem, não conseguirá sucesso na vida acadêmica e no mercado de trabalho".

"Antigamente era mais difícil conhecer pessoas de outras cidades ou países, mas a tecnologia agora nos permite fazer muitos amigos de verdade".

LEITURA

A. **Você já fez alguma aula de idiomas pela web? Se sim, como foi a experiência? Se não, você faria?**

____

____

Aulas de inglês já migram para a web

Professores particulares usam MSN e Skype com os alunos virtuais
Filipe Serrano

Se a falta de tempo e o trânsito são grandes obstáculos para quem quer aprender inglês, que tal experimentar aulas pelo MSN ou Skype? Nem sempre dá certo, mas, se o aluno for esforçado e o professor conhecer as especificidades do ensino à distância, o resultado pode ser positivo.'Nada substitui o cara a cara, mas a facilidade e a agilidade superam a diferença de não ver o professor', diz o empresário Leandro Oliveira Felizali, 34 anos, que começou a fazer aulas por Skype há três semanas. As aulas on-line se baseiam tanto em conversas escritas ou por voz, em geral utilizando programas como o MSN e o Skype, que possibilitam se comunicar de forma instantânea e sem custos adicionais além da conexão à internet. A principal vantagem é que não é preciso se deslocar para uma escola de inglês ou até a casa do professor particular. Além disso, há mais flexibilidade de horários. Por isso, quem tem optado pelas aulas virtuais são pessoas que trabalham muito e têm pouco tempo para estudar.Para os professores, poder dar aula sem sair de casa e nos horários mais diversos é vantajoso e resulta em economia para o aluno, já que uma aula particular via MSN ou Skype em geral custa menos do que uma presencial. Segundo Roberto Palhares, diretor da Associação Brasileira de Ensino à Distância (ABED), a falta de contato físico não diminui necessariamente a eficiência das aulas, mas ele qualifica a proposta de aulas particulares virtuais como 'uma aventura'. 'Depende muito do professor. Se estiver disposto, pode fazer um bom trabalho. Mas ele tem que ter uma base pedagógica forte e avaliar a evolução do aluno', diz Roberto. Já os alunos que optarem por fazer um curso virtual precisam ter disciplina para estudar sozinhos e não se distrair com TVs, rádio, internet e gente em volta.

Adaptado de http://www.estado.com.br/suplementos/info/2006/11/06/info-1.93.8.20061106.20.1.xml em 29/11/2007

B. Responda as perguntas.

1. De acordo com o texto, como são as aulas pela web? Quais são os pontos positivos e negativos?

___

___

___

2. Se você nunca fez aulas pela web, com base no texto que você acabou de ler, você faria uma a fim de experimentar?

___

___

___

___

REDAÇÃO

O que você acha da tecnologia que substitui o homem? O homem em contato quase diário com a máquina relaciona-se com as pessoas de forma diferente de quando havia menos máquinas? Com base nos textos e questões acima redija uma redação sobre 'a tecnologia e o homem moderno'.

___

___

___

___

___

___

___

___

CONSOLIDAÇÃO LEXICAL

Comunicação escrita e oral

Risque as opções que não combinam.

1. e-mail	bater papo	receber	escrever
	enviar	pesquisar	ler
2. Messenger	receber mensagens	escrever mensagens	enviar mensagens
	bater papo	pesquisar	enviar arquivos
3. Skype	escrever mensagens	enviar mensagens	bater papo
	conectar ao	ligar pelo	ler
4. *Site*	pesquisar	bater papo	enviar
	ler	entrar no	navegar no
5. Internet	ter uma conexão com a	navegar na	entrar na
	ler	ter	ligar pela
6. páginas na internet	traduzir	navegar em	entrar nas
	ler	ter	ligar pela
7. blog	entrar no	navegar em	traduzir
	ler	ter	ligar pelo
8. recado/mensagem	entrar	receber	ter
	transmitir	escrever	passar
9. pedido	ter	fazer	receber
	aceitar	recusar	dar
10. encomenda	fazer	receber	ter
	ler	aceitar	recusar
11. convite	fazer	entrar	ler
	receber	aceitar	recusar
12. torpedo	escrever	ler	enviar
	mandar	aceitar	receber
13. ligação	escrever	ter	receber
	fazer	atender	passar

UNIDADE 16

Imagine fazer uma viagem de bicicleta!

LIÇÃO A PANORAMA

Viagem

O turismo é uma viagem ou excursão. Há vários tipos de turismo, como: o turismo rural, o cicloturismo, o ecoturismo, o enoturismo e o espeleoturismo entre outros. O turismo rural é feito em áreas agrícolas. O cicloturismo é aquele feito com bicicleta. O ecoturismo é voltado para a apreciação da natureza. O enoturismo é aquele em que ocorre visita a áreas que produzem vinho. E o espeleoturismo é aquele que explora cavernas e grutas.

Você gosta de viajar?
Que tipo de turismo você gosta de fazer? Por quê?
Você já fez algum dos turismos citados acima?

LIÇÃO A DIÁLOGO

2/21

Pedro: Que revista é essa que você está lendo?
Carla: É uma revista sobre turismo.
Pedro: Que legal! Você está pensando em viajar?
Carla: Estou, sim. Quer ir junto?
Pedro: Depende do lugar e de quando.
Carla: Meu último cicloturismo foi para São Francisco Xavier.
Pedro: Ciclo o quê?
Carla: Cicloturismo. É uma viagem curta ou longa de bicicleta.
Pedro: De bicicleta?
Carla: É. Por que o espanto?
Pedro: Imagine fazer uma viagem de bicicleta!
Carla: É maravilhoso! Você sente uma liberdade incrível. Além disso, andar de bicicleta é ótimo para a saúde.
Pedro: Desculpe, Carla, mas para a saúde prefiro ir à academia.
Carla: Que pena! Você não gosta de aventuras?
Pedro: De jeito nenhum. Sou do tipo caseiro ou acomodado. Gosto mesmo de conforto.

LIÇÃO A GRAMÁTICA

Regência verbal e nominal

Regência verbal	Regência nominal
Você está **pensando em** viajar? Além disso, **andar de bicicleta** é ótimo para a saúde. Você não **gosta de aventuras**? Desculpe, Carla, mas para a saúde prefiro **ir à** academia. **Sou do tipo** caseiro ou acomodado.	É uma **revista sobre turismo**. (= É uma **revista de turismo**) É uma **viagem** curta ou longa **de bicicleta**. Além disso, andar de bicicleta é **ótimo para a saúde**.

LIÇÃO A CONSTRUÇÃO DO CONTEÚDO

A. Complete o diálogo com os verbos abaixo no tempo verbal correto e acrescente a preposição adequada.

andar	gostar	ir (2)	ser	pensar(2)

à	de	em	a	do	em	de

Alan: Meu, eu tenho que ____________ cidade de Brotas.
Adolfo: O que tem lá?
Alan: Ecoturismo de aventura. Você ____________ rafting?
Adolfo: Na verdade, prefiro fazer viagens mais culturais. Você nunca ________ ir para Minas Gerais ver as estátuas do Aleijadinho? É ótimo para aprender um pouco de História do Brasil.
Alan: Depois que eu ficar velho eu ____________ esses lugares. Eu ____________ tipo "vamos curtir a vida". Entende?
Adolfo: Entendo. Mas eu estou ____________ conhecer Machu Pichu. O problema é que tenho que ____________ avião. Isso não dá.
Alan: Acho que você é muito medroso, cara. Vamos fazer rafting em Brotas e você vai mudar de ideia.
Adolfo: Um dia. Quem sabe?

B. Complete as frases com suas próprias informações.

Adoro ler livros sobre ____________________.

Acho viagens de ____________________
muito desconfortáveis.

Conhecer outros países é ótimo para ____________________
____________________.

Não aprecio muito revistas sobre ____________________.

Viajar sozinho é péssimo para ____________________
____________________.

C. Oral: Entreviste seus colegas e descubra quem...

	Nomes	Motivo
... não pensa em sair do país.	________	____________
... não gosta de andar de bicicleta.	________	____________
... é do tipo caseiro.	________	____________
... não lê revistas de negócios.	________	____________
... gosta de viagens de trem.	________	____________
... acha que viajar é ruim para descansar.	________	____________

LIÇÃO A AMPLIAÇÃO DO VOCABULÁRIO

Tipos de viagem e lugares para hospedagem

Paulo Fridman/SambaPhoto

Alexandre Wittboldt/SambaPhoto

Viagens

pacote turístico	viagem de turismo
por conta própria	viagem de lua de mel
excursão	viagem de fim de semana
individual	viagem no feriado
com grupo	viagem no feriado prolongado
viagem de negócios	(feriado prolongado = ponte)

Hospedagem

hotel 5 estrelas (4 estrelas; 3 estrelas e 2 estrelas)	balneário
hotel fazenda	pousada
SPA	pensão
	albergue

A. Você está pensando em viajar? Descreva...

Tipo de viagem: ______________________________

Hospedagem: ______________________________

Lugar(es) de interesse: ______________________________

Quantos dias: ______________________________

Quantas pessoas irão com você: ______________________________

Quanto você está disposto(a) a gastar: ______________________________

B. Escolha o roteiro de viagem que mais lhe agrada de acordo com os critérios escolhidos em A:

VIAGENS 'MUITO PRAZER'

Gramado Resort & Spa - 8 dias e 7 noites
Hotel Resort
Localizado no centro de Gramado
Apartamento Luxo
Diária com meia pensão
Ideal para casais em lua de mel
a partir de R$ 1.588,00

Aproveite os roteiros especiais e assista de perto aos Carnavais carioca e paulista!
Rio de Janeiro e São Paulo - 5 dias e 4 noites
Opções de hospedagem: Hotel 2 estrelas e albergue
Café da manhã opcional
a partir de R$ 2.798,00

Eduardo Barcellos/SambaPhoto

Fernando de Noronha e Natal
8 dias e 7 noites
Natal: Hotel 3 estrelas e
Fernando de Noronha. Pousada
Com café da manhã
a partir de 10 x 212,80 =
R$2.128,00

Silvestre Silva/SambaPhoto

Belo Horizonte e as Cidades Históricas Mineiras
4 dias e 3 noites
Hotel 4 estrelas
Com café da manhã
a partir de R$1.168,00

Ed Viggiani/SambaPhoto

Campos do Jordão
3 dias e 2 noites
Hotel fazenda
Com café da manhã
a partir de R$250,00

C. Por que você escolheu esse roteiro? Caso nenhum dos roteiros acima seja o que você deseja, crie seu próprio roteiro de viagem abaixo.

LIÇÃO B PANORAMA

Reservas

Quem quer fazer uma boa viagem, antes de sair de casa, precisa organizar várias coisas, como, por exemplo, fazer uma lista das principais coisas a serem levadas; comprar passagem ou revisar o carro; reservar hotel e fazer as malas com, pelo menos, um dia de antecedência.

Você costuma organizar sua viagem com antecedência?
Você é organizado/a?
Que coisas você faz antes de viajar?

LIÇÃO B DIÁLOGO

2/22

Telefonista: Hotel da Costa, bom dia. Com quem gostaria de falar?

Suzana: Reservas, por favor.

Telefonista: Um momento.

Atendente: Bom dia. Meu nome é Patrícia. Como posso ajudá-la?

Suzana: Eu gostaria de saber qual o preço de um quarto duplo.

Atendente: A diária do quarto duplo custa R$ 105,00 e mais 10% de taxa de serviço.

Suzana: O café da manhã está incluído?

Atendente: Está.

Suzana: Qual é a forma de pagamento?

Atendente: No balcão: cheque, cartão de crédito ou em dinheiro. Pagamento antecipado: cartão de crédito ou transferência bancária.

Suzana: Tem desconto se eu pagar antecipadamente?

Atendente: Tem. Se a senhora preencher a ficha on-line e pagar com antecedência, a taxa de 10% não será cobrada.

Suzana: Então, vou fazer a reserva on-line. E se eu sair antes?

Atendente: Neste caso, podemos descontar das coisas que a senhora consumir no hotel.

Suzana: Tudo bem, então. Você pode me passar o *site*?

Atendente: Claro! www.costahotel.ht.com.br. Quando a senhora chegar, peça para falar com a Patrícia.

Suzana: Obrigada.

LIÇÃO B GRAMÁTICA

Futuro do Subjuntivo – verbos regulares

Tem desconto **se** eu **pagar** antecipadamente?

Se a senhora **preencher** a ficha on-line e pagar com antecedência, a taxa de 10% não será cobrada.

E **se** eu **sair** antes?

Quando a senhora **chegar**, peça para falar com a Patrícia.

Uso e formação

Uso: O futuro simples do subjuntivo indica acontecimento incerto no futuro. A incerteza no futuro fica mais clara em frases com SE. Frases com QUANDO tem mais probabilidade de ocorrer. O verbo da oração principal pode ficar no presente ou no futuro do presente do indicativo.

Exemplo: **Se** a senhora **preencher** a ficha on-line e pagar com antecedência, a taxa de 10% não **será** cobrada.
Se a senhora **preencher** a ficha on-line e pagar com antecedência,a taxa de 10% não é cobrada.

Formação: Substitui-se a terminação *–ram* da terceira pessoa do plural do pretérito perfeito simples do indicativo pelas seguintes terminações para as três conjugações (-ar/ -er e -ir): *-r*, *-rmos*, *-rem*

Exemplo: eles paga*ram* → se eu paga*r*; nós paga*rmos*; eles paga*rem*
eles preenche*ram* → se eu preenche*r*; nós preenche*rmos*; eles preenche*rem*
eles saí*ram* → seu eu sai*r*; nós sai*rmos*; eles saí*rem*

Veja abaixo os verbos conjugados:

Futuro do Subjuntivo

PAGAR/CHEGAR		**PREENCHER**		**SAIR**	
Eu	pagar/chegar	Eu	chegarem	Eu	sair
Você Ele Ela A gente	pagar/chegar	Você Ele Ela A gente	chegarem	Você Ele Ela A gente	sair
Nós	pagarmos/chegarmos	Nós	preenchermos	Nós	sairmos
Vocês Eles Elas	pagarem/chegarem	Vocês Eles Elas	preencherem	Vocês Eles Elas	saírem

LIÇÃO B CONSTRUÇÃO DO CONTEÚDO

A. Circule a forma correta para completar a frase.

1. Se ela **pagar / pagarem** com cartão de crédito, o pacote sai mais barato.
2. Quando nós **preencheram / preenchermos** o formulário, eles entregarão o passaporte.
3. Se os trens **sairão / saírem** muito cedo, podemos pegar um táxi até a estação.
4. Se você **perder / perderia** seus documentos, avise o consulado de seu país.
5. Quando o ônibus **partirá / partir**, ligue no meu celular para avisar.
6. Se os turistas não **chegarem / chegariam** na hora, teremos que avisar o museu.

B. Encontre as partes que melhor completam as orações principais.

1. ( ) Eles voltarão aqui muitas vezes...
2. ( ) Todos nós viajaremos na quinta...
3. ( ) Está esperando notícias do Paulo? Eu te aviso...
4. ( ) Peça mais uma toalha...
5. ( ) Por favor, avise-nos...

a. quando você falar com a camareira.
b. quando ele ligar.
d. quando o número do voo aparecer na tela.
c. se a empresa emendar o feriado.
e. se gostarem daqui.

C. Oral: Complete as perguntas com o futuro do subjuntivo e o futuro ou o presente do indicativo. Depois faça as perguntas a um(a) colega.

1. O que você ________________ (FAZER) se ________________ (chover) no fim de semana?
2. Quando o curso de português ________________ (ACABAR), você ________________ (CONTINUAR) estudando?
3. Se você ________________ (VIAJAR) nos próximos anos, para onde ________________ (IR)?
4. O que você ________________ (PRETENDE) fazer quando o inverno/verão ________________ (CHEGAR)?
5. Quando você ________________ (chegar) aos ________________ anos, onde ________________ (quer) estar? *ou* o que ________________ (querer) estar fazendo?

LIÇÃO B AMPLIAÇÃO DO VOCABULÁRIO

Hotel

Descrição dos quartos
quarto *single* (para uma pessoa)
quarto duplo (para duas pessoas)
quarto triplo (para três pessoas)
suíte (apartamento com sala de estar e quartos separados)
suíte *single*
suíte dupla

Geral
diária
hospedagem
acomodações
espaço para eventos
com / sem taxa de serviço

Serviços e instalações oferecidos
café da manhã
meia pensão
TV a cabo
frigobar
cofre
ar condicionado
telefone
acesso a internet
traslado
ventilador de teto
despertador
serviço de quarto

A. Ligue as opções às definições

quarto single	local para congressos, reuniões de negócios etc
quarto duplo	café da manhã e outra refeição (almoço ou jantar) inclusos
quarto triplo	transporte geralmente do aeroporto/hotel e hotel/aeroporto
suíte	cada noite dormida no estabelecimento
meia pensão	acomodação para três pessoas
taxa de serviço	apartamento com sala de estar e quartos separados
frigobar	acomodação para uma pessoa
traslado	refrigerador compacto
diária	acomodação para duas pessoas
espaço para eventos	importância adicionada ao valor das despesas dos hóspedes, normalmente de 10%

B. Trabalhe com um(a) colega.

Aluno A: Você quer mais informações sobre o pacote descrito abaixo.
Aluno B: Você trabalha na agência de turismo (vá para a página seguinte para obter todas as informações sobre o pacote).

Utilizem as frases apresentadas ou criem outras, caso necessário.

Aluno A: cliente

FORTALEZA

Paulo Fridman/SambaPhoto

8 dias e 7 noites a partir de R$898,00

Cliente: Eu gostaria de saber...
Qual o valor....?
No quarto tem....?
O/A ______________ está incluso/a no valor do pacote?

Aluno B: atendente da agência de turismo

<u>O que está incluso:</u>
Transporte aéreo: ida e volta.
Hospedagem: 7 noites de hospedagem com café da manhã. Hotel 3 estrelas localizado na praia de Iracema. Apartamento com frigobar. Taxas inclusas.

Preços por pessoa em reais:	Duplo: 998,00
	Individual: 1.368,00
	Triplo: 958,00
	Quádruplo: 928,00
	Crianças de 2 a 6 anos: 638,00
	Crianças de 7 a 12 anos: 638,00

Traslado: Aeroporto / Hotel / Aeroporto.
Atividades: Passeios aos principais pontos turísticos da cidade. Passeio ao Beach Park incluso.
Importante: Pacotes com hospedagem em Resorts não incluem City tour.

Atendente da agência de turismo: Para quantas pessoas?
Passe um número de fax que enviaremos os preços ainda hoje.
Temos um pacote especial para...
São _________ dias em quarto ____________________________.

LIÇÃO C PANORAMA

Lembranças ou Souvenires

Viajar é bom, mas fazer compras na viagem é ainda melhor. No entanto, às vezes, obrigações com as lembranças ou souvenires tornam-se cansativas. Claro que essa é uma forma de dizer aos familiares e amigos 'eu me lembrei de você'. Por isso, viajar sem trazer lembrancinhas é praticamente inadmissível.

Quando você viaja, você compra lembranças para seus familiares e amigos?
O que você acha desse costume?
Você fica chateado/a quando um familiar ou amigo(a) viaja e não traz nada para você?

LIÇÃO C DIÁLOGO

2/23

Doralice: Vamos voltar pro hotel, Cristina, os meus pés estão me matando.
Cristina: Eu avisei você que iríamos andar bastante.
Doralice: Mas eu não consigo dar nem mais um passo.
Cristina: Já que estamos na feirinha de artesanato, vamos aproveitar e comprar um calçado mais confortável para você.
Doraline: Cris, não vai combinar com a minha roupa.
Cristina: Ninguém aqui vai reparar na sua roupa. Além disso, temos que comprar muitas lembrancinhas. Veja a lista. Não estamos nem na metade.
Doralice: Então, você vai e eu fico sentada aqui.
Cristina: Nada disso. Você tem que me ajudar a escolher.
Doralice: Está bem. Eu vou, mas antes, vamos tomar uma água de coco e ver os preços daqueles chinelos de praia.
Cristina: Fechado.

LIÇÃO C GRAMÁTICA

Verbos e expressões

Verbos: avisar; conseguir; aproveitar; combinar e reparar

Eu **avisei** você que iríamos andar bastante. (= informar)

Mas eu não **consigo** dar nem mais um passo. (= não ser possível)

Vamos **aproveitar** e comprar um calçado mais confortável para você. (= tirar vantagem)

Cris, não vai **combinar** com a minha roupa. (= ficar bonito, harmonizar)

Ninguém aqui vai **reparar** na sua roupa. (= notar, perceber)

Expressões

Nada disso. (= De jeito nenhum)

Fechado. (= Combinado)

LIÇÃO C CONSTRUÇÃO DO CONTEÚDO

A. Use as palavras abaixo para substituir as palavras grifadas. Conjugue os verbos, caso seja necessário.

aproveitar conseguir reparar avisar
combinar nada disso fechado

1. A: Vamos passar uma semana no SPA?
   B: Combinado.

2. O Lúcio pediu para te informar que aquele albergue está lotado.

3. Não sei se será possível ficar em uma pousada com acesso à internet.

4. A recepcionista notou que estamos carregando malas demais.

5. A: Quero fazer um tour de ônibus pela cidade.
   B: De jeito nenhum! Estou esgotada.

6. Por que não tiramos vantagem disso e fazemos um passeio de barco?

7. Boné não fica bonito com terno. Pelo menos não nesse país.

B. Complete as frases com as suas informações.

1. Em meu país, ______________ (ROUPA) não combina com ______________________ (ROUPA).

2. Eu sempre reparo ______________ quando vou às compras.

3. Às vezes quando viajo, aproveito para ______________
   ______________________________.

4. Eu geralmente não consigo ______________ quando estou fora de casa.

5. Fico furioso (a) quando não me avisam ______________
   ______________________________.

C. Oral: Combine com um/a ou dois/duas colegas um pequeno *tour* pela sua cidade. Proponha lugares para visitar, coisas para fazer. Use as expressões "nada disso" e "combinado" para resolver os detalhes.

LIÇÃO C AMPLIAÇÃO DO VOCABULÁRIO

Tipos de lembranças

Material	
madeira	pedra
couro	tecido
barro	metal
plástico	vidro

Artigos	
camiseta	caneca
boné	cartão postal
quadro	estatueta
incenso	bolsa/sacola
pinga	canivete
café	chaveiro
caneta	

A. Responda.

1. Dos objetos acima, qual(is) você gostaria de ganhar como lembrança?

____

____

____

2. O que você normalmente dá de lembrança quando volta de viagem? Por quê?

____

____

____

B. 2/24 Ouça os diálogos e complete o quadro.

	Viagem para...	Lembrancinha
1. Esmeralda	____________	____________
2. Ana Cristina	____________	____________
3. Charles	____________	____________

LIÇÕES A, B e C APLICAÇÃO ORAL DO CONTEÚDO

Você e alguns/umas colegas são responsáveis pela divulgação de um hotel em sua cidade, estado, região ou país. Vocês estão discutindo detalhes para depois criar o *site* do hotel. Após definir a localidade, discutam, dentre outros, os tópicos a seguir. Use as palavras e expressões dadas.

Pensar em	gostar de	ótimo para	SPA
Aproveitar	diária	lembranças	revista sobre
Se + perder	quando + viajar	reparar	conseguir

- Para que tipo de viagem o hotel é ideal
- Opções de atividades quando chover, fizer sol etc
- Tipos de acomodação disponíveis
- Souvenires disponíveis para venda no hotel

Apresente para o grupo/professor o que o você/ vocês definiu/ definiram.

LIÇÕES A, B e C COMPREENSÃO AUDITIVA

2/25 Três pessoas estão ligando para uma agência de viagens. Escute os diálogos e complete as anotações de viagem de cada uma delas.

1. *Viagem para:* ________________________ (local)
   Viagem de: ________________________ (propósito, intento)
   Características das acomodações: ________________________
   ____
   ____
   Visitas programadas: ________________________
   ____
   ____

2. *Viagem para:* ________________________ (local)
   Viagem de: ________________________ (propósito, intento)
   Características das acomodações: ________________________
   ____
   ____
   Visitas programadas: ________________________
   ____
   ____

3. *Viagem para:* ________________________ (local)
   Viagem de: ________________________ (propósito, intento)
   Características das acomodações: ________________________
   ____
   ____
   Visitas programadas: ________________________
   ____
   ____
   ____

LEITURA

A. Você vai ler um artigo sobre ecoturismo. O que você sabe sobre o assunto? Você já fez uma viagem dessas? Discuta com um(a) colega.

Ecoturismo é uma forma de turismo voltada para a apreciação do ecossistema (sistema que inclui os seres vivos e o ambiente). Ele procura conciliar a exploração turística com o meio ambiente e oferecer aos turistas um contato íntimo com os recursos naturais e culturais da região. O objetivo é a formação de uma consciência ecológica.

Andréa D'Amato/SambaPhoto

Abrolhos - BA

Localizado a aproximadamente 75 quilômetros da costa da Bahia, o Arquipélago de Abrolhos é formado por cinco ilhas e pelo Parcel de Abrolhos. Atualmente, é um Parque Nacional protegido pelo IBAMA. A temperatura de suas águas cristalinas oscila entre os 24 e 28 graus. Possui mais de 160 espécies de peixes, crustáceos e moluscos.

Há uma versão para o nome de abrolhos – Segundo a tradição nos meios náuticos, o nome Abrolhos provém da advertência Abra os Olhos, contida em antigas cartas náuticas portuguesas, aos navegantes daquela região, devido aos perigos que ela oferece por causa da grande quantidade de recifes submersos.

Para que o lugar fosse preservado, em 1983 foi criado o Parque Nacional Marinho dos Abrolhos, proibindo qualquer tipo de pesca e caça na região. Hoje o parque é fiscalizado pelo Ibama (Instituto Brasileiro do Meio Ambiente e Recursos Renováveis).

A maior ilha e a única habitada é a Santa Bárbara que possui um farol de fabricação francesa inaugurado em 1861, instalado no ponto mais alto do arquipélago. Os moradores de Abrolhos são os estagiários do Ibama, do Projeto Baleia Jubarte, o faroleiro e uma guarnição da marinha. Não há hotel na ilha e o desembarque de turistas só é permitido na ilha Siriba e sempre acompanhado por um guia do Ibama que ministra uma palestra sobre a fauna do arquipélago. Para os mergulhadores, a melhor época para se conhecer o lugar é no verão, quando as águas continuam quentes, mas muito mais claras, aumentando sensivelmente a visibilidade durante o mergulho.

Agora, para o turista em geral, o período de julho a novembro mostra o show da Baleia Jubarte. Nesta época do ano, essas baleias migram para Abrolhos para se reproduzirem. Para conhecer e mergulhar nas águas do Parque Nacional Marinho de Abrolhos é essencial máscara, *snorkel* e nadadeiras. O acesso ao Parque é efetuado através de 15 embarcações cadastradas (lanchas rápidas e escunas) para a visitação ao arquipélago, onde são dadas informações sobre o parque e orientações precisas sobre como os visitantes devem se comportar ali.

Outra atividade de interesse que pode ser desfrutada é a caminhada, com o acompanhamento de técnicos do Ibama, por uma trilha na Ilha Siriba. Nesse passeio, o visitante toma consciência da fragilidade do ecossistema local, num agradável e amigável contato com os atobás.

http://www.revistaturismo.com.br/Ecoturismo/ecoturismo.htm
adaptado do *site*: http://www.revistaturismo.com.br/Ecoturismo/abrolhos.html
Abr/01

B. Responda:

1. Quais os melhores períodos para visitar Abrolhos?

___
___
___

2. Quais são as principais atrações de Abrolhos?

___
___
___

3. Você gostaria de fazer uma viagem para Abrolhos? Por quê?

___
___
___

REDAÇÃO

Imagine que você terá alguns dias de folga em breve e quer aproveitar para viajar. Aonde você iria? Imagine também os detalhes (Ex. Como chegar lá, hospedagem, número de pessoas que irão com você, o que você gostaria de fazer ao chegar lá.).

___
___
___
___
___
___
___
___
___
___
___

CONSOLIDAÇÃO LEXICAL

Regência verbal e nominal

Complete o início das frases da Coluna 1 com os melhores complementos da Coluna 2.

Coluna 1	Coluna 2
1. Estou pensando...	a. ...a pé é ótimo para a saúde. ...de carro não é saudável. ...à beira-mar é o meu passatempo favorito.
2. Andar...	b. ...de ir ao cinema? ...de passear de carro? ...de café?
3. Você gosta....	c. ...em ir à academia. ...em estudar mais agora que estou de férias. ...em você.
4. Maria disse que prefere ir....	d ...do tipo aventureiro. ...do tipo calado. ...do tipo brincalhão.
5. Durval é....	e. ...ao cinema. ...à praia. ...para casa.

Pronúncia do Português – parte 4

O SOM DAS CONSOANTES *T* E *D*

Ouça as seguintes palavras. Preste atenção nas sílabas grifadas.
2/26

telefone	tarifa	tinha	autor	tudo	tapete
dedo	escada	dia	dor	dúvida	saudade

Qual a diferença de pronúncia das consoantes *t* e *d* em relação às vogais que as acompanham?

Ouça mais uma vez o contraste:
2/26

*ta*rifa – *ti*nha   *de*do – sauda*de*

Regra: Antes das vogais *i* e *e* (com som de *i*) as consoantes *t* e *d* sofrem alteração na pronúncia. Produz-se mais ar e os lábios são projetados para frente.

Exercício: Leia o seguinte diálogo e grife as consoantes *t* e *d* que sofrem essa alteração. Depois ouça a gravação para conferir. Após corrigido, pratique o diálogo com um/a colega.
2/26

Odete: Cláudio, o que há de errado com sua internet*?
Cláudio: Eu tenho tido muitos problemas de conexão. Por quê?
Odete: Eu mandei um e-mail e ele voltou. Você tinha me dito que estava funcionando.
Cláudio: Mais tarde vou chamar o técnico. Estou ligando, mas ninguém atende.
Odete: Eu vou te ligar mais tarde então. Gostaria de resolver um assunto aqui do trabalho.
Cláudio: Ai, Odete. Trabalho? Não estou com vontade de trabalhar. Hoje é sexta e já passam das sete da noite. Estou indo pegar meu carro. Segunda a gente discute isso, tá?
Odete: Você está certo. Preciso aprender a 'desligar' do trabalho um pouco.

*Com algumas exceções (plurais e letra *m*, por exemplo), no português a maioria das palavras termina com som de vogal. Por isso, para os brasileiros é difícil pronunciar uma palavra que termina com uma consoante. Nesses casos, na fala, adiciona-se o som da vogal *i*.

A PRONÚNCIA DO *R*

A consoante *r* possui basicamente duas pronúncias possíveis e em algumas situações pode não ser pronunciada.

Ouça a pronúncia do *r* no início de palavras e quando dobrado (*'rr'*). Nesse caso, o *r* soa como
2/26 **uma aspiração. Repita em voz alta.**

recado revista rua carro barra corre

Agora ouça a pronúncia do *r* no final de sílabas e palavras. Nesse caso, o *r* é vibrante e sonoro.
2/26 **Repita em voz alta.**

Con*tar** be*ber** ex*cur*são ho*rror* pata*mar* *quar*to

*Normalmente, na fala, suprime-se o *r* dos verbos no infinitivo.

O *r* pode ainda aparecer em combinações com outras consoantes (*br*, *cr*, *dr*, *fr*, *gr*, *pr*, *tr* e *vr*)
2/26 **e antes de uma vogal. Nesse caso, pronuncia-se o *r* como no exemplo acima. Ouça:**

*pr*imeiro ca*ro* aventu*ra* a*tr*asado

Exercício: Utilize o diálogo do exercício anterior para praticar as diferentes pronúncias da consoante *r*.

Revisão das Unidades 13 a 16

Escolha a alternativa correta:

A. (na lanchonete)
A: Um café com adoçante, por favor.
B: Agora você usa adoçante, Marcelo?
A: Comecei semana passada. Estou engordando, ______________ estou cortando o açúcar.

1. além disso
2. por isso
3. porque

B.
A: Você ______________ viajar?
B: Adoro! Estou ______________ ir para Fernando de Noronha.

1. gosta para – pensando em
2. gosta de – pensando em
3. gosta em – pensando de

C.
A: Você não vai ______________ a família para o Natal?
B: Vou sim. O problema é que minha casa é pequena e minha família é grande. Eu tenho muitos sobrinhos e não tem lugar para a ______________ brincar. Preciso ______________ e comprar uma casa maior.

1. reunir – criançada - endinheirar
2. unir – crianças – ficar rico
3. reunir – criança - redinheirar

D.
A: Solange, estou esperando uma ligação. ______________ o Adriano ligar, transfira para meu escritório, por favor?
B: Claro, Sofia.

1. quanto
2. quando
3. caso

Complete os diálogos com os verbos adequados. Conjugue os verbos, caso seja necessário.

poder	mandar	pagar	ter	bater	enviar
parcelar	gostar	ligar	transferir	estar	receber

A.

A: Nossa, Silvana, você sumiu! Quanto tempo!

B: É verdade. É que ultimamente ______________ trabalhado muito e não tenho tido tempo para ligar para os amigos. Desculpe. Mas vamos marcar alguma coisa pra esse final de semana, o que você acha?

A: Fechado!

B.

A: LCT, Solange, bom dia.

B: Bom dia, eu ______________ falar com a Sra. Sofia Pereira?

A: Um minuto, por favor. Ela não está, você ______________ de deixar recado?

B: Sim, peça para ela me ligar quando possível? Meu nome é Adriano, da GRF, e meu celular é 8888-8786.

A: Certo. Eu lhe darei o recado.

C.

A: Henrique, você gosta de ______________ papo pelo MSN e pelo Skype?

B: Gosto, mas durante a semana não posso. Na empresa onde trabalho é proibido o uso desses programas.

A: Que pena, Henrique! E você pode ______________ e-mails pessoais?

B: Também não.

A: Mas eu posso te ______________, não posso?

B: Desculpe, mas só em casos urgentes.

A: Certo. Bem, a gente se fala no final de semana, então.

D.

A: Correios...

B: Um minuto, por favor.

A: Uma encomenda para Victoria Abreu.

B: Ela não está. Eu posso ______________ a encomenda por ela?

A: Pode sim, basta colocar seu nome completo e RG aqui.

E.

A: O Pedro acabou de me ligar. Disse que a Paula está dando uma festa na casa dela!

B: Legal! Vamos?

A: Vamos sim, eu só preciso ______________ um torpedo pro Junior, avisando pra ele nos encontrar lá.

F.

A: LCT, Solange, bom dia.
B: Bom dia, eu gostaria de falar com a Ângela, por favor.
A: Um momento, eu vou ______________ a ligação.
B: Obrigada.

G. (no shopping)
A: Olha, Vivi! Que vestido lindo!
B: Faz tempo que você ______________ de olho nesse vestido, né?
A: Faz. O problema é que ele é muito caro. Meu marido me mata se eu gastar tanto dinheiro em um vestido.

H. (em uma loja)
A: Dinheiro, cheque ou cartão?
B: Se eu ______________ com cartão, você ______________ em duas vezes sem juros?
A: Sim, senhora.
B: Certo, aqui está.

Passe do discurso direto para o indireto.

a. A Pérola ligou e me perguntou: Quer ir ao shopping comigo mais tarde?

____

b. Eu disse: Posso sim, a que horas?

____

c. Bento: Marta, ligue para nosso fornecedor e pergunte se ele ainda tem a peça de que precisamos.

____

d. Everaldo: Eu gostava de bater papo pelo MSN, mas agora não tenho mais tempo.

____

Crie perguntas para as respostas abaixo.

a. ____?
Não vou comprar, não. Está caríssimo! Vou esperar um pouco mais.

b. ____?
Tenho viajado sim. Acabei de chegar da Chapada e amanhã vou para Fernando de Noronha. Tenho que aproveitar minhas férias.

c. ____?
Eu tinha planejado ir para a praia no feriado, mas meu carro quebrou.

d. ____?
Adoro comédias e filmes de suspense.

e. ____?
Ele ainda não chegou. Gostaria de deixar recado?

f. ____?
A diária do quarto para uma pessoa custa R$ 150,00 com café da manhã.

g. ____?
Quando eu receber a promoção que estou esperando, comprarei um carro novo.

h ____?
Nada disso.

Substitua as palavras grifadas por pronomes pessoais (sujeito, objeto direto ou objeto indireto).

a. Você viu a Cida? Se você vir ela, diga a ela que a Joana pediu para enviar para a Joana o orçamento.

____

b. Recebi um e-mail sobre um curso de especialização ótimo! Vou mandar o e-mail para você. Você não quer fazer o curso com eu?

____

c. Você e eu poderia ir para a praia nesse final de semana. Vamos chamar o Adauto e o Ricardo para ir com você e eu?

____

d. O Manuel disse a nós que não está conseguindo falar com a Lurdes. A ligação sempre cai.

____

Passe para um registro mais formal:

a. Você quer deixar recado? ___________________________
b. Você pode aguardar um momento? ___________________________
c. Diga pra ela me ligar? ___________________________

Em duplas, pergunte ao/à colega onde ele/a gostaria de passar as próximas férias e por quê. Consiga o maior número de informações possível.

UNIDADE 17

Os patins foram inventados por um belga em 1760

LIÇÃO A PANORAMA

Invenções

A humanidade sempre esteve em busca de novos meios para melhorar a sua condição de limitação. Assim, muitas invenções surgiram para facilitar a vida das pessoas e vencer obstáculos. Dizer quais foram as melhores invenções da humanidade seria muito arriscado, pois poderíamos citar algumas invenções em detrimento de outras. Mas vamos citar cinco importantes invenções: a bicicleta foi criada pelo engenheiro alemão Karl Von Drais em 1817; o telefone, pelo escocês Alexandre Graham Bell em 1875; a lâmpada elétrica incandescente, pelo americano Thomas Edison em 1878; o rádio, pelo italiano Guglielmo Marconi em 1895 e o avião, pelo brasileiro Alberto Santos Dumont em 1906.

Das cinco invenções citadas acima, qual a mais importante na sua opinião?

Na sua opinião, quais são as três invenções mais importantes do nosso século?

LIÇÃO A DIÁLOGO

2/27

Wagner: Nossa que concentração! O que você está fazendo?
Carlos: Cara, estou lendo sobre a História dos transportes sobre rodas. É muito interessante.
Wagner: Deve ser mesmo. Você está há horas aí lendo.
Carlos: É que tem coisas surpreendentes. Você conhece a História da invenção dos patins?
Wagner: Claro que não, né?
Carlos: Sei lá, você podia saber.
Wagner: Não sei e agora estou curioso.
Carlos: Bem, os patins foram inventados por um belga em 1760.
Wagner: Invenção antiga, hein!
Carlos: É, mas o legal é que a invenção só foi levada a sério em 1863.
Wagner: E o que tem de legal nisso?
Carlos: Legal é modo de dizer, é engraçado.
Wagner: O que é engraçado?
Carlos: As pessoas não levaram a invenção a sério porque o belga Joseph Merlin não conseguia ficar em pé nos patins para demonstrar a sua invenção.
Wagner: Coitado do cara.

LIÇÃO A GRAMÁTICA

Voz passiva I – tempos simples

Bem, os patins **foram inventados** por um belga em 1760.
É, mas o legal é que a invenção só **foi levada** a sério em 1863.

Voz ativa	Voz passiva
A humanidade **inventa** muitas máquinas.	Muitas máquinas **são inventadas** (pela humanidade).
A humanidade **inventou** muitas máquinas.	Muitas máquinas **foram inventadas** (pela humanidade).
José **criava** muitos brinquedos.	Muitos brinquedos **eram criados** (por José).
José **criará** outros brinquedos.	Outros brinquedos **serão criados** (por José).

Uso: A voz passiva é usada quando o objeto é mais importante do que o sujeito ou quando o sujeito não deve aparecer.

Formação: Forma-se a voz passiva com o verbo ser ou estar + o particípio passado do verbo principal. O tempo verbal da voz ativa deve ser o mesmo na voz passiva.

Exemplo com verbo **estar**: A polícia prendeu João. João **está preso**. (estado: situação em que João se encontra)

Exemplo com verbo **ser**: A polícia prendeu João. João **foi preso** (pela polícia). (ação: a polícia executou a ação de prender João)

Não se esqueça de que o 1º verbo deve concordar com o novo sujeito e o 2º concorda em gênero (feminino/ masculino) e número (singular/ plural) com o sujeito.

LIÇÃO A CONSTRUÇÃO DO CONTEÚDO

A. Complete as frases com a forma correta do verbo na voz passiva.

1. Uma nova casa ______________________ (CONSTRUIR) ao lado da minha no ano que vem.
2. Quando cheguei ao aeroporto, ______________________ (RECEBER) por meu primo e minha irmã.
3. O maior jornal da cidade ______________________ (LER) por 300 mil pessoas todos os dias.
4. Quando eu era estudante, sempre ______________________ (CONVIDAR) para festas. Agora, não saio muito.
5. Ontem à noite, meu programa favorito ___ (INTERROMPER) pelo plantão especial do jornal.

B. Complete os diálogos com os verbos dados na voz correta: ativa ou passiva.

1. A: A Jaqueline ______________ (ESCREVER) este artigo ontem.
   B: Mas, então quem ______________________ (REDIGIR) aquele outro ali?
   A: Aquele outro ali ______________ (ESCREVER) pelo Juca.

2. A: Quando o ladrão ______________ (LEVAR) sua moto?
   B: Ela ______________________ (ROUBAR) ontem, em frente de casa.

3. A: Você não ______________ (PAGAR) a conta de água?
   B: Nossa! Esqueci. É que na casa onde eu morava as contas ____ ________ (PAGAS) pela minha colega. Ainda não me acostumei.
4. A: Você ______________________ (OUVIR) sobre o acidente?

B: Não. O que ____________ (ACONTECER)?
A: Uma senhora ____________ (ATINGIR) por um carro aqui na esquina. Ela ____________ (LEVAR) para o hospital.
B: Que horror!

5. A: Você ____________ (MANDAR) a proposta de projeto para eles amanhã de manhã?
B: Eu ____________ (TERMINAR) mais tarde, mas quem a ____________ (ENVIAR) será o departamento do Pedro.
A: O projeto ____________ (ENVIAR) pelo departamento do Pedro?

C. Oral: Complete as perguntas com as vozes ativa ou passiva e faça-as a dois colegas. Quem sabe mais? Todas as respostas devem ser dadas na voz passiva.

1. Por quem ____________ (NOME DE UM LIVRO) ____________ (ESCREVER)?
2. Por quem ____________ (NOME DE UMA MÚSICA) ____________ (COMPOR)?
3. Quem ____________ (GOVERNAR) nosso país ____________ (DATA/PERÍODO)?
4. Quem ____________ (INVENTAR) ____________ (UMA INVENÇÃO)?
5. Onde ____________ (OBJETO) ____________ (INVENTAR)?
6. ____________ ____________?

LIÇÃO A AMPLIAÇÃO DO VOCABULÁRIO

Mais invenções

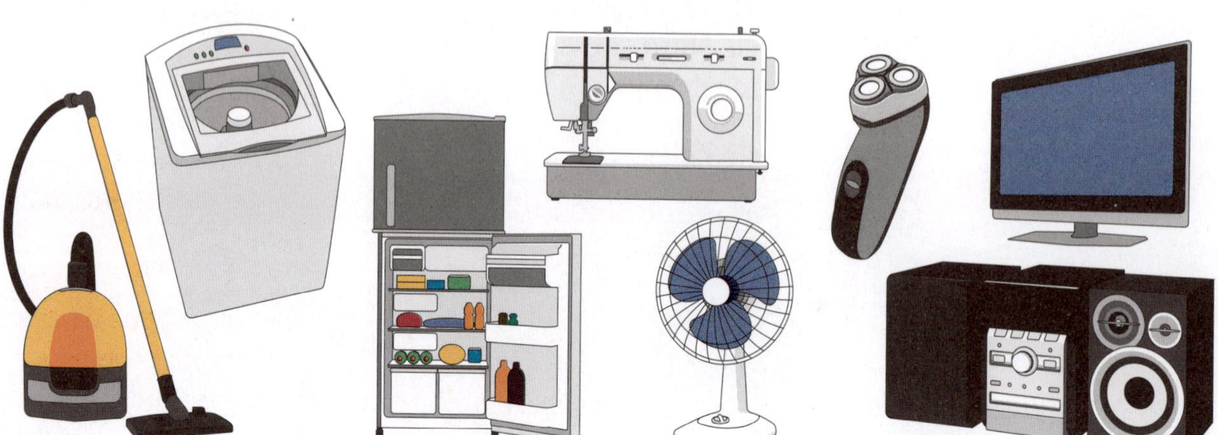

Máquinas	**Aparelhos**
máquina de lavar roupa	(aparelho de) televisão = TV
máquina de lavar louça	aparelho de barbear = barbeador
máquina de costura	(aparelho de) som
aspirador de pó	(aparelho de) telefone
geladeira	ventilador
secadora de roupas	ar-condicionado
aparador / cortador de grama	(aparelho de) vídeo
computador	(aparelho de) DVD

Não existe uma distinção muito clara entre 'máquina' e 'aparelho'. Muitas vezes esta distinção está no nome 'máquina de lavar' ou 'aparelho de som'; outras vezes a diferença ocorre pelo tamanho, ou seja, normalmente a máquina é maior do que o aparelho.

A. Associe as palavras relacionadas às invenções.

TV ________
lava-louças ________
barbeador ________
cortador de grama ________
lavadora de roupas ________
telefone ________
aspirador de pó ________
geladeira ________
ventilador ________
ar-condicionado ________
computador ________
secadora de roupas ________
vídeo ________
DVD ________

(1) falar
(2) seriados
(3) ligar
(4) e-mails
(5) limpar
(6) casa
(7) lavar
(8) filmes
(9) calor
(10) com amigos
(11) roupas
(12) fazer
(13) talheres
(14) comida
(15) relatórios
(16) mandar
(17) pratos
(18) barba
(19) fita
(20) secar
(21) escrever
(22) cortar
(23) assistir
(24) barbear
(25) DVDs

Forme pelo menos 5 frases com algumas das palavras que você relacionou.

____
____
____
____
____
____
____
____
____
____
____

B. Com que finalidade as invenções abaixo são usadas?

1. A lavadora de roupas é usada para ______
2. O computador é usado para ______
3. A TV é usada para ______
4. O vídeo ou o DVD é usado para ______
5. O ventilador ou o ar-condicionado é usado para ______
6. A geladeira é usada para ______
7. O telefone ou o celular é usado para ______
8. A secadora de roupas é usada para ______
9. O aspirador de pó é usado para ______
10. O cortador de grama é usado para ______

C. Quais aparelhos e máquinas você mais utiliza no seu dia a dia?

______

LIÇÃO B PANORAMA

Máquinas

Muitas pessoas têm facilidade para lidar ou trabalhar com máquinas. Estas pessoas são mais práticas, gostam das coisas mais concretas. As pessoas que têm mais dificuldades para lidar ou trabalhar com máquinas são menos práticas e conseguem lidar com coisas abstratas ou teóricas. Mas, é claro que isso não é uma regra.

E você? Trabalha com máquinas? Gosta de lidar com máquinas? Tem facilidade ou dificuldade com coisas concretas? E abstratas?

LIÇÃO B DIÁLOGO

2/28

Alex: Karin, você pode me ajudar aqui com este computador? É a terceira vez que ele fecha o arquivo que eu estou usando.

Karin: Claro. Alex, você está com muitos programas abertos. Este computador não tem memória para tantos programas.

Alex: Será que é por isso que ele fecha?

Karin: Claro que sim. Este computador tem sido consertado com frequência. O problema é que nunca o atualizam.

Alex: Viu? Outra vez e agora os programas estavam fechados.

Karin: Bem, eu não sou técnica de computador, mas acho melhor você reinicializar a máquina.

Alex: Por que não compram um computador novo?

Karin: Por que você não pergunta pro chefe?

LIÇÃO B GRAMÁTICA

Voz passiva II – tempos compostos

Este computador **tem sido consertado** com frequência.

José **está criando** um brinquedo novo.	Um brinquedo novo **está sendo criado** (por José).
José **estava criando** um brinquedo diferente.	Um brinquedo diferente **estava sendo criado** (por José).
José **vai criar** uma história.	Uma história **vai ser criada** (por José).
José **tem criado** muitas histórias.	Muitas histórias **têm sido criadas** (por José).
José **tinha criado** várias histórias.	Várias histórias **tinham sido criadas** (por José).

Uso: ver lição **A** desta unidade.

Formação: Nas construções com dois verbos, mantém-se o 1º verbo e usa-se o verbo ser ou estar + o particípio passado do verbo principal.

Exemplo: Eles **têm consertado** este computador com frequência.

↓ 1º verbo ↓ 2º verbo

O 1º verbo **tem** é mantido e depois se usa o verbo ser ou estar + o particípio passado do verbo principal. Ou seja, este computador **tem sido consertado** com frequência. Não se esqueça de que o 1º verbo deve concordar com o novo sujeito e o 3º verbo concorda em gênero (feminino/ masculino) e número (singular/ plural).

LIÇÃO B CONSTRUÇÃO DO CONTEÚDO

A. Reescreva os diálogos na voz passiva.

1. A: Quando os professores vão criar as provas?
   B: Eles já as estão elaborando.
   A: ______________________________
   ____
   B: ______________________________
   ____

2. A: Quando mandei o e-mail, eles já tinham recebido o carregamento.
   B: Então, por que ainda estão enviando aqueles pedidos?
   A: ______________________________
   ____
   B: ______________________________
   ____

3. A: A Mirtes tem corrigido muitas teses para publicação.
   B: Eu sei. Quando passei na casa dela, ela estava corrigindo a tese mais longa.
   A: ______________________________
   ____
   B: ______________________________
   ____

B. Complete as frases com os verbos dados nas vozes ativa ou passiva. Use tempos compostos.

1. Quem ______________________ (CRIAR) este figurino lindo? Já dá para ver que ficará fantástico quando estiver pronto.
2. O seu serviço ______________________ (FAZER) pela Joana quando você mudar de empresa?
3. O que eles ______________________ (DISCUTIR) quando você entrou na sala de reunião?
4. Eu ia explicar para meu chefe sobre as faltas, mas quando falei com ele, ele disse que sua secretária já ______________________ (MENCIONAR) isso.
5. Muitas medidas ______________________ (TOMAR) ultimamente para melhorar a qualidade do ensino nesta instituição.
6. Não sei o que ______________________ (RESOLVER) se ela não participar da conferência.
7. O técnico ______________________ (CONSERTAR) a máquina de lavar quando o cliente chegou para buscá-la.

C. **Oral:** Descreva as situações abaixo usando verbos compostos na voz passiva. Crie uma história para cada situação. Compare suas histórias com as dos colegas.

1.

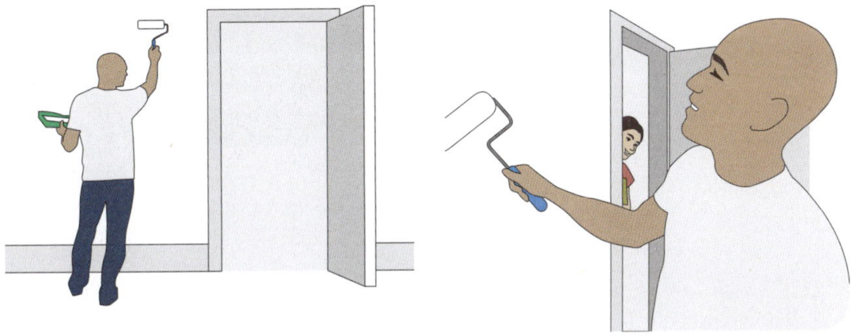

2.

3.

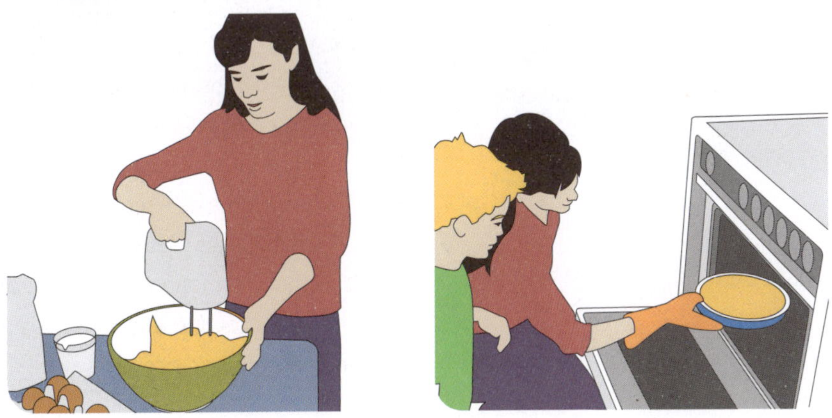

4.

LIÇÃO B AMPLIAÇÃO DO VOCABULÁRIO

Eletroeletrônicos

geral

câmera digital
filmadora
home theater
pda / handheld
calculadora
pilha
bateria

computação

computador
monitor
mouse
teclado
torre
impressora
webcam
microfone
alto-falantes

equipamentos de som

CD player portátil
tocador de MP3 / MP3 player
tocador de MP4 / MP 4 player

telefonia

aparelho telefônico / telefone
celular
fax

A. Preencha o quadro de acordo com as definições.

VERTICAL

1. O ____ é um computador de dimensões reduzidas, com agenda e possibilidade de conexão com um computador pessoal e uma rede sem fios - wi-fi - para acesso a correio eletrônico e internet.
7. A ____ é uma fonte de energia portátil que se consome à medida que se utiliza.
10. As ____ de hoje são eletrônicas e são construídas por vários fabricantes, em diversas formas e tamanhos. Elas são usadas para guardar endereços, telefones etc das pessoas que conhecemos. As mais modernas e avançadas são programáveis e podem apresentar gráficos.

HORIZONTAL

2. A ____ é uma câmera para usar com o Skype e o MSN para ver a pessoa com quem você está conversando via computador.
3. O ____ é um aparelho compacto que permite a você ouvir e ver clipes de música.
4. O ____ é usado para falar com as pessoas em qualquer parte do mundo.
5. A ____ é usada para imprimir arquivos feitos no computador.
6. O ____ é usado para a transferência remota de documentos através da rede telefônica.
8. A ____ é usada para fotografar. Com ela, você pode escolher as melhores fotos.
9. O ____ é usado para assistir filmes com alta qualidade sonora no conforto do seu lar.

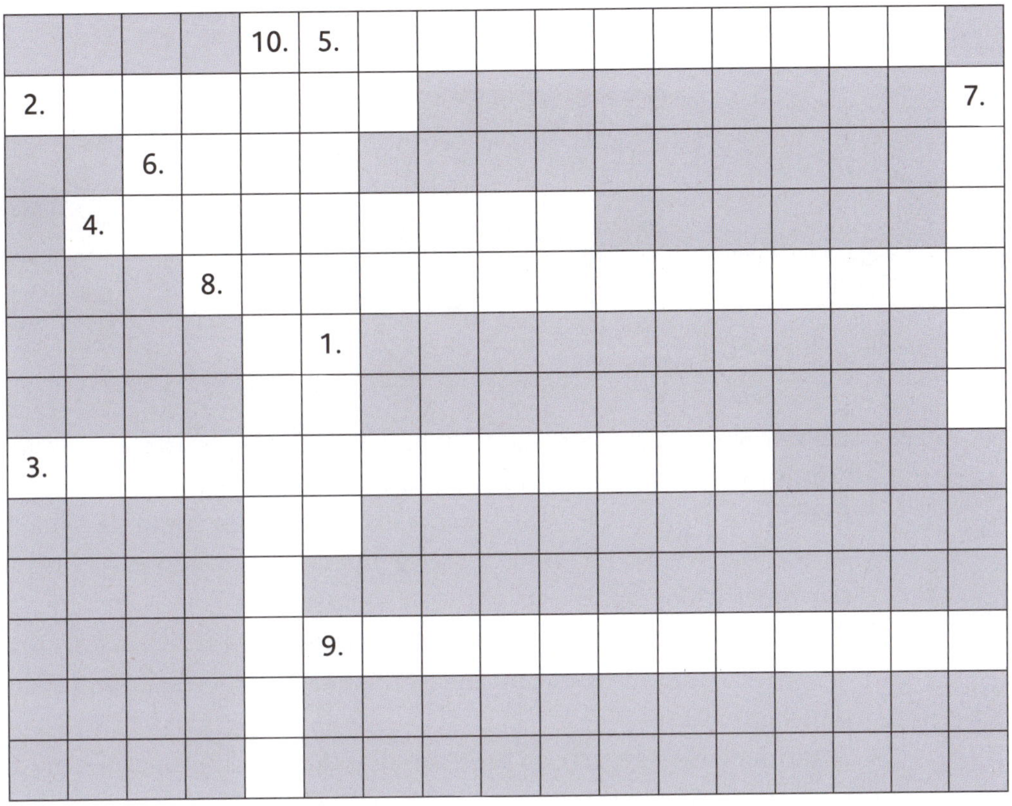

B. 2/29 Ouça os diálogos e complete.

	diálogo	**eletroeletrônico**
1.		
2.		
3.		
4.		

LIÇÃO C **PANORAMA**

Consertos

Máquinas possuem motores e estes têm um bom tempo de vida útil, se bem cuidados. Mas alguns motores já vêm com defeitos, e precisam ser trocados, ou quebram quando alguma coisa errada foi feita. Para consertar um motor de qualquer máquina, você tem que levar a máquina a uma assistência técnica ou chamar um técnico para que ele conserte o motor.

Quais máquinas você possui que já precisaram de conserto?
Você sabe fazer reparos rápidos?

LIÇÃO C DIÁLOGO

2/30

Antônio: Cara, que chuva! Não é melhor você parar o carro?
Henrique: Talvez. Os para-brisas não estão dando conta da água.
Antônio: Então, liga o pisca alerta e para mais a frente.
Henrique: Mas talvez essa chuva seja passageira.
Antônio: Não dá para ver quanto de água tem nessa pista. O problema é que se você for e tiver uma enchente, você pode perder o carro.
Henrique: Será?
Antônio: Eu não arrisco mais em dias de chuva. Eu perdi um carro assim.
Henrique: Mesmo?
Antônio: É. O problema é que eu achei que dava, mas entrou água no motor. Tive que chamar o guincho e o conserto foi um absurdo. O motor pifou.
Henrique: Bem, vamos parar mais ali a frente. Parece que outros motoristas pensam como você. Veja quantos carros parados!
Antônio: É melhor prevenir do que remediar.

NOTE QUE...

'pifar' tem o mesmo significado de 'quebrar'. É usado para máquinas e aparelhos.

NOTE QUE...

"É melhor prevenir do que remediar" = provérbio usado quando imaginamos uma situação que pode trazer um problema. Ele quer dizer: Melhor fazer algo antecipadamente (prevenir) do que ter que consertar (remediar) o problema que poderia acontecer.

LIÇÃO C GRAMÁTICA

Futuro do Subjuntivo – Verbos irregulares

O problema é que se você **for** e **tiver** uma enchente, você pode perder o carro.

Uso e formação

Uso: O futuro simples do subjuntivo indica acontecimento incerto no futuro. O verbo da oração principal pode ficar no presente ou no futuro do presente do indicativo

Formação: Substitui-se a terminação *–ram* da terceira pessoal do plural do pretérito perfeito simples do indicativo pelas seguintes terminações para as três conjugações (-ar/ -er e -ir): *-r*, *-rmos*, *-rem*

LEMBRA?
O FUTURO DO SUBJUNTIVO APARECE NA UNIDADE 16!

Exemplo: eles fo*ram* → se eu fo*r*; nós fo*rmos*; eles fo*rem*
eles tive*ram* → se eu tive*r*; nós tive*rmos*; eles tive*rem*
eles vie*ram* → seu eu vie*r*; nós vie*rmos*; eles vie*rem*

Veja abaixo os verbos conjugados:

IR (= SER)		**TER**		**VIR**	
Eu	for	Eu	tiver	Eu	vier
Você		Você		Você	
Ele	for	Ele	tiver	Ele	vier
Ela		Ela		Ela	
A gente		A gente		A gente	
Nós	formos	Nós	tivermos	Nós	viermos
Vocês		Vocês		Vocês	
Eles	forem	Eles	tiverem	Eles	vierem
Elas		Elas		Elas	

LIÇÃO C **CONSTRUÇÃO DO CONTEÚDO**

A. Complete os diálogos com a forma correta dos verbos dados.

1. A: Você não ____________ (COMPRAR) o barbeador elétrico?
   B: Vou. Quando eu ____________ (TER) dinheiro.
2. A: Meu carro quebrou. Não ____________ (PODER) ir ao cinema.
   B: E se a gente ____________ (IR) de metrô? Eu não me incomodo.
   A: Se você ____________ (QUERER) andar a pé tudo bem. O metrô fica longe do cinema.
3. A: E seus primos? Quando ____________ (VIR) para São Paulo?
   B: Não sei, mas quando eles ____________ (VIR), eu te aviso.
4. A: Será que algum dia ____________ (SER) famosa?
   B: Espero que sim. Se você ____________ (SER) famosa um dia, não se esqueça dos amigos.

B. Encontre na coluna B a parte que melhor completa a coluna A.

Coluna A	**Coluna B**
1. Quando eu for mais velho (a)...	( ) quero morar na praia.
2. Se eu tiver que aprender outra língua...	( ) não vou entender uma única palavra.
3. Se ETs vierem para a Terra....	( ) vou cuidar bem da minha saúde.
4. Quando eu for para o Japão...	( ) quero ir embora com eles.
5. Se um dia eu tiver que parar de trabalhar...	( ) pretendo contratar um professor particular.

C. **Oral:** Agora complete as frases da coluna A com sua opinião e discuta-as com os colegas.

LIÇÃO C AMPLIAÇÃO DO VOCABULÁRIO

Carros

Peças e acessórios

farol
volante
para-brisas
câmbio manual / automático
lanternas
carroceria
porta-malas
quatro portas, duas portas
vidros elétricos / manuais
carpetes para assoalho do carro
engate
alarme
acendedor de cigarro
porta-luvas
direção hidráulica / manual
trava
insulfilme

Impostos

licenciamento
IPVA
emplacamento

Geral

mecânico
consertos e manutenção
assistência técnica
carro flex (com dois tipos de combustível: álcool e gasolina)
carro zero quilômetro
carro usado
teste drive
garantia de ___ anos ou ___ kms

A. Identifique, no desenho abaixo, as seguintes peças e acessórios.

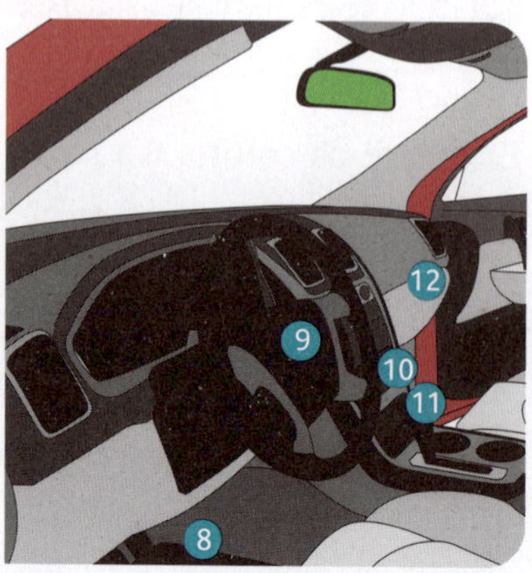

farol
para-brisas
lanternas
porta-malas
vidros
engate
direção
volante
câmbio
carroceria
portas
carpetes
porta-luvas
acendedor de cigarro

B. **Veja as expressões abaixo. Quais delas são usadas para:**

Comprar um carro?
Levar o carro ao mecânico?

1. ________________________________

a. Gostaria de ver o.....
b. Esse carro é flex?
c. Quais são os opcionais?
d. Novo ou usado?
e. Quanto tempo de garantia?
f. Esse modelo, com todos os opcionais, fica em R$ ....
g. Gostaria de fazer um teste drive?
h. Quanto é?
i. Esse modelo funciona tanto a gasolina como a álcool.
j. Posso fazer um teste drive?

2. ________________________________

k. Meu carro está com um barulho estranho...
l. Gostaria de fazer uma revisão geral no carro.
m. Quanto você cobra para...?
n. Preciso colocar/ trocar...
o. Meu carro ainda está na garantia!

C. **Quais das expressões no exercício B são usadas...**

1. para obter mais informações sobre o veículo? ________________

____

para obter o preço? ________________________

____

para dar mais informações sobre o estado do veículo? ________

____

2. pelo vendedor? ________________________
cliente? ________________________

LIÇÕES A, B e C

COMPREENSÃO AUDITIVA

2/31 **Ouça os três diálogos a seguir e preencha com as informações corretas.**

1. Máquina/aparelho com defeito: ________________
Defeito: ________________________
Solução: ________________________

2. Máquina/aparelho com defeito: ________________
Defeito: ________________________
Solução: ________________________

3. Máquina/aparelho com defeito: ______________________
   Defeito: ______________________
   Solução: ______________________

LIÇÕES A, B e C APLICAÇÃO ORAL DO CONTEÚDO

Discuta as seguintes questões com um/a colega. Você concorda ou discorda?

1. "Muitas máquinas foram criadas para facilitar nossas vidas, mas acabamos por nos tornar reféns delas".

2. "Pouca coisa tem sido feita para melhorar a condição de vida das classes mais baixas".

3. "Não serão tomadas medidas suficientes para preservar o meio ambiente. O planeta Terra será destruído."

4. "Quando as pessoas não aguentarem mais a vida estressante do mundo globalizado em que vivemos, elas diminuirão o ritmo de trabalho e passarão mais tempo com a família ou fazendo atividades que lhes dão prazer".

5. "Se alguém me pedir para passar um dia sem ver meus e-mails e sem usar o celular, eu vou à loucura".

LEITURA

A. **Para renovar a carteira de motorista, os motoristas precisam fazer os cursos de primeiros socorros e direção defensiva. Leia o texto abaixo.**

Novas regras para renovação de CNH

A partir de 28 de junho de 2005, os motoristas que possuem Carteira Nacional de Habilitação (CNH) há mais de sete anos, ou seja, anterior a 22/11/1999, que precisarem renovar suas carteiras terão que fazer os cursos de Primeiros Socorros e Direção Defensiva.
Essa medida faz parte da **resolução 168/04**, aprovada pelo Contran (Conselho Nacional de Trânsito), em dezembro de 2004, prevista no Código de Trânsito Brasileiro.
Essa exigência atinge apenas esses motoristas porque o curso já é exigido desde 21 de janeiro de 1998, quando entrou em vigor o novo Código de Trânsito Brasileiro.
Lembramos que a realização do exame médico é o primeiro procedimento a ser obedecido. O Detran disponibiliza no *site* o endereço das clínicas credenciadas.

O conteúdo a ser estudado para a prova deverá ser o seguinte:
1 – Noções de Primeiros Socorros no Trânsito:
(de acordo com a res. 168/04, Anexo II do Contran)
– Sinalização do local do acidente;
– Acionamento de recursos: bombeiros, polícia, ambulância, concessionária da via etc;
– Verificação das condições gerais da vítima;
– Cuidados com a vítima.
2 – Direção defensiva – Abordagens do Código de Trânsito Brasileiro
(de acordo com a res. 168/04, Anexo II do Contran)
– Conceito – condições adversas;
– Como evitar acidentes;
– Cuidados na direção e manutenção de veículos;
– Cuidados com os demais usuários da via;
– Estado físico e mental do condutor;
– Normas gerais de circulação e conduta;
– Infrações e penalidades;
– Noções de respeito ao meio ambiente e de convívio social no trânsito: relacionamento interpessoal e diferenças individuais.

http://www.detran.sp.gov.br/renovacao/renovacao.asp

B. Responda as questões abaixo.

1. Você dirige / tem carta de habilitação para dirigir no país?

____

____

____

2. O que você acha da nova lei?

____

____

____

3. Você acha que a nova lei ajudará os motoristas? Se sim, em que sentido?

____

____

____

____

____

____

____

____

REDAÇÃO

Como é o trânsito em seu país? E os motoristas, como dirigem? Escreva sobre as diferenças e semelhanças entre as leis de trânsito de seu país e as que você leu no texto "Novas regras para renovação de CNH", incluindo as respostas que você deu no exercício B acima.

CONSOLIDAÇÃO LEXICAL

Carros

Em sua opinião, o que um carro precisa ter? Ele precisa ter direção hidráulica? Ser de uma cor específica? Escolha o modelo que mais lhe agrada e escreva os acessórios necessários.

UNIDADE 18

Vou para outro setor na nova empresa

LIÇÃO A **PANORAMA**

Emprego

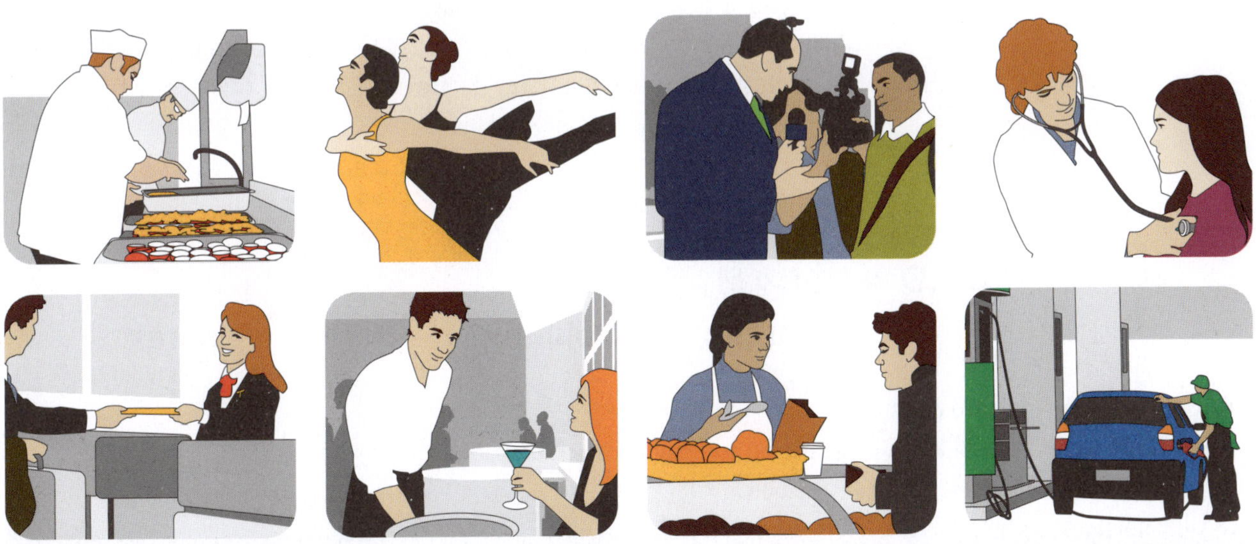

Sonhar em encontrar um trabalho que se adapte às suas preferências e qualificações está se tornando algo tão improvável quanto ganhar na loteria sem jogar. Com o mercado de trabalho em constante mudança, quem provavelmente terá que se adaptar será você. De acordo com especialistas em mercado de trabalho, a palavra-chave do futuro é 'neofilia', ou seja, o gosto pelo novo e pela mudança.

Você já mudou de emprego alguma vez?
Você gosta de novidades no trabalho?
Você procura se atualizar dentro da sua área de trabalho?

LIÇÃO A DIÁLOGO

2/32

Maria: Então, feliz com a troca?

Marcos: Não sei ainda. Vou para outro setor na nova empresa.

Maria: São desafios. Isto é bom.

Marcos: Também acho. O salário é bem melhor. Talvez eu compre um carro novo.

Maria : Que legal! Isso já é motivo para ficar feliz, mas você não me parece muito animado.

Marcos: Eu gosto daqui. Afinal de contas são quinze anos de trabalho. Conheço todo mundo.

Maria: Tomara que o chefe escolha uma pessoa como você para nos gerenciar.

Marcos: Não se preocupe Maria, daqui a uma semana vocês nem vão mais se lembrar de mim.

Maria: O que é isso, Marcos? Nós vamos sentir muito a sua falta sim, mas eu torço para que você progrida cada vez mais. Você foi um excelente gerente e colega de trabalho. Você merece ir para uma empresa melhor.

Marcos: Obrigado, Maria. Estou começando a pensar como você: nos desafios e no progresso.

LIÇÃO A GRAMÁTICA

Presente do Subjuntivo I – Verbos regulares

Talvez eu **compre** um carro novo.

Tomara que o chefe **escolha** uma pessoa como você para nos gerenciar.

Eu **torço para que** você **progrida** cada vez mais.

Uso e formação

Uso: O presente do subjuntivo pode indicar:

1. presente: É melhor que eu não **fale** com você.
2. futuro: Que Deus o **conserve** assim, sempre bom com todos!

Formação: O presente do subjuntivo dos verbos é formado substituindo-se a terminação *–o* da primeira pessoa do singular do presente do indicativo pelas seguintes terminações:

a. 1ª conjugação (-ar): -e, -e, -emos, -em.

b. 2ª e 3ª conjugação (-er/-ir): -a, -a, -amos, -am.

Esta regra não pode ser aplicada aos verbos: dar, ir, ser, estar, querer, saber e haver que ficam como o imperativo: dar → dê; ir → vá; ser → seja; estar → esteja; saber → saiba e haver → haja. (ver verbos irregulares conjugação na 'Lição B e C' desta unidade.)

Expressões: O presente do subjuntivo é usado com as expressões: Talvez.../ Tomara que.../ Espero que .../ Tenho medo que .../ Temo que .../ Duvido que .../ Torço para que ... e outras expressões com 'que'.

Presente do Subjuntivo

COMPRAR		**ESCOLHER**		**PROGREDIR**	
Eu	compre	Eu	escolha	Eu	progrida
Você Ele Ela A gente	compre	Você Ele Ela A gente	escolha	Você Ele Ela A gente	progrida
Nós	compremos	Nós	escolhamos	Nós	progridamos
Vocês Eles Elas	comprem	Vocês Eles Elas	escolham	Vocês Eles Elas	progridam

LIÇÃO A CONSTRUÇÃO DO CONTEÚDO

A. Escolha a forma verbal mais adequada para completar as frases.

1. Tomara que o chefe não me **escolhe / escolha** para gerenciar aquele projeto.
2. Duvido que sua mãe **compre / compra** aquela TV enorme.
3. Esperamos que vocês **progridem / progridam** sempre e **consigam / consiguem** o que almejam.
4. Com as mudanças no setor, talvez eles **mexam / mexem** no nosso salário.
5. Todos nós estamos torcendo para que os noivos **mudam / mudem** para cá.
6. Você duvida que eu **saia / saio** daqui pulando em um pé só?
7. Jorge quer muito que seus funcionários **falam / falem** o que pensam.

B. Complete o diálogo com os verbos dados no presente do subjuntivo.

Bia: Ai, Monique. Estou tão desolada. Vai ter uma promoção no trabalho, mas não sei se tenho chances.

Monique: Espero que ____________________ (CONSEGUIR). Você merece.

Bia: É. Tomara que a diretora me ____________________ (ESCOLHER). Duvido que ela ____________________ (PROMOVER) o Fabrício. Ele não se dedica como eu.

Monique: A promoção já é sua. Estou torcendo para que você ____________________ (APROVEITAR) essa nova fase da sua vida.

Bia: Se eu mudar para o outro departamento, vou dar entrada em um apartamento. Já está na hora, não acha?

Monique: Mais do que na hora.

C. Oral: Faça as seguintes perguntas a um/a colega.

Sugestão de verbos:

mudar alterar acontecer promover
passar melhorar sair observar demitir
contratar aumentar diminuir

No seu emprego / área de atuação:

O que você espera que aconteça?
O que você duvida que aconteça?
O que você torce muito para que aconteça?
O que você acha que talvez aconteça?

LIÇÃO A AMPLIAÇÃO DO VOCABULÁRIO

O mercado de trabalho no futuro

Setores de maior probabilidade de crescimento

- Informática
- Saúde
- Meio Ambiente
- Turismo, Lazer e Entretenimento
- Biotecnologia
- Administração
- Tecnologia da Informação
- Terceiro Setor
- Educação

Áreas de Futuro (com possibilidade de crescimento)

- Turismo
- Hotelaria
- Sistema de Informações (Informática)
- Comunicação Social
- Moda
- Administração
- Gastronomia
- Logística
- Marketing
- Telecomunicações
- Comércio Exterior e Relações Internacionais

"Profissões do Futuro"

- Administradores de Comunidades Virtuais
- Engenheiros de Rede
- Gestor de Segurança na internet
- Coordenadores de Projetos
- Consultor de Carreiras
- Coordenadores de Atividades de Lazer e Entretenimento
- Designer e planejador de Games
- Gestor de Patrocínios
- Gestor de Empresas do Terceiro Setor
- Especialista na preservação do Meio Ambiente
- Engenharia Genética
- Gerentes de Terceirização
- Gestor de Relações com o Cliente
- Especialista em Ensino a Distância (EAD)
- Tecnólogo em Criogenia

Fonte: http://www.universia.com.br/materia/materia.jsp?id=906

A. Categorize os setores de acordo com as profissões abaixo Siga o exemplo:

Meio Ambiente
Especialista na preservação do Meio Ambiente

____

Gestor de Empresas do Terceiro Setor

____

Turismo
Hotelaria
Gastronomia
Coordenadores de Atividades de Lazer e Entretenimento

____

Designer e planejador de Games
Telecomunicações
Especialista em Ensino a Distância (EAD)
Sistema de Informações
Administradores de Comunidades Virtuais
Engenheiros de Rede
Gestor de Segurança na internet

____

Administradores de Comunidades Virtuais
Logística
Gestor de Patrocínios
Gerentes de Terceirização
Gestor de Relações com o Cliente
Administração
Marketing
Coordenadores de Projetos
Consultor de Carreiras

B. Responda as perguntas abaixo.

1. Você concorda com a divisão e as profissões listadas acima? Por quê? O que você acha que talvez aconteça?

____

____

____

2. Qual profissão você exerceria sem ser a que você exerce hoje? Por quê?

____

____

____

____

____

____

____

____

LIÇÃO B PANORAMA

Fenômenos da Natureza

Araquém Alcântara/SambaPhoto

Leonardo Papini/SambaPhoto

Izan Petterle/SambaPhoto

O clima do nosso planeta está mudando. Este fenômeno também conhecido por alteração ou mudança climática diz respeito à variação do clima no mundo ao longo do tempo. Essas variações referem-se a mudanças de temperatura e outros fenômenos climáticos. As causas dessas mudanças são naturais, mas, na atualidade, alguns cientistas acreditam que a ação do homem no planeta está contribuindo para o conhecido 'aquecimento global', que é o aumento da temperatura média dos oceanos e do ar perto da superfície da Terra.

O que você sabe sobre outros fenômenos da natureza, como: efeito estufa e chuva ácida?

O que você acha sobre o aquecimento global antropogênico (derivado das atividades humanas)?

LIÇÃO B DIÁLOGO

2/33

Tatiana: Danilo, a sua professora explicou direito o 'efeito estufa'?
Danilo: Acho que sim. Por quê?
Tatiana: Eu acho que a minha não explicou ou eu não entendi.
Danilo: É simples. Vamos estudar. Procure no dicionário a definição da palavra.
Tatiana: No dicionário?
Danilo: Claro! O dicionário às vezes traz as explicações de forma mais fácil.

Tatiana: Procuro em efeito ou em estufa?
Danilo: Veja em efeito porque a combinação é 'efeito estufa'.
Tatiana: Está bem. Achei ... aqui diz o seguinte: "Efeito proveniente da absorção, pela atmosfera, da radiação solar que, aquecendo a superfície do planeta, produz irradiação que permanece nas camadas atmosféricas interiores, elevando, em consequência, o seu nível térmico."
Danilo: Entendeu?
Tatiana: Entendi, mas o que significa 'térmico'?
Danilo: 'Térmico' significa 'calor'.
Tatiana: Agora entendi melhor, mas vou ter que copiar senão vou esquecer.
Danilo: Pena que na prova a gente não possa levar o dicionário, né?
Tatiana: Na verdade, eu acho uma pena que você não esteja na minha sala.
Danilo: O que é isso Tati, você acha que eu daria cola pra você?
Tatiana: Claro que sim.
Danilo: Nada disso. Não quero que você seja preguiçosa. Espero que você vá bem na prova com os seus próprios conhecimentos.
Tatiana: Ai, Danilo, como você é certinho!

LIÇÃO B GRAMÁTICA

Presente do Subjuntivo II – Verbos irregulares A

Pena que na prova a gente não **possa**[1] levar o dicionário, né?
Na verdade, eu acho uma **pena que** você não **esteja** na minha sala.
Não quero que você **seja** preguiçosa. **Espero que** você **vá** bem na prova com os seus próprios conhecimentos.

[1] Embora o verbo 'poder' seja irregular, ele segue a regra descrita na 'Lição A' desta unidade, assim como o verbo 'ir', conjugado abaixo.

Formação: Os verbos irregulares: dar, ir, ser, estar, querer, saber e haver ficam como o imperativo, no presente do subjuntivo: dar → dê; ir → vá; ser → seja; estar → esteja; saber → saiba e haver → haja.

ESTAR		SER		IR	
Eu	esteja	Eu	seja	Eu	vá
Você Ele Ela A gente	esteja	Você Ele Ela A gente	seja	Você Ele Ela A gente	vá
Nós	estejamos	Nós	sejamos	Nós	vamos
Vocês Eles Elas	estejam	Vocês Eles Elas	sejam	Vocês Eles Elas	vão

LIÇÃO B CONSTRUÇÃO DO CONTEÚDO

A. Complete as frases com os verbos indicados e acrescente a sua opinião.

1. Espero que em cinquenta anos, o mundo ____________ (ESTAR) ______________________________.
2. Não acho que as pessoas ____________ (SABER) ____________ ______________________________.
3. Tomara que em um futuro próximo todas as pessoas ________ (PODER) ______________________________.
4. Talvez eu ____________ (IR) ____________ ______________________________.
5. É uma pena que não ____________ (HAVER) ____________ ______________________________.
6. Quero que meu país ____________ (SER) ____________ ______________________________.
7. Espero que as pessoas nunca mais ____________ (DAR) ____ ______________________________.

B. Complete os diálogos com os verbos no presente do subjuntivo.

1. A: Vamos embora antes que ____________ (SER) muito tarde.
   B: Ainda temos muito tempo. Não se preocupe.
2. A: Espero que as pessoas ____________ (SABER) o que estão fazendo com a natureza.
   B: É. E eu espero que meus netos ____________ (PODER) saber o que é tomar um banho de mar.
3. A: Será que eles vão à festa?
   B: Tomara que ____________ (IR). Eles são muito legais.
4. A: Você sabe se há alguma chance de limparmos o rio nos próximos dez anos?
   B: Talvez ____________ (HAVER) uma chance. Mas o governo tem que investir mais.
5. A: Seria bom nós sairmos agora. Antes que eu ____________ (ESTAR) muito cansado para andar até em casa.
   B: Tudo bem. Espero que se ____________ (RECUPERAR) do cansaço logo.

C. Oral: Encontre entre os colegas alguém que...

	Nome	Detalhes
... saiba falar quatro línguas.	____________	Quais? Onde aprendeu?
... talvez vá viajar para o Brasil em breve.	____________	Quando? Objetivo da viagem?
... possa falar algo sobre a história do Brasil.	____________	O quê? Onde aprendeu?
... seja conhecedor de música brasileira.	____________	Quais cantores ou músicos?
... esteja fazendo algo para preservar o meio ambiente.	____________	O quê? Quando começou a fazer isso e por quê?

LIÇÃO B AMPLIAÇÃO DO VOCABULÁRIO

Natureza

Clima

temperatura { grau Celsius / grau Fahrenheit }
aquecimento global
efeito estufa
ondas de calor

Tipos de chuva

temporal
tempestade
chuva de verão
garoa
chuvisco
chuva ácida

Geral

enchente
seca
deslizamento
desmatamento
maré alta / maré baixa
nevoeiro = névoa = neblina
cerração (nevoeiro denso)
camada de ozônio
erosão do solo

A. Nomeie as fotos abaixo.

1. ______________________

Ana Hochheim/SambaPhoto

2. ______________________

Igor Bier Pessoa/SambaPhoto

3. ______________________

Igor Bier Pessoa/SambaPhoto

4. ______________________

Araquém Alcântara/SambaPhoto

5. ______________________

B. Escreva as legendas de acordo com as definições abaixo. As legendas estão no exercício A que você acabou de fazer. Procure no dicionário, caso seja necessário.

1. ______________________________

substantivo feminino
agitação atmosférica violenta, muitas vezes acompanhada de chuva, granizo, vento, raios e trovões; temporal, procela

2. ______________________________

substantivo feminino
Rubrica: meteorologia.
nevoeiro espesso, denso; neblina

3. ______________________________

substantivo feminino
estiagem prolongada; falta de água

4. ______________________________

substantivo feminino
Rubrica: geologia.
desgaste e/ou arrastamento da superfície da Terra pela ação mecânica e química da água corrente, vento, gelo, intemperismo, transporte ou outros agentes geológicos

5. ______________________________

substantivo feminino
grande abundância ou fluidez no volume de águas, por causa do excesso de chuvas, subida de maré etc.; cheia, inundação
Ex.: a ______ de 1988 arrasou a cidade

C. Responda.

1. Quais fenômenos ambientais podem ser causados pelo homem? Quais ocorrem no Brasil?

____
____
____

2. Como esses fenômenos afetam o modo de vida das pessoas?

____
____
____

3. E no seu país, há fenômenos semelhantes? Quais?

____
____

LIÇÃO C PANORAMA

Impostos

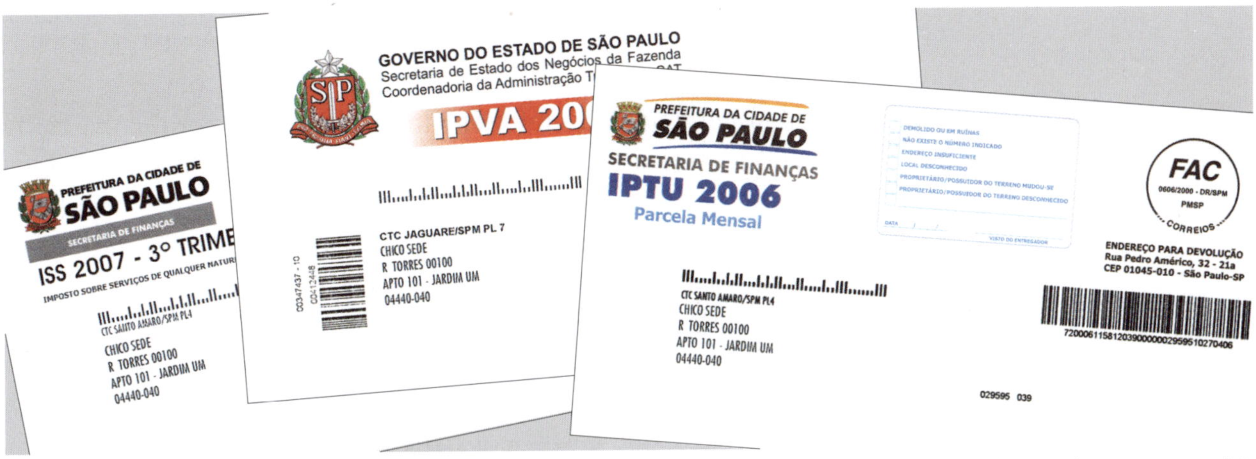

O Brasil é um dos países com maior taxa tributária do mundo. Os impostos no Brasil são divididos em: impostos municipais (cidades), estaduais (estados) e federais (nação). Um dos impostos municipais mais conhecidos entre os brasileiros é o IPTU (Imposto sobre Propriedade Predial e Territorial Urbana); um dos estaduais mais conhecidos é o IPVA (Imposto sobre Propriedade de Veículos Automotores) e um imposto federal bem conhecido é o IR (Imposto sobre a Renda e proventos de qualquer natureza).

Você já conhecia os impostos citados acima?
Quais são os impostos mais conhecidos no seu país?
Quais são os impostos que você paga no seu país?
Quais são os impostos que você paga no Brasil (Se você morar no Brasil)?

LIÇÃO C DIÁLOGO

2/34

José: Já está na época de fazer o imposto de renda?
Érika: Imposto de renda em outubro, José?
José: Ah, é verdade. A declaração é em abril ou maio, né?
Érika: É. Como você é desligado!
José: Mas por que toda esta concentração e essas contas todas?
Érika: Estou fazendo o orçamento de dezembro e janeiro.
José: Nossa! Já?

Érika: Se eu deixar para dezembro, não vai dar certo. Espero que eu tenha dinheiro suficiente para pagar tudo.

José: E o décimo terceiro?

Érika: Estou contando com ele. Mas, em janeiro, temos: IPTU, IPVA, o seguro do carro e a matrícula das crianças na escola.

José: Tomara que o seu décimo terceiro dê para tudo porque você sabe que o meu já está comprometido com os presentes de Natal e a viagem de férias das crianças.

Érika: Espero que vocês queiram viajar para outro lugar este ano. Assim talvez sobre um pouco do seu décimo terceiro.

José: Outro lugar quer dizer o apartamento da praia, né?

Érika: Claro. Tomara que faça muito sol. Algum problema?

José: Nenhum. Duvido que você saiba, mas as crianças preferem a praia. Você é que gosta de ir para o Sul, na casa dos seus pais.

Érika: Tudo bem, querido. Foi só uma sugestão.

LIÇÃO C GRAMÁTICA

Presente do Subjuntivo II - Verbos irregulares B

Espero que eu **tenha**[1] dinheiro suficiente para pagar tudo.

Tomara que o seu décimo terceiro **dê** para tudo.

Assim **talvez sobre**[2] um pouco do seu décimo terceiro.

Tomara que faça muito sol.

Duvido que você **saiba**, mas as crianças preferem a praia.

[1] Embora o verbo 'ter' seja irregular, ele segue a regra descrita na 'Lição A' desta unidade.

[2] O verbo sobrar é regular e segue a regra descrita na 'Lição A' desta unidade.

Formação: Os verbos irregulares: dar, ir, ser, estar, querer, saber e haver ficam como o imperativo, no presente do subjuntivo: dar → dê; ir → vá; ser → seja; estar → esteja; saber → saiba e haver → haja.

TER		DAR		SABER	
Eu	tenha	Eu	dê	Eu	saiba
Você / Ele / Ela / A gente	tenha	Você / Ele / Ela / A gente	dê	Você / Ele / Ela / A gente	saiba
Nós	tenhamos	Nós	demos	Nós	saibamos
Vocês / Eles / Elas	tenham	Vocês / Eles / Elas	deem	Vocês / Eles / Elas	saibam

LIÇÃO C CONSTRUÇÃO DO CONTEÚDO

A. Encontre a parte que melhor completa as frases.

1. Talvez eu tenha... ( )
2. Espero que o governo dê... ( )
3. Duvido que os contadores saibam... ( )
4. Tomara que o presidente faça... ( )
5. Espera-se que as pessoas vão... ( )
6. Pena que sobre... ( )
7. Talvez nós demos... ( )

a. condições para o país crescer.
b. algo para reduzir os impostos.
c. um jeito de melhorar a produtividade.
d. tanto alimento nos restaurantes.
e. mais tempo para me dedicar a ajudar o próximo.
f. mais a eventos que discutem problemas ambientais.
g. tudo sobre os impostos de todos os tipos de empresa.

B. Complete os diálogos a seguir com os verbos indicados nos tempos verbais corretos.

1. A: Mas você não ________________ (TER) nenhuma moeda?
B: Espera. Talvez eu ________________ (TER). Vou procurar.

2. A: Com tantas contas para pagar, não ____________ (SOBRAR) nada para viajarmos.
B: Espero que ____________ (SOBRAR). Não tiro férias há cinco anos.

3. A: Vocês ______________ (SABER) se os impostos que uma microempresa paga são iguais aos de uma empresa limitada?
B e C: Não que nós ________________ (SABER). Mas é melhor perguntar a um contador.

4. A: A minha irmã ainda não ___________ (FAZER) a declaração de imposto de renda. O prazo limite para mandar pela internet é hoje. Acredita?
B: Duvido que ela __________ (FAZER) isso hoje. Quando saí do escritório ela ainda tinha um monte de trabalho para terminar.

5. A: Acho que não ____________ (DAR) tempo de passarmos no banco para pagar esse DARF.
B: Tomara que __________________ (DAR) porque estou sem computador e não poderei usar o internet banking.

C. Oral: Discuta com um/a colega as opiniões dadas pelas pessoas abaixo. Você concorda com elas? Se não concorda, como mudaria as frases para torná-las coerentes com sua opinião?

"Não espero que o governo faça nada pelo país. Nós, os cidadãos, é que temos que fazer algo."

"Tomara que os deputados e senadores saibam o que estão fazendo porque eu não tenho obrigação de ficar seguindo seus passos. Tenho minha vida para cuidar."

"Duvido que um dia o Brasil tenha condições de competir com os países desenvolvidos. Pelo menos, não enquanto tivermos essa carga tributária absurda."

LIÇÃO C AMPLIAÇÃO DO VOCABULÁRIO

Impostos

Pagar	**Receber**	**Declarar**
tarifa	tarifa	imposto de renda
tributo	tributo	
imposto	taxa	
taxa	imposto	
multa	multa	

A. **Classifique os impostos abaixo em imposto, multa ou taxa.**

IPTU | de juros | IPVA | de água e esgoto | de câmbio | de 5% ao mês | de importação | de frete | de condomínio | ICMS | de renda | único | de trânsito | por atraso no pagamento

imposto	**taxa**	**multa**
______	______	______
______	______	______
______	______	______
______	______	
______	______	
	______	

B. **Complete os espaços abaixo com *pagar*, *receber* ou *declarar*. Conjugue os verbos, se necessário.**

1. A: Ah, não... ______________ uma multa de trânsito. Tenho que ______________ R$ 85,13 por excesso de velocidade, você acredita? Eu nunca corro, você sabe!
   B: Ah, claro... nunca.

2. Antônio: Gaspar? O motoboy esteve aqui. ______________ os impostos.
   Gaspar: E a gente vai ter dinheiro para ______________ tudo?
   Antônio: Espero que sim.

3. Rosa: Valentina, você já ____________ a restituição do imposto de renda do ano passado?
Valentina: Ainda não. Quem sabe no próximo lote.

4. Lurdes: Querido, você já ______________ o imposto de renda deste ano?
Manuel: Ainda não. Acho que vou pedir para um contador nos ajudar. Estou muito ocupado.

C. 2/35 **Agora, ouça os diálogos e confira suas respostas.**

LIÇÕES A, B e C COMPREENSÃO AUDITIVA

2/36 **Ouça os três diálogos a seguir e complete o exercício.**

1. Nelson: "Espero que ______________________________________"
Lucas: "Tomara que ______________________________________"
Nelson: "Duvido que ______________________________________"
Lucas: "Espero que ______________________________________"
2. Gislaine: "Espero que ______________________________________"
Hugo: "É uma pena que __________________________________"
Gislaine: "Estou torcendo para que ____________________________"
Hugo: "Não acredito que ________________________________"
3. Alex: "Espero que ______________________________________"
Hamilton: Espero que ______________________________________"
Hamilton: "Talvez ____"
Alex: "Meus amigos duvidam que __________________________"

LIÇÕES A, B e C APLICAÇÃO ORAL DO CONTEÚDO

Você e um/a colega vão improvisar três diálogos baseados nas situações abaixo. Em todos eles, as estruturas fornecidas na caixa devem ser usadas.
Estruturas para usar nos diálogos

Tomara que...	Espero que...	É uma pena que...
Duvido que...	Talvez...	Acredito que...

Situação 1: Vocês dois/duas resolveram mudar de emprego. Discutam os prós e contras de diferentes campos de atuação e resolvam em que área vocês trabalharão.

Situação 2: Vocês dois/duas são ativistas de uma organização de defesa da natureza. Discutam os problemas ambientais do planeta.

Situação 3: Vocês dois/duas querem se tornar sócios em uma empresa de ______________. Discutam sobre a carga tributária e resolvam se fecharão a parceria.

LEITURA

Profissões de futuro

Competências, habilidades e atitudes do profissional do século XXI

Capacidade de trabalhar em equipe
Domínio de idiomas
Domínio de informática
Autodidatismo
Reciclagens periódicas
Atualização permanente
Neofilia
Cidadania e responsabilidade social
Habilidade em tomada de decisão
Capacidade de aprender a aprender
Capacidade de associação de ideias
Liderança
Visão de Conjunto

Profissionais multímodas

Além da competência e habilidades necessárias ao profissional do futuro, há um item de fundamental importância: o nível de abrangência das capacidades desse profissional. Os termos para designá-lo são muitos: profissional híbrido, multifuncional, polivalente, multímoda, interdisciplinar, entre outros. O que importa é que ele tenha a capacidade de expressar e aplicar seu conhecimento, competências e habilidades de muitas maneiras. Podemos apresentar como exemplo de profissional multímoda, um nutricionista que está apto a dar consultoria pela internet, realizar palestras sobre o tema que domina, fazer auditoria nas empresas em que atua e selecionar profissionais do ramo para atuar nos locais em que dá consultoria.

Temos o senso crítico necessário para saber que um texto como esse não passa de mera especulação. Mesmo embasada em evidências concretas e análises estatísticas, tentar prognosticar o futuro das profissões em um mundo em constantes mudanças, não tem como deixar de ser um exercício de especulação. Mas nem por isso deixa de ter sua utilidade. As grandes descobertas, inventos e negócios da humanidade no decorrer da história, vieram em situações onde seus atores tentaram antecipar o que estava por vir.

Mesmo com toda a especulação e incerteza, uma coisa pelo menos é certa. No mundo do futuro, haverá muito poucas oportunidades para a mão de obra desqualificada. Daí surge o mais promissor de todos os setores profissionais – **o setor da Educação.**

Adaptado de http://www.universia.com.br/materia/materia.jsp?id=906 Publicado em 01/10/2002.

A. Responda as perguntas abaixo.

1. O que é um profissional multímoda?

2. Quais das competências, habilidades e atitudes do profissional do século XXI você possui?

3. Por que o setor da Educação é o mais promissor de todos os setores profissionais?

4. Você concorda com o texto? Por quê?

REDAÇÃO

Com base na leitura e suas respostas dadas acima, elabore um texto.

CONSOLIDAÇÃO LEXICAL

Impostos e taxas

Quais são os impostos e taxas que você paga no Brasil? Anote aqui as taxas e quando precisam ser pagas (todos os meses, em dezembro, uma vez por ano...)

IMPOSTO / TAXA	PAGAMENTO

UNIDADE 19

Se eu fosse você, compraria um jornal para procurar emprego

LIÇÃO A **PANORAMA**

Jogos de azar

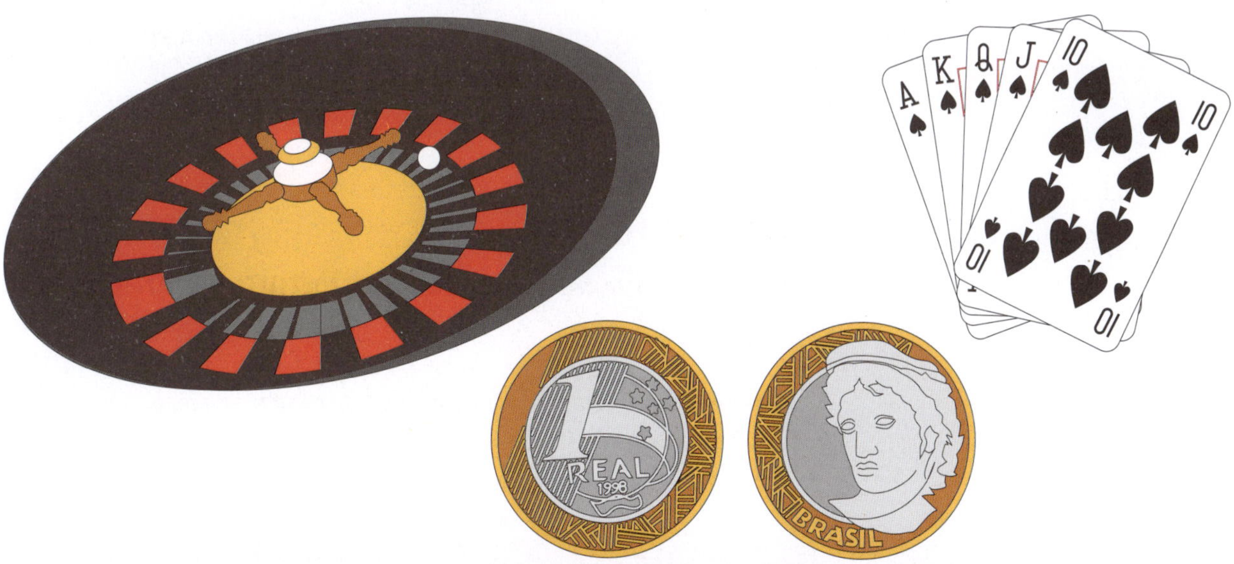

Jogos de azar são aqueles em que perder ou ganhar depende mais de sorte que de cálculo. Entre esses jogos estão: a roleta, os jogos de baralho, loteria e cara ou coroa. A roleta, por exemplo, é um tipo de jogo de azar praticado em cassinos. No Brasil, os cassinos são proibidos por lei.

Você tem preferência por algum jogo de azar?
Você já foi a um cassino?
No seu país, existem cassinos?

LIÇÃO A DIÁLOGO

2/37

Jorge: Nossa! Quantas cartelas da Sena. Você vai fazer todos esses jogos?
Lucas: Vou sim.
Jorge: Mas a probabilidade de você ganhar é tão mínima.
Lucas: É, mas eu estou confiante.
Jorge: Desculpe, só pensei em ajudar.
Lucas: Ontem fui despedido do meu emprego, mas foi uma sorte. Eu não gostava mesmo de trabalhar naquele escritório.
Jorge: Lucas, por isso mesmo é que você deveria economizar agora. Se eu fosse você, compraria um jornal para procurar emprego.
Lucas: Quem você conhece que conseguiu emprego porque viu o anúncio no jornal?
Jorge: Não sei. Eu não pergunto para as pessoas como elas conseguiram emprego, mas conheço muitas pessoas empregadas. E você, quantas pessoas você conhece que ganharam na loteria?
Lucas: Ai, Jorge, não seja estraga prazeres.

LIÇÃO A GRAMÁTICA

Imperfeito do Subjuntivo com Futuro do Pretérito

Se eu **fosse** você, **compraria** um jornal para procurar emprego.
Se eu **comprasse** um jornal, **veria** os classificados.
Se eu **visse** os classificados, **poderia** encontrar um emprego.

Uso: Frases com o imperfeito do subjuntivo mais o futuro do pretérito do indicativo indicam uma ação que não tem possibilidade de ocorrer ou que não ocorre. Trata-se apenas de uma hipótese.

Formação: substitui-se a terminação *–ram* da terceira pessoa do plural do pretérito perfeito simples do indicativo pelas seguintes terminações para as três conjugações: -sse, -sse, -ssemos, -ssem.

Imperfeito do Subjuntivo

COMPRAR (pretérito perfeito: eles compra**ram**)		**VER** (pretérito perfeito: eles vi**ram**)		**SER*** (pretérito perfeito: eles fo**ram**)	
Eu	comprasse	Eu	visse	Eu	fosse
Você		Você		Você	
Ele	comprasse	Ele	visse	Ele	fosse
Ela		Ela		Ela	
A gente		A gente		A gente	
Nós	comprássemos	Nós	víssemos	Nós	fossemos
Vocês		Vocês		Vocês	
Eles	comprassem	Eles	vissem	Eles	fossem
Elas		Elas		Elas	

* O verbo 'ir' tem a mesma conjugação do verbo 'ser'.

LIÇÃO A CONSTRUÇÃO DO CONTEÚDO

A. Ache as partes que melhor completam as frases a seguir.

1. Se eu gostasse de jogar roleta,
2. Se os brasileiros tivessem um maior poder aquisitivo,
3. Se o entretenimento nas cidades menores fosse melhor,
4. Se as pessoas pudessem escolher entre ganhar na loteria e ter um trabalho que pagasse muito bem,
5. Se em alguns países jogar fosse liberado para menores de dezoito anos,
6. Se as pessoas não se viciassem,
7. Se o jogo do bicho fosse legalizado,

( ) os jovens poderiam ter problemas na escola.
( ) com certeza escolheriam não trabalhar e ganhar dinheiro fácil.
( ) os bingos poderiam ser legalizados.
( ) compraria uma de brinquedo para jogar em casa.
( ) o governo poderia recolher mais impostos.
( ) gastariam mais com viagens e lazer.
( ) o turismo se espalharia para outras áreas do país.

B. Complete as seguintes frases com sua opinião.

1. Se as pessoas nos países em desenvolvimento ________________ ________________ (TER) um maior poder aquisitivo, ________________ ________________________________.
2. Se ________________ (ALGUMA COISA) ________________ (SER) legalizado(a) em nosso país, ________________________________ ________________________________.
3. Se os políticos ________________ (VER) ________________ ,

____.

4. Se o ser humano ______________ (PENSAR) ______________,
____

5. Se não ________________ (EXISTIR) mais dinheiro no mundo
______________, ______________________________
____.

C. Oral: **Entreviste alguns colegas e escolha a resposta mais interessante. Justifique.**

O que você faria se...	Resposta mais interessante. Por quê?
... um colega do trabalho lhe pedisse um empréstimo para ajudar na compra de um carro?	
... seus vizinhos não o deixassem dormir porque têm hábitos noturnos?	
... soubesse que o mundo vai acabar em dez anos?	
... descobrisse que algo ilícito está acontecendo em um apartamento de seu prédio?	
... ______________________ (crie uma pergunta)	
... ______________________ (crie uma pergunta)	

LIÇÃO A AMPLIAÇÃO DO VOCABULÁRIO

Jogos de azar

tipos de jogos		verbos e verbo + substantivo	expressões
cara ou coroa	rifa	arriscar a sorte	Que sorte!
bingo	roleta	apostar	Que sortudo/a!
dados	pedra, papel, tesoura	ganhar	Que azar!
jogos de baralho	(ou joquempô)	perder	Que azarado/a!
loteria (Sena, Mega sena,		fazer uma fezinha	
loteria esportiva)		fazer um bolão	

A. Nomeie os tipos de jogos de acordo com as fotos abaixo.

1. ______________________

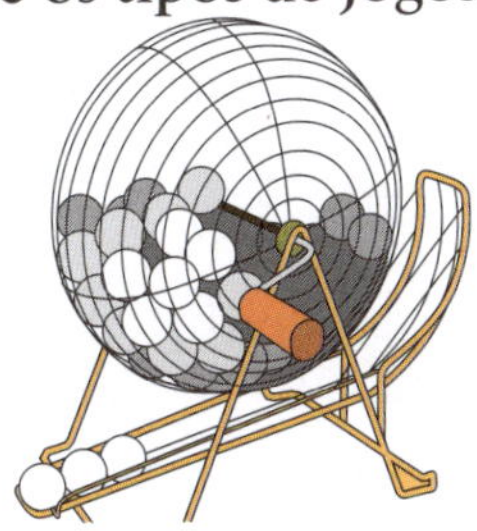

2. ______________________

3. ______________________

4. ______________________

5. ______________________

6. ______________________

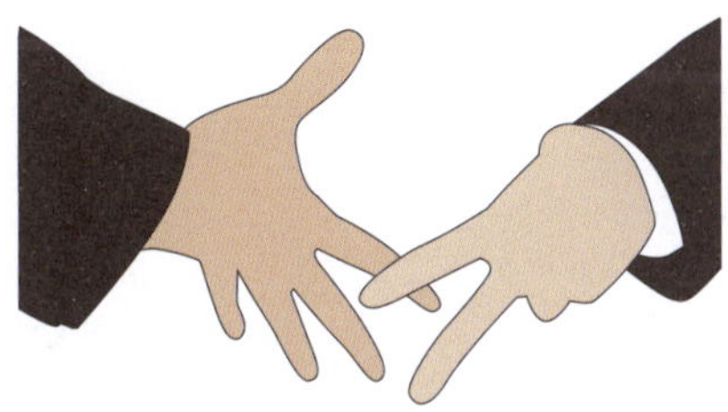

7. ______________________

B. Escreva as expressões utilizadas nas situações abaixo: Que sorte!; Que sortudo/a!; Que azar! Que azarado/a! Mais de uma possibilidade é correta.

1. ______________________

2. ______________________

3. ______________________

4. ______________________

C. Você consegue imaginar outras situações em que possa utilizar as expressões acima?

Situação: ____
Expressão: ____

Situação: ____
Expressão: ____

D. Complete os diálogos abaixo com a expressão/palavra correta.

1. Mãe: Aonde você está indo, Junior?
   Junior: À Lotérica. Vou _________________ (LOTERIA/ FAZER UMA FEZINHA)
   Mãe: Não acredito que você já vai gastar seu dinheiro com essas bobagens.
   Junior: Não fala assim, mãe! Se eu _____________ (PERDER/ GANHAR) te compro um carro de presente!

2. Marido: E agora? Quem vai lavar a louça hoje? Eu lavei ontem.
   Esposa: Eu também. Já sei vamos tirar _______________ (CARA OU COROA/BINGO)
   Marido: Está bem. Eu quero....

3. A: E aí, gente? Vamos _______________ (FAZER UM BOLÃO/ GANHAR) para a Mega sena acumulada. Quem vai participar?
   B: Eu estou dentro! Vou _________________ (GANHAR/ ARRISCAR A SORTE), apesar de nunca ter ganhado nada. Não custa tentar. Quanto a gente tem que _________ (PERDER/APOSTAR)?
   A: R$ 50,00 cada um.

LIÇÃO B PANORAMA

Casamento

Em casamentos tradicionais, no Brasil, é costume a noiva jogar o buquê após a cerimônia religiosa ou, se houver recepção, após o corte do bolo. A noiva fica de costas para um grupo de amigas solteiras para jogar o buquê. Segundo a tradição, a moça que pegar o buquê será a próxima a se casar. Existem outros costumes também, como, por exemplo, jogar arroz cru nos noivos quando eles saem da igreja após a cerimônia. O arroz simboliza fartura e prosperidade.

Quais são os costumes de casamento no seu país?
Quais costumes de casamento você acha interessantes?
De quais costumes você não gosta?

LIÇÃO B DIÁLOGO

2/38

Vânia: Para mim esse aqui é o mais bonito.
Elza: Também acho, mas ainda quero ver mais alguns.
Vânia: O que você e o Marcelo já fizeram?
Elza: Nós já vimos o bufê há um ano; fizemos a lista de convidados; temos as reservas para a viagem de lua de mel; temos o pessoal das fotos e vídeo e quanto à igreja já está quase tudo acertado.
Vânia: O que falta da igreja?
Elza: A decoração. Ainda não me decidi por qual flor para decorar a igreja.
Vânia: Mas isso depende das outras noivas que vão se casar no mesmo dia, não é?
Elza: Não. Meu noivo é evangélico. Vou me casar numa igreja evangélica. Só haverá um casamento, o meu.
Vânia: Então, é bem mais fácil. Se eu fosse você, eu usaria rosas de duas cores: champanhe e cor-de-rosa.
Elza: Ficaria lindo, mas a rosa é muito cara, não é?
Vânia: Quando me casei, quis economizar na decoração. Duvidei que ficasse tão diferente com outras flores, mas acabei não gostando do resultado.
Elza: Bem, então, você me ajuda depois. Mas esqueci de dizer que ainda não me decidi pelo vestido. Estou na dúvida entre dois. Vamos à loja comigo?
Vânia: Claro. Você vai comprar ou alugar?
Elza: Alugar, claro.
Vânia: Eu também aluguei. E o sapato? Conselho de amiga: compre ou alugue um sapato baixo porque eu pensei que conseguisse usar um sapato alto na festa toda, mas tive que acabar ficando descalça para aproveitar a festa.

LIÇÃO B GRAMÁTICA

Imperfeito do Subjuntivo com expressões

Duvidei que ficasse tão diferente com outras flores, mas acabei não gostando do resultado.

Eu pensei que conseguisse usar um sapato alto na festa toda, mas tive que acabar ficando descalça para aproveitar a festa.

Uso: O imperfeito do subjuntivo pode ser usado com as mesmas expressões que o presente do subjuntivo, mas elas terão de ser usadas no pretérito perfeito ou imperfeito do indicativo.

Expressões: Foi/ Era pena que .../ Achei/ Achava que .../ Pensei/ Pensava que .../ Tive/ tinha medo que ... / Temi/ Temia que ... Bastou/ Bastava que .../ Talvez ... etc.

LIÇÃO B CONSTRUÇÃO DO CONTEÚDO

A. Complete os diálogos com os verbos no tempo correto.

1. Karen: E então? Como foi a festa de casamento da sua amiga?
Cissa: Legal. Mas, achei que o irmão dela _____________ (SER) mais simpático. Ela disse que ele queria me conhecer.
Karen: Pensei que ele já te _________________ (CONHECER).
Cissa: Não. Eu tinha medo que ele não _______________ (IR) com a minha cara, então resolvi fugir do encontro com ele. Mas, no casamento não pude escapar.
Karen: E no final das contas você é que não foi com a cara dele. Engraçado.

2. Glauber: Maurício, o que aconteceu na festa de final de ano?
Maurício: Bem, eu temia que o Rodrigo _________________ (APARECER). E apareceu.
Glauber: Hum. Que chato. A situação entre vocês não ficou boa depois que você foi promovido no lugar dele, né?
Maurício: Ele não agiu bem comigo na festa. Bastava que eu _________________ (DIZER) qualquer coisa e ele começava a criticar.
Glauber: Talvez ele ___________________ (ESTAR) bêbado.
Maurício: Não estava não. Bem, que posso fazer? Nada.

B. Leia as situações descritas abaixo e pense em hipóteses para responder as perguntas.

1. Suzana foi para o trabalho de manhã. Quando voltou para casa a televisão estava ligada no último volume. Por que ela não ouviu a TV quando saiu de casa?
Talvez ______________________________
____
____
____

2. Robson não apareceu na aula da faculdade. Todos ficaram preocupados porque ele nunca falta. No dia seguinte, ele disse que havia ficado doente. Mas, não ficou. Por que ele faltou e mentiu que estava doente?
Talvez ______________________________
____
____
____

3. Luana formou-se em direito na semana passada. Durante a colação de grau ela caiu no sono e não ouviu seu nome ser chamado para pegar o diploma. Por que ela dormiu no meio da cerimônia?
Talvez ______________________________
____
____
____

C. Oral: Pense nas situações abaixo e narre-as aos/às colegas.

1. Algo que você achava que fosse, mas não era.
2. Algo que você temia que acontecesse e aconteceu.
3. Algo que talvez fosse legal, mas que acabou sendo muito chato.
4. Algo que você não queria que acontecesse e conseguiu evitar.

LIÇÃO B AMPLIAÇÃO DO VOCABULÁRIO

Casamento

Pessoas

noivo	madrinha(s)	daminhas
noiva	padrinho(s)	padre
convidados	dama(s) de honra/	pastor

Comida e bebida

aperitivos (coquetéis com ou sem álcool)	entrada	docinhos (trufa, olho de sogra, bem-casado)
salgados (canapés e outros, fritos e / ou assados)	prato de massa	bolo
	prato principal	café
	bebidas	
	sobremesa	

Geral

lembrancinhas	lista de presentes	vestido de noiva
alianças	cerimônia religiosa	traje do noivo
chá de cozinha	recepção	fotos e vídeo
despedida de solteiro	música	convite de casamento

A. Classifique em preparativos para o casamento, pessoas, comidas, bebidas, cerimônia religiosa e recepção.

convidados	madrinhas	convite de casamento	música
noivo	salgados	bebidas	prato principal
alianças	lembrancinhas	chá de cozinha	aperitivos
docinhos	prato de massa	fotos e vídeo	daminhas
noiva	lista de presentes	entrada	padrinhos
bolo	padre / pastor	café	
vestido de noiva	traje do noivo	despedida de solteiro	

PREPARATIVOS	PESSOAS	COMIDAS

BEBIDAS	RELIGIOSO	RECEPÇÃO

B. Você já esteve em algum casamento no Brasil? Há diferença entre os casamentos no Brasil e no seu país? Quais diferenças você achou mais interessantes?

LIÇÃO C PANORAMA

Vocação profissional

Um pouco antes do término do Ensino Médio, quando o adolescente deve estar com 17 anos, vem a dura tarefa da escolha da carreira a seguir. Daí resultará a opção pela faculdade e o curso a fazer. Há adolescentes que têm muito clara a vocação profissional, mas este fato não acontece com a maioria. Normalmente, o jovem fica perdido e acaba escolhendo as carreiras mais tradicionais e que têm maior prestígio, como: advocacia, medicina e engenharia.

LIÇÃO C DIÁLOGO

2/39

Paula: Viu a lista dos aprovados no vestibular?
Marcel: Não. Eu não prestei.
Paula: Mas eu prestei e passei.
Marcel: Uau! Parabéns, Paulinha. Você sempre foi muito boa aluna mesmo, né?
Paula: É, mas estou um pouco chateada porque a Juliana minha amiga também prestou, mas não passou.
Marcel: A Juliana? Duvido que ela tenha estudado a sério como você.
Paula: Mas algumas vezes nós estudamos juntas.
Marcel: Pode até ser, mas a Ju é cuca fresca. Acredito que ela tenha conversado mais que estudado, não foi?
Paula: É, é verdade.
Marcel: Então, Paulinha, nada de ficar triste. Vamos comemorar a sua vitória.

LIÇÃO C GRAMÁTICA

Pretérito Perfeito do Subjuntivo

Duvido que ela **tenha estudado** a sério como você.
Acredito que ela **tenha conversado** mais que estudado, não foi?

Uso: O pretérito perfeito do subjuntivo pode exprimir:

a) passado, supostamente concluído em relação ao tempo em que se fala: Talvez ele **tenha feito** o trabalho.

b) futuro, indicando fato terminado em relação a outro fato futuro: É possível que ele já **tenha terminado** o trabalho quando você voltar para casa.

Formação: O pretérito perfeito do subjuntivo é formado com o presente do subjuntivo do verbo *ter* (ou haver) mais o particípio do verbo principal.

Pretérito Perfeito do Subjuntivo

ESTUDAR		CONVERSAR	
Eu	tenha estudado	Eu	tenha conversado
Você Ele Ela A gente	tenha estudado	Você Ele Ela A gente	tenha conversado
Nós	tenhamos estudado	Nós	tenhamos conversado
Vocês Eles Elas	tenham estudado	Vocês Eles Elas	tenham conversado

LIÇÃO C CONSTRUÇÃO DO CONTEÚDO

A. Reescreva as frases usando as palavras dadas.

1. Acho que ele terminou o trabalho.
Talvez *ele tenha terminado o trabalho.*

2. Acho que nós não entendemos o conteúdo bem.
Talvez ____________________

3. Acho que eles se adaptaram bem ao novo emprego.
Talvez ____________________

4. Acho que ela não gostou do presente.
Duvido que ____________________

5. Acho que cometi um erro.
   Acredito que ______________________________
   ____

6. Acho que ele não mudou de ideia de repente.
   Duvido que ______________________________
   ____

B. Complete o diálogo usando os verbos dados.

Otávio: Pedro, como está o negócio com o pessoal da formatura?
Pedro: Espero que eles ______________ (ESCOLHER) um repertório. Precisamos começar a ensaiar para tocar na festa.
Otávio: Vamos cantar blues? Pode ser que os universitários __________ (DECIDIR) por outro tipo de música.
Pedro: Espero que eles não ______________ (ESCOLHER) forró. Não sabemos nada de forró.
Otávio: Quem vai cantar desta vez? O Flávio?
Pedro: É possível que nosso empresário ______________ (PEDIR) para o Greg cantar. O Flávio está com problema nas cordas vocais. Vou confirmar.
Otávio: Mas o Greg não ensaiou as músicas. Ensaiou?
Pedro: Acredito que ele ______________ (ENSAIAR) sim. Ele já sabia que talvez tivesse que cantar.
Otávio: Ótimo. Fechado.

C. Oral: Encontre alguém no seu grupo que...

	NOME	DETALHES
... tenha escolhido há anos atrás uma profissão diferente da que exerce agora.	__________	Por que ele(a) trocou de profissão?
... tenha feito alguma viagem de aventura.	__________	Para onde ele(a) foi? Qual foi a aventura?
... tenha feito um curso relacionado a comida e alimentos.	__________	Por que ele(a) fez esse curso? Ele(a) aplica os conhecimentos que aprendeu?
... tenha terminado um relacionamento por carta, e-mail ou telefone.	__________	Por que ele(a) não falou pessoalmente?
... tenha prometido a si mesmo perder alguns quilos, mas não perdeu nem um grama.	__________	Por que ele(a) queria emagrecer? Por que não conseguiu?
... tenha dado conselhos sobre futuro profissional a alguém que seguiu o conselho e se saiu muito bem.	__________	A quem foi dado o conselho? O que fez ele(a) acertar na sugestão?

LIÇÃO C AMPLIAÇÃO DO VOCABULÁRIO

Escola

nível da escola

berçário
maternal
1º grau ou Ensino Fundamental (9 séries)
2º grau ou Ensino Médio (3 séries)
3º grau ou ensino/nível superior (de 2 a 6 anos)
pós graduação: especialização
mestrado
doutorado
pós-doutorado

verbos e expressões

estudar
colar
ir bem na prova
ir mal na prova
cabular/matar aula
prestar vestibular
fazer cursinho
passar = ser aprovado
repetir, bombar

A. **Ligue a idade da pessoa ao nível escolar de acordo com os parâmetros brasileiros.**

IDADE	NÍVEL ESCOLAR
De 4 meses a 2 anos	Ensino Superior
De 2 a 3 anos	pós graduação
De 6 a 14 anos	Ensino Médio
De 15 a 17 anos	maternal
A partir dos 17 anos	berçário
A partir dos 22 anos	Ensino Fundamental

B. **Qual é o seu nível de escolaridade? Em qual área é a sua graduação ou pós-graduação? O que o/a levou a escolhê-la?**

____

____

C. **Complete com a melhor opção, conjugando os verbos quando necessário.**

1. Sofia: E aí, Martinha? Como foi a prova?
Martinha: Ah, Sô... nada bem... acho que eu ____________ (PASSAR/BOMBAR)...
Sofia: Nossa! Que pessimismo é esse? Você ____________ (ESTUDAR/COLAR)?
Martinha: Estudei, mas acho que não foi suficiente. O pior é que se eu não passar não poderei ____________ (PASSAR/PRESTAR VESTIBULAR) para entrar na faculdade no ano que vem.
Sofia: Você fez o que podia, certo? Vamos esperar o resultado. Tenho certeza que vai dar tudo certo!

2. *(durante a prova...)*
Rita: Oi, Tony! Como foi a prova?
Tony: Foi fácil, mas o Beto ____________________ (ESTUDAR/ COLAR) a minha prova toda! Tomara que isso não me complique. Ele ____________________ (MATAR AULA/ ESTUDAR) o semestre inteiro, agora tem que colar dos outros.
Rita: Deixa isso para lá, Tony... Mas e agora? Quais são os seus planos? Vai ______________________________ (ESTUDAR/ PRESTAR VESTIBULAR) ou ________________________ (PASSAR/ FAZER CURSINHO)?
Tony: Ainda estou pensando, mas tenho que decidir logo. O ano já está acabando.

LIÇÕES A, B e C APLICAÇÃO ORAL DO CONTEÚDO

Siga as etapas seguintes para montar um diálogo:

1. Conte um fato bem surpreendente (verdadeiro ou imaginado) que aconteceu com você ou algo surpreendente que você fez. Algo que lhe causou medo.

2. Alguns colegas vão duvidar outros vão acreditar em você.

3. Os colegas farão perguntas sobre o ocorrido. Responda usando, quando possível, o imperfeito do subjuntivo (Ex.: falasse, fizesse, fosse) e as expressões "tinha medo que", "esperava que", "duvidei que", "pensei que" e outras.

4. Os colegas tentarão adivinhar se sua história é real ou inventada.

Ex.:

Você: *Há dois anos eu escalei o Monte Everest. Não fui até a parte mais alta. Tive uma hipotermia e quase morri. O resgate demorou muito para chegar e eu estava sozinho.*
Colega 1: *Duvido que você tenha escalado o Everest.*
Colega 2: *Eu acredito que você tenha feito isso.*
Colega 1: *Por que você fez essa viagem sozinho?*
Você: *Porque achei que eu não precisasse de ajuda para escalar. Achei que pudesse me virar.*
Colega 2: *Você teve medo que fosse morrer?*
Você: *Não.*
Colega 1: *Ainda acho que a história é mentira.*
Colega 2: *É. Acho que você inventou isso. Você não é muito fã de esportes e não parece gostar de arriscar a vida.*
Você: *É. Eu nunca escalei nenhuma montanha.*

LIÇÕES A, B e C COMPREENSÃO AUDITIVA

2/40 **Ouça os três diálogos a seguir e responda as perguntas.**

1. Qual o arrependimento de Mirela? ______________________

   O que Antônio faria se fosse ela? ______________________

   De quem foi a ideia de abrir um negócio para Antônio?

   Que tipo de negócio Mirela abriria se pudesse?

2. Se Marcão fosse casar, ele faria a cerimônia na igreja?

   Onde talvez ele faria a cerimônia?

   Por que Luis não disse para a noiva que gostaria de uma cerimônia menos tradicional?

   Até onde Luis casaria com Lorena?

3. O que a avó de Daniele falou para Isaías?

   O que Isaías faria se a avó dele fosse como a de Daniele?

   O que Isaías pensava da avó antes de conhecê-la?

O que Daniele faria se tivesse metade da energia da avó?

____

____

LEITURA

experiência	cargo	currículo	profissional
descrição	entrevista	objetividade	objetivo

A. **De acordo com as palavras/expressões acima, você é capaz de imaginar o conteúdo do texto? Escreva suas ideias abaixo.**

____

____

____

Objetividade no currículo é a senha para entrevista

Maria Carolina Nomura
Colaboração para a Folha de S.Paulo

Mais do que uma simples apresentação e descrição da experiência profissional, o currículo é a chave para participar de uma entrevista de trabalho.

A fim de orientar quem está à procura de um emprego – ou aqueles que apenas pretendem atualizar esse documento –, a **Folha** conversou com especialistas no tema para descobrir as principais falhas cometidas no currículo.

O primeiro problema, a falta de objetividade na função desejada, surge logo no topo da página – isso se o objetivo ali estiver destacado, no local certo.

"Não dá para ser goleiro e atacante ao mesmo tempo", aponta Marcelo Abrileri, presidente da Curriculum.com. Para a gerente de recursos humanos Sueli Carpinelli, da Alatur, é essencial que o objetivo profissional esteja adequado à experiência e à formação.

"Se a pessoa visa a uma vaga de assistente, deve saber quais são as responsabilidades atribuídas ao cargo e mostrar, na descrição das atividades, que tem essa experiência", sugere.

Muitos também deixam de inserir um resumo global com as principais qualificações relacionadas ao cargo pretendido. "O currículo deve ser de fácil leitura. A estética e a padronização são elementos fundamentais", acrescenta Abrileri.

A consultora Lizete Araújo, vice-presidente da ABRH (Associação Brasileira de Recursos Humanos), ressalta que o candidato deve deixar claro o que ele vai agregar à empresa. "É isso o que se quer saber."

Datas de conclusão de cursos e o período em cada cargo, hierarquizados a partir do mais recente, são informações imprescindíveis, segundo a executiva Manuela Bernis, da EDS Brasil. "Os anos de experiência ajudam a definir cargo e salário."

Em caso de mudança de área de atuação, Sueli Aznar, consultora da Lens & Minarelli, recomenda que o profissional demonstre como a vivência no trabalho despertou esse novo olhar, para que a experiência seja valorizada no novo desafio.

Retirado de http://www1.folha.uol.com.br/folha/classificados/empregos/ult1671u340538.shtml em 28/10/2007 - 15h15

B. Responda as perguntas abaixo.

1. O que a autora quis dizer com "objetividade no currículo é a **senha**..." e "currículo é a **chave** para uma entrevista..."?

___

___

___

2. É possível imaginar o conteúdo do artigo somente pelo título dele?

___

___

___

3. Você concorda com o texto? Por quê?

___

___

___

REDAÇÃO

Pronto para o cargo

Escreva a respeito de suas habilidades com a finalidade de ocupar um cargo (você escolhe) numa empresa.

___

___

___

___

___

___

___

___

___

___

CONSOLIDAÇÃO LEXICAL

Jogos, Casamento, Escola

1. Exclua a opção que não faz parte.

JOGOS

Tipos

fezinha	baralho	bingo
cara ou coroa	megassena	rifa
joquempô		

Expressões

arriscar o azar	fazer um bolão	fazer uma fezinha
que sorte!	Que azar!	

CASAMENTOS

Bebidas

coquetéis	canapés	refrigerantes
vinhos	café	champagne

Pratos

massas	carne	frango
peixe	bolo	risoto

Salgados

coxinhas	bem-casado	canapé
bolinha de queijo	bolinho de bacalhau	

Doces

brigadeiro	canapé	olho de sogra
beijinho	bem-casado	

Festa

recepção	comida	bebida
música	convidados	alianças

Religioso

igreja	padre/pastor	convidados
troca de alianças	comida	

ESCOLA

Níveis

Ensino Fundamental	especialização	doutorado
nível superior	oito anos	

Verbos

estudar	passar	colar
cabular	prestar	fazer
repetir	convidar	

Expressões

ir bem na prova	fazer cursinho	repetir de aula
matar aula	prestar vestibular	

2. Crie uma frase para cada um dos tópicos acima.

Ex.: Em casamentos, meu doce favorito é o bem-casado.

UNIDADE 20

O que você teria feito diferente na sua vida?

LIÇÃO A PANORAMA

Balanço do ano

Ao se aproximar o fim do ano, algumas pessoas gostam de fazer um balanço do ano que está terminando e de fazer alguns planos para o ano que vai se iniciar. Algumas até escrevem os planos futuros para, no final do ano, poderem ver o quanto conseguiram cumprir do planejado.

Você faz um balanço do ano que está terminando?
Quando se aproxima o fim do ano, você faz planos para o ano que se inicia?
O que você acha dessa prática?

LIÇÃO A DIÁLOGO

2/41

Mateus: Bom dia, família. A gente está perto do fim do ano e a professora de português quer que a gente faça uma entrevista com a família, para fazer uma reflexão do ano que está acabando. Vocês têm que responder o seguinte: "O que você teria feito diferente que traria mudanças positivas na sua vida?"

D. Ana: Que difícil, Mateus. Bem, tenho que pensar.

Francisco: Eu teria jogado mais videogame.

Mateus: Legal, vô.

D. Ana: Eu teria lido mais livros e assistido menos à televisão.

Mateus: E você, pai?

Otávio: O que é, Mateus?

Mateus: Você não ouviu? O que você teria feito diferente que traria mudanças positivas na sua vida?

Rejane: Eu teria viajado mais e trabalhado menos.

Mateus: Nossa, Rê, quem ouve até pensa que você trabalha muito.

Otávio: Tudo bem, sem discussões com sua irmã. Eu acho que teria agradecido mais e reclamado menos.

Mateus: Essa frase está bonita. E você tio Zé.

Tio Zé: Eu teria saído mais, ido mais ao cinema, bebido mais cerveja...

D. Ana: *Que isso*, Zé! É trabalho para a escola. Não escreve isso aí não, Mateus. O que a professora vai pensar da nossa família?

NA CONVERSAÇÃO...

QUE ISSO! = O QUE É ISSO? NESSE CASO, A PESSOA NÃO QUER SABER REALMENTE 'O QUE É ISSO?', MAS HÁ UMA CRÍTICA NA ENTONAÇÃO DA VOZ. A PESSOA ESTÁ DIZENDO: QUE ABSURDO, O QUE VOCÊ ESTÁ DIZENDO!

LIÇÃO A GRAMÁTICA

Futuro do Pretérito Composto

O que você **teria feito** diferente que traria mudanças positivas na sua vida?

Eu **teria jogado** mais videogame.

Eu **teria lido** mais livros e **assistido** menos à televisão.

Eu **teria viajado** mais e **trabalhado** menos.

Eu acho que **teria agradecido** mais e **reclamado** menos.

Eu **teria saído** mais, **ido** mais ao cinema, **bebido** mais cerveja.

Uso: O futuro do pretérito composto exprime um processo encerrado posteriormente a uma época passada a que se faz referência no presente.

Esse tempo também exprime incerteza sobre fatos passados (**Teria sido** ele que revelou o meu segredo?) ou fatos passados que não aconteceram (A gente **teria estudado** menos e **namorado** mais).

Formação: O futuro do pretérito composto do indicativo é formado com o verbo ter no futuro do pretérito (**teria/ teríamos/ teriam**) mais o particípio passado do verbo principal.

LIÇÃO A CONSTRUÇÃO DO CONTEÚDO

A. O que você acha que estas pessoas teriam feito no ano que passou? Ache o depoimento mais adequado à descrição da pessoa. Mais de uma opção é possível.

1. Mauro, professor, 35 anos
2. Célia, dentista, 29 anos
3. Maria Augusta, advogada, 45 anos
4. Sérgio, dono de livraria, 50 anos
5. Mirtes, dona de casa, 35 anos
6. Ronaldo, policial militar, 27 anos
7. Renata, dançarina, 19 anos

( ) a. "Eu teria saído mais de casa para passear com meus filhos".

( ) b. "Eu não teria perdido a oportunidade de aprimorar minha arte na Rússia".

( ) c. "Eu teria investido em um ambiente maior e talvez em um pequeno café dentro do meu estabelecimento."

( ) d. "Eu teria feito alguns cursos que foram oferecidos gratuitamente pela prefeitura de minha cidade."

( ) e. "Eu teria aceitado um caso muito complicado que me traria prestígio".

( ) f. "Eu teria trabalhado menos e teria feito RPG para amenizar a dor que sinto nas costas."

( ) g. "Eu teria passado mais tempo com minha família porque arrisco minha vida todos os dias".

B. Complete os diálogos com o futuro do pretérito composto (Ex.: teria feito, teríamos ido etc).

1. A: O que você _______________ (FAZER) de diferente neste ano que passou?
   B: Acho que eu __________________ (ECONOMIZAR) mais. Não juntei quase nada.

2. A: Qual o balanço que você e sua família fazem deste ano? ______________________________ (FAZER) algo diferente?
   B: Nós certamente _____________________ (DISCUTIR) menos. Brigamos muitas vezes por bobagens.

3. A: Minha irmã não para de reclamar sobre o ano que está acabando.
B: Por quê? Ela ________________ (ESTUDAR) mais?
A: Acho que sim. Afinal não foi aprovada na escola. E eu ________________ (DAR) mais conselhos a ela. Ela é muito despreocupada.

4. A: Ah, se eu pudesse voltar atrás... Não ________ (PERDER) tanto tempo com aquele projeto que não deu em nada.
B: Eu não me incomodo. __________ (FAZER) tudo igual. Nós aprendemos com os erros também. O projeto acabou sendo útil.

C. Oral: Discuta as seguintes questões com um/a colega.
Se você pudesse voltar atrás na sua vida,

... o que você ____________ (FAZER) de diferente na sua adolescência/ou infância? Por quê?
... você ________ (ESCOLHER) o mesmo curso na faculdade/escola técnica?
... o que você não _____ (FAZER) de jeito nenhum? Por quê?
... você __________ (VIAJAR) para algum lugar? Com que propósito?
... você ________ (APROVEITAR) melhor uma oportunidade de estudo/trabalho? Qual foi essa oportunidade?

LIÇÃO A AMPLIAÇÃO DO VOCABULÁRIO

Fim do ano

Festas

Véspera de Natal (24/12)
Natal (25/ 12)
Véspera de Ano-Novo (31/12)
Réveillon (festa no dia 31/12)
Ano-Novo (01/01)

Geral

balanço do ano
retrospectiva
planos
planejamento
festas
comemorações
ceia
presentes
confraternizações
cartões de Natal
cartões de boas festas
amigo secreto

Expressões

Feliz Natal!
Feliz Ano-Novo!
Boas Festas!
Desejo a todos ...
Desejamos a todos ...
Um brinde a ...

A. Escreva as expressões/cumprimentos do quadro que melhor se adequam às situações abaixo. Mais de uma possibilidade é correta.

B. Coloque as palavras/expressões do quadro na comemoração correta. Em duplas, acrescente outras palavras/expressões.

roupa branca	champanhe	confraternizações	árvore de Natal
presentes	amigo secreto	balanço do ano	retrospectiva
cartões de Natal	brinde	planos	planejamento
festas	comemorações	ceia	cartões de boas festas

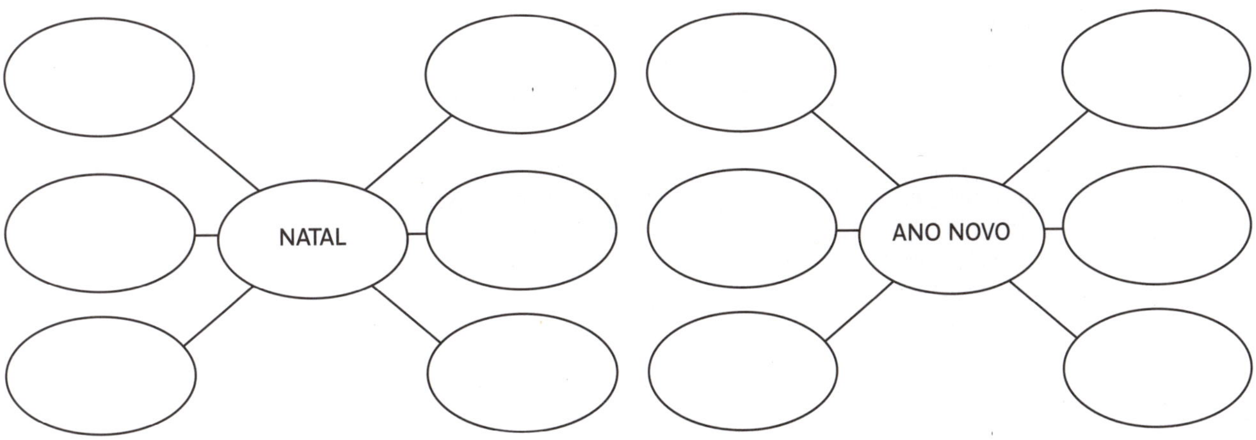

C. Como são comemoradas as festas de final de ano em seu país? Elas são diferentes das festas brasileiras?

____

____

____

D. Você já participou de algum amigo secreto no Brasil? Se sim, como foi?

____

____

____

____

____

LIÇÃO B PANORAMA

Arrependimento

O arrependimento é uma insatisfação por causa de falta ou erros cometidos. De acordo com a Wikipédia, a enciclopédia livre da internet, na origem da palavra, arrependimento quer dizer mudança de atitude, ou seja, atitude contrária, ou oposta, àquela tomada anteriormente. Algumas vezes, quando uma pessoa está arrependida, ela pode usar a seguinte expressão: "Ah, se arrependimento matasse ..." que significa que ela está muito arrependida de algo que fez e gostaria, se possível, de voltar atrás na atitude já tomada. Há também aquelas pessoas muito otimistas que dizem que só se arrependem pelo que não fizeram ainda.

E você, já se arrependeu de alguma coisa?
O que você faria se você se arrependesse de algo que fez?
O que você acha sobre o arrependimento?

LIÇÃO B DIÁLOGO

2/42

Tereza: E então, Vilma, você está melhor hoje?

Vilma: Melhor? Infelizmente não. Acho que vai levar um tempo para eu melhorar. Nenhuma área da minha vida anda bem.

Tereza: Mas que pessimismo é esse?

Vilma: Não é pessimismo. Se eu tivesse ouvido a minha mãe hoje eu não estaria assim.

Tereza: Assim como?

Vilma: Se eu tivesse feito uma pós-graduação teria tido mais oportunidades profissionais.

Tereza: Será? Eu fiz e estou no mesmo barco que você.

Vilma: Mas não é só isso. Minha vida pessoal também não anda bem. Se eu tivesse tido mais paciência com o Juvenal, talvez hoje nós já teríamos nos casado.

Tereza: Mais paciência? Mas você não o amava.

Vilma: Que importância tem isso. Conheço muitas mulheres casadas que não amam e nunca amaram os maridos.

Tereza: E você gostaria de ser como uma delas?

Vilma: E por que não?

Tereza: Vilma, desculpe a sinceridade, mas acho que você está em crise consigo mesma e isso é bom. Você pode mudar essa situação se quiser. O que não adianta é só se lamentar e chorar o leite derramado.

LIÇÃO B GRAMÁTICA

Pretérito mais-que-perfeito do Subjuntivo

Se eu **tivesse feito** uma pós-graduação, **teria tido** mais oportunidades profissionais.

Se eu **tivesse tido** mais paciência com o Juvenal, talvez hoje nós já **teríamos nos casado**.

Uso: O pretérito mais-que-perfeito do subjuntivo expressa uma ação anterior a outra ação passada, em relação ao tempo do verbo da oração principal. Esse tempo se relaciona com o futuro do pretérito composto do indicativo na expressão de fatos irreais e hipotéticos do passado.

Exemplo: Se eu **tivesse** estudado mais, **teria ido** bem na prova.
Explicação: O fato é que eu não estudei e, portanto, não fui bem na prova.
Formação: O pretérito mais-que-perfeito do subjuntivo é formado com o pretérito imperfeito do subjuntivo do verbo *ter* (ou haver) mais o particípio do verbo principal.

Pretérito mais-que-perfeito do Subjuntivo

FAZER		TER		IR	
Eu	tivesse feito	Eu	tivesse tido	Eu	tivesse ido
Você Ele Ela A gente	tivesse feito	Você Ele Ela A gente	tivesse tido	Você Ele Ela A gente	tivesse ido
Nós	tivéssemos feito	Nós	tivéssemos tido	Nós	tivéssemos ido
Vocês Eles Elas	tivessem feito	Vocês Eles Elas	tivessem tido	Vocês Eles Elas	tivessem ido

LIÇÃO B CONSTRUÇÃO DO CONTEÚDO

A. Complete os diálogos com os verbos dados no tempo verbal correto.

1. Ana: O que foi Gil? Por que essa cara?
Gil: Cara de arrependimento. Se eu ____________ (LIGAR) para a Mari naquele dia, ela não ____________ (SAIR) com o João.
Ana: E hoje você não ____________ (ESTAR) com essa cara.
Gil: Pois é. Agora é tarde. Mas, você não pode falar nada de mim.
Ana: Eu?
Gil: A senhora mesma. Se você ____________ (ESCUTAR) o seu amigo aqui, não estaria desempregada.
Ana: É. Eu era muito imatura mesmo. Se eu ____________ (CONVERSAR) com meu chefe, ____________ (ESTAR) trabalhando lá ainda.
Gil: Todos cometemos erros, minha cara. Agora é pensar no futuro.

2. Juliana: Não acredito. Olha, vó. É a Martinha na TV.
Avó: Aquela que dançava com a sua irmã?
Juliana: Ela mesma. Se a minha irmã ____________ (ACEITAR) aquela proposta do empresário do grupo, nós ____________ (ESTAR) olhando para ela na TV e não para essa Martinha.
Avó: Verdade. Se eu ____________ (TENTAR) convencê-la, ela ____________ (MUDAR) de ideia. Mas, eu não quis intervir.
Juliana: Bem, talvez tenha sido melhor. Pelo menos ela está estudando fisioterapia. A carreira artística às vezes é muito passageira.

B. Preencha as frases com informações sobre sua vida.

1. Se eu _______________ quando tinha tempo, hoje __________
____.

2. Se minha família _______________, eu não _______________
____.

3. Se meus amigos _______________, eu _____________________
____.

4. Se eu _______________ quando _______________, __________
____.

5. Se eu _______________ (comprar) _______________, ________
____.

C. Oral: Leia os depoimentos a seguir e comente-os com a classe usando o pretérito mais-que-perfeito do subjuntivo (Ex.: *tivesse feito*) **com o futuro do pretérito simples** (Ex.: *faria*) **ou composto** (Ex.: *teria feito*).

"No começo da minha carreira, eu era muito ansiosa e insegura. Todos me diziam para ficar na empresa em que eu estava, tentar me desenvolver lá dentro. Mas, me ofereceram um cargo de analista júnior em outra empresa e eu logo aceitei porque o salário era maior. Estou nesse cargo há muito tempo e não percebo incentivo da empresa para que eu cresça."

"Eu sempre toquei rock com meus amigos. Nós tínhamos uma banda muito boa. Mas, quando chegou a época de prestar vestibular, fiquei com medo de a banda não dar em nada. Sempre amei música, mas resolvi fazer faculdade de odontologia, pois meu pai é dentista e pensei que seria bom e mais fácil trabalharmos juntos. Saí da banda e colocaram outro músico em meu lugar. Dois anos depois, eles gravaram um CD e agora as músicas estão tocando na rádio."

"Sempre trabalhei muito a minha vida toda. Saía de casa às 6 da manhã e voltava às 11 da noite. Criei cinco filhos, muito bem criados, mas não passei muito tempo com eles. Hoje tenho sete netos e tento recuperar o tempo que não passei com meus filhos, brincando com meus netos. Minha esposa faleceu há quinze anos, mais ou menos na época em que parei de trabalhar. Infelizmente, não pudemos passar muito tempo de lazer juntos."

LIÇÃO B AMPLIAÇÃO DO VOCABULÁRIO

Pensamentos sobre erros

"O maior erro que um homem pode cometer é viver com medo de cometer um erro." (Hebbard)

"Certas derrotas preparam-nos para grandes vitórias." (Autor desconhecido)

"A confissão das más ações é o primeiro passo para a prática de boas ações." (Sto. Agostinho)

"Um fracassado é um homem que cometeu um erro e não é capaz de o transformar em experiência." (E. Hubrard)

"Todos os homens podem cair num erro, mas só os idiotas perseveram nele." (Cícero)

Arrependimento

substantivo	verbo
arrependimento	arrepender-se
castigo	castigar
punição	punir
culpa	culpar
inquietação (da alma)	inquietar-se
perdão	perdoar
	voltar atrás

A. Complete os diálogos abaixo com uma das opções. Conjugue o verbo, caso necessário.

1. Patricia: E você, Pri? Tem alguma coisa de que você se ________ (CASTIGAR/ARREPENDER) de ter feito?
   Priscila: Sim... Infelizmente várias. Mas meu maior ________ (ARREPENDER/ARREPENDIMENTO) foi não ter aceitado aquela proposta de trabalho na sua empresa. Hoje não estaria desempregada.

2. César: Você conseguiria ________________ (PERDÃO/PERDOAR) uma traição?
   Luiz: Não sei... Acho que só saberia na hora que isso acontecesse...

3. Bete: Nossa, Tina! Que ________________ (INQUIETAÇÃO/INQUIETAR-SE) é essa?
   Tina: Estou preocupada com minha filha. Ela disse que iria ligar quando chegasse da escola e ainda não ligou....

4. Rafael: Você ________________ (CASTIGAR/VOLTAR ATRÁS) e admitiria que estava errado?
   Paula: Claro! Se eu estivesse errada...

5. Michelle: Você sabia que a ____________________ (PUNIÇÃO/CULPA) para quem rouba no Brasil é de, no mínimo, quatro anos de reclusão e multa?
Miriam: Sério? Mas por que você está me falando isso?
Michelle: Por que você roubou minha blusa novinha que comprei semana passada!
Miriam: Ai, Mi... Desde que começaram suas aulas de direito você ficou muito chata!

6. Pedro: Fê, não conta nada para o pai, mas acho que quebrei o notebook dele...
Fernando: Nossa, cara! Você vai ficar de ____________________ (CASTIGAR/CASTIGO) por um ano...
Pedro: Não se ele não souber que a ____________________ (CULPA/PUNIR) foi minha...

B. **Há algum pensamento sobre erros conhecido ou muito falado em sua terra natal? Como seria em português?**

____

____

____

____

____

LIÇÃO C PANORAMA

Conselhos

Existe um ditado popular em português que diz "Conselho, se fosse bom, não se dava, vendia-se". Mesmo assim, é comum as pessoas darem conselhos. Os que mais fazem isso são principalmente os mais velhos ou os pais por terem mais experiência ou mais vivência.

O que você acha de 'dar conselhos'?
Você recebe ou recebia conselhos de seus pais?
Você dá conselhos?

LIÇÃO C DIÁLOGO

2/43

Denise: Desculpe a intromissão, mas se eu tivesse tido a oportunidade que você teve, eu teria falado com o chefe sobre o aumento de salário.

Ivone: Oportunidade? Você chama aquilo de oportunidade?

Denise: Bem, acho uma oportunidade poder almoçar com o chefe e alguns clientes. No caminho da ida e da volta...

Ivone: Nem pensar. Imagine. Ele foi fazendo mil recomendações. Não tive nem chance de pensar quanto mais de pedir aumento de salário. Só você pra pensar uma coisa dessas.

Denise: Então, não reclama mais. Se eu reclamasse como você, já teria pedido demissão e procurado um outro emprego.

Ivone: Tudo bem, Denise. Desculpe a minha chatice. Quando eu tirar férias, vou procurar um emprego. Eu já marquei minha viagem pro Nordeste. Quem sabe, eu consiga um emprego lá.

Denise: Neste caso, se você conseguir alguma coisa, lembre de mim, tá?

Ivone: Você gostaria de trabalhar no Nordeste?

Denise: Claro que sim. Um lugar que faz calor quase o ano todo. Eu adoro calor.

Ivone: Eu detesto.

Denise: Então por que vai pro Nordeste? Se eu fosse você iria pro Sul.

Ivone: Acho que é porque eu gosto de reclamar.

LIÇÃO C GRAMÁTICA

Imperfeito do Subjuntivo + futuro do pretérito composto

Se eu **reclamasse** como você, já **teria pedido** demissão e **procurado** um outro emprego.

Uso: É comum usarmos o imperfeito do subjuntivo com o futuro do pretérito simples.

Exemplo: Se eu **fosse** você eu **pediria** demissão e **procuraria** outro emprego.

Mas é possível usar o imperfeito do subjuntivo com o futuro do pretérito composto quando nos referimos ao passado.

Exemplo: Se eu **reclamasse** como você **pediria** demissão. (Pediria demissão agora: presente)

Se eu **reclamasse** como você já **teria pedido** demissão. (Já teria pedido demissão e não estaria trabalhando mais aqui: passado)

LIÇÃO C CONSTRUÇÃO DO CONTEÚDO

A. Complete as frases com os verbos entre parênteses no tempo verbal adequado para se referir ao presente ou ao passado.

1. Eu não sou otimista como você, mas se eu ____________ (SER), já ________________ (FAZER) uma grande mudança na vida.

2. Sara não tem dinheiro, mas se ela ________________ (TER), ____________________ (EMPRESTAR) para você poder viajar.

3. Meus primos não escutam meus conselhos, mas se eles ________________ (ESCUTAR), não ______________ (GASTAR) todo o dinheiro da herança em viagens. Agora têm que viver de aluguel.

4. Nós aqui em casa não dividimos as tarefas domésticas, mas se nós __________________________ (DIVIDIR), minha mãe ____________________________________(FICAR) feliz.

5. Vocês não sabem lidar com problemas, mas se vocês _________ (SABER), não ________________ (ARRUMAR) tantos desafetos no trabalho que culminaram em suas transferências.

B. Assinale a frase que se aplica à situação descrita.

1. Sua amiga não quer estudar fora do país porque nunca viajou sozinha. O que você diria?
   ( ) "Se eu fosse você, teria ido para os Estados Unidos agora".
   ( ) "Se eu fosse você, iria para os Estados Unidos já."

2. Sua esposa teve a oportunidade de conhecer o autor de romances favorito dela, mas teve vergonha e não se aproximou. O que você diria?
   ( ) "Se eu estivesse na frente do meu autor favorito, eu teria pedido um autógrafo".
   ( ) Se eu estivesse na frente do meu autor favorito, eu já pediria um autógrafo".

3. Seu chefe ficou na dúvida se contratava ou não uma colega indicada por você. Não contratou. A pessoa que preencheu a vaga não correspondeu às expectativas. O que você diria à sua colega?
( ) "Se eu fosse meu chefe, te contrataria."
( ) "Se eu fosse meu chefe, teria te contratado na hora".

4. O carro de seu amigo está quebrado. Ele não quer levá-lo ao mecânico e acha que vai consertá-lo sozinho. Você sabe que seu amigo não entende muito de mecânica por isso ainda quer convencê-lo. O que você diria?
( ) "Se eu fosse você, levaria o carro para o mecânico".
( ) "Se eu fosse você, teria levado o carro para o mecânico".

C. Oral: Faça as seguintes questões a um(a) colega. O/A colega deve começar a resposta com "Não, mas...".

Ex.: *A: Você está cansado?*
B: Não, mas se eu estivesse cansado, iria para casa agora.
ou
B: Não, mas se eu estivesse cansado, não teria vindo para a aula.

Você tem uma moto?
Você é casado(a)? Solteiro (a)?
Você mora em um hotel?
Você é o (a) professor (a) desta aula?
Você é o presidente de seu país?
O clima está quente/frio hoje?

LIÇÃO C AMPLIAÇÃO DO VOCABULÁRIO

Conselhos

Verbo	Substantivo
dar conselhos	conselho
pedir conselhos	aconselhamento
receber conselhos	
seguir conselhos	
aconselhar	

A. Complete os diálogos abaixo com uma das opções. Conjugue o verbo, caso necessário.

1. Priscila: É... se eu tivesse ____________________ (DAR/SEGUIR) os conselhos do meu pai, estaria trabalhando.
Patricia: Mas você é capaz, Pri! Tenho certeza de que irá arrumar um bom emprego rapidinho. Mas posso te ____________________ (DAR/SEGUIR) outro conselho?

Priscila: Claro! Pode falar!
Patrícia: Dessa vez, pense bem antes de recusar um emprego!

2. Bete: Relaxa, Tina! Quer um ________________ (CONSELHO/ ACONSELHAMENTO)? Não fique tão preocupada com a Alice. Ela é uma menina ótima, tenho certeza de que não fará nada de errado.
Tina: É que eu me preocupo com os outros. Moramos em uma cidade violenta. Mas você está certa. Vou tentar me controlar mais, obrigada.

3. Rafael: O psicólogo nos ______________ (ACONSELHAMENTO/ ACONSELHAR) a falarmos sobre o assunto, caso haja alguma divergência, não é?
Paula: Sim, mas qual o problema?
Rafael: Você *está* errada!

4. Pedro: Fê, posso te __________________________ (PEDIR/ SEGUIR) um conselho? Você acha melhor eu contar pro pai do notebook ou não?
Fernando: Acho melhor você contar. Ele vai descobrir e aí vai ser pior...

B. Classifique em *dar conselhos/ pedir conselhos/ seguir conselhos.*

1. Se eu fosse você, faria as pazes com sua mãe.

____

2. Acho que vou fazer aquilo que você falou. Vou contar a verdade para o meu chefe.

____

3. O que eu faço? Compro um carro novo ou guardo o dinheiro na poupança?

____

C. Você costuma dar, pedir ou receber conselhos? Em que situações?

____
____
____

LIÇÕES A, B e C COMPREENSÃO AUDITIVA

2/44 **Um repórter de TV está nas ruas entrevistando pedestres sobre o ano que está acabando, os projetos realizados, arrependimentos etc. Ouça três entrevistas e preencha o exercício.**

Senhora Ela tem algum arrependimento? ____________________
____
Teria feito algo diferente? ____________________
____

Moço Ele realizou muitas coisas? ____________________
____
Culpa alguém pelo que não realizou? ____________________
____

Homem O que ele realizou? ____________________
____
Qual conselho ele daria? ____________________
____

LIÇÕES A, B e C APLICAÇÃO ORAL DO CONTEÚDO

Faça com os colegas um balanço geral dos últimos seis meses da sua vida profissional e/ou pessoal. Discuta sobre o que vocês teriam feito que não fizeram, o que teria acontecido se vocês tivessem agido diferente, o que teria acontecido se vocês tivessem outro tipo de personalidade.

LEITURA

A. **Você costuma fazer planejamentos para os anos que estão por vir? Quais?**

____
____
____
____
____
____
____
____

B. Leia o texto e responda as perguntas.

Sucesso Profissional:

SUAS METAS PARA O ANO QUE VEM (E OS ANOS SEGUINTES...)
* Leila Navarro

Se você trabalha em uma empresa, certamente, nas últimas semanas do ano, se envolveu com o corre-corre do planejamento para o próximo ano. Missão cumprida, certo? Você pode curtir as festas de fim de ano, as férias... E quando voltar, em seu primeiro dia de trabalho, ano que vem, saberá o que tem de fazer e os resultados que deverá alcançar.

Agora, uma pergunta: e suas metas pessoais, já estão prontas? Ou será que nem lhe passou pela cabeça defini-las? Bem, isso não seria novidade... É curioso como profissionais experientes, que todo ano se envolvem no planejamento estratégico empresarial, não usam o mesmo recurso para a vida pessoal. Então, que tal aproveitar esses últimos dias do ano para traçar suas metas? Você pode utilizar os mesmos passos que utiliza em sua empresa, mas, se quiser algo mais simples, experimente estes:

– Crie sua visão de futuro. Visualize seu trabalho, sua situação financeira, a casa em que mora, o carro que possui, sua vida familiar, sua condição física, vida social, lazer... Permita-se sonhar, sem se importar se essa visão é ou não realizável. Imagine tudo com riqueza de detalhes e verifique como você se sente vivenciando essas situações: se o sentimento for de alegria, paz ou realização é porque esse futuro tem realmente tudo a ver com você.

– Transforme sua visão de futuro em metas e determine prazos para alcançá-las, agrupando-as nas categorias curto, médio e longo prazos. Coloque as metas no papel com clareza e precisão, porque quando fazemos isso aumentamos em 60% as chances de realizá-las.

– Avalie os recursos necessários para a realização de cada meta, ou seja, tudo de que você precisa para "chegar lá": investimentos, competências, habilidades, cursos, contatos, patrocínio etc.

– Defina um plano de ação. Você já sabe aonde quer chegar e do que precisa para chegar; então, trace seus passos ao longo do tempo. De tempos em tempos – a cada mês, por exemplo – reveja suas metas e faça ajustes se necessário.

Pensando bem, tudo isso é algo muito familiar, não? É praticamente o mesmo procedimento que você tem com os assuntos de seu trabalho. A diferença, aqui, é que se tratam das suas metas, da sua felicidade, sua prosperidade e realização.

Feliz Ano Novo!

Adaptado de http://www.catho.com.br/jcs/inputer_view.phtml?id=9073

B. **Você costuma fazer planejamentos pessoais? Concorda com as dicas dadas pela autora? Teria outras dicas a acrescentar? Quais?**

___

___

___

___

REDAÇÃO

A partir do texto, faça um planejamento para a área da sua vida que precisa de mudanças.

CONSOLIDAÇÃO LEXICAL

Planos

Inclua aqui seus planos para o ano que vem, tentando prever quando eles irão se realizar e o que você precisa fazer para que isso aconteça. Caso queira, siga o modelo dado na Leitura.

Planos e metas para o ano novo!

Pronúncia do Português – parte 5

O 'NH'

2/45 O *nh* é um grupo de letras que simboliza apenas um som. Ele nasaliza a vogal que o antecede e acrescenta o som da vogal *i* curta. Ouça:

banho dinheiro conhecer cozinha

A palavra 'banho', por exemplo, é pronunciada mais ou menos como /bãio/, sendo que o *i* é pronunciado rapidamente.

O 'LH'

2/45 O *lh* também simboliza apenas um som. Como acontece com o *nh*, acrescenta-se um *i* curto, no entanto, não há nasalização. Ouça:

trabalhar conselho acolher alho alhures

A palavra 'alho', por exemplo, é pronunciada mais ou menos como /alio/, sendo que o *i* é pronunciado rapidamente.

2/45 Ouça o seguinte diálogo e pratique-o com um/a colega. Preste atenção nas palavras grifadas.

Paulinho: Celso, você não vai trabalhar hoje? Dinheiro não nasce em árvore.
Celso: Não, Paulinho. Estou de folga. Vou escolher um filme para assistir.
Paulinho: Quer um conselho? Aproveita o dia para ganhar uma grana extra.
Celso: Com o quê? Fazendo docinhos pra fora? Há há.
Paulinho: Você conhece meu padrinho?
Celso: Aquele de Itanhaém? Acho que já o vi sim.
Paulinho: A mulher dele precisa de alguém para ajudar na montagem da cozinha. Eu pensei que talvez você pudesse ir. Eles vão pagar.

Celso: Meus olhos estão doendo. Devo estar com problema de vista. Melhor eu ficar por aqui mesmo.
Paulinho: Dor nos olhos? Então não vai poder ver filme, né?
Celso: Espertinho. Me pegou. Tá bom. Eu vou. Uma graninha a mais sempre ajuda.

Exercício: Improvise um diálogo curto com um/a colega usando as seguintes palavras:

filho molho reconhecer tinha sonhar cafezinho toalha

Revisão das Unidades 17 a 20

Escolha a alternativa correta:

A.

A: Você gosta de _____________ a sorte e _____________ uma fezinha de vez em quando?

1. ganhar - apostar
2. arriscar - fazer
3. fazer - fazer

B.

A: Ai, não acredito! O salto do meu sapato quebrou.

B: ___________________________

1. Que sorte!
2. Que azar!
3. Que sortuda!

C.

A: Oi, Dênis! Como foi a prova?

B: Difícil, mas como _____________ muito, acabei passando.

1. colei
2. dediquei
3. estudei

D.

A: Joana, me ajude, não sei o que fazer.

B: O que foi?

A: Não sei se me caso com o Luciano ou não...

B: Ah, Jô, nesse caso prefiro não _____________ conselhos. Siga seu coração.

1. dar
2. receber
3. pedir

Complete os diálogos com os verbos adequados. Conjugue os verbos, caso seja necessário.

chegar conseguir mudar ir ir progredir ser ser
ter ter procurar promover fazer visitar

A.

A: E aí, Milene? Você vai à festa de confraternização da empresa?
B: Ainda não sei. Se eu _______________ eu dou uma ligada pra você avisando.
A: Combinado!

B.

A: Quando vamos comprar nossa geladeira nova? Não aguento mais a antiga!
B: Quando _______________ dinheiro. Ainda estou pagando as prestações do computador, lembra?

C.

A: Quando seus pais _______________ você?
B: Semana que vem, mas ainda não sei o dia ao certo. Quando eles _______________ eu te ligo.

D.

A: Larissa, tenho novidades!
B: Fala! O que é?
A: Fui promovido! Agora sou gerente de vendas!
B: Nossa! Parabéns, Rô! Torço para que você _______________ cada vez mais. Eu também estou esperando uma promoção. Espero que eu _______________ promovida este ano.
A: Torço para que seu chefe _______________ você!

E. (ao telefone)

A: Oi, Milene! Sou eu de novo, tudo bem?
B: Oi, Gabriel. Tudo e você?
A: Tudo! Você já decidiu se vai à festa da empresa?
B: Ainda não. Tenho um relatório pra terminar ainda hoje.
A: Espero que você _______________ terminar o relatório e _______________ à festa comigo. Não quero ir sozinho.

F.

A: Até que enfim! Férias! Esse ano quero ir a todas as praias da Bahia!
B: Tomara que _______________ muito sol e que você _______________ tempo de conhecer todas as praias.

G.

A: Você acredita que estou trabalhando direto, inclusive aos sábados e domingos? Chego tão tarde em casa que nem vejo mais as crianças acordadas.
B: Nossa, Daniel! Se eu _______________ você, _______________ outro emprego.

H.

A: Você acha que a Rita mudou de ideia quanto a mudar-se para o Mato Grosso?
B: Pra ser sincero, duvido que ela se _______________. Ela não estava decidida.

Passe da voz ativa para a passiva.

a. Alguém limpou a casa.

____

b. Eu entreguei o relatório de despesas.

____

c. Aquele mecânico é ótimo. Ele tem consertado todos os carros da empresa nos últimos anos.

____

d. Lucca vai pagar os impostos na semana que vem.

____

Crie perguntas para as respostas abaixo.

a. ____?
Espero que em um futuro próximo as pessoas estejam cada vez mais conscientes do seu papel para a conservação do meio ambiente.

b. ____?
Tomara que faça um lindo final de semana de sol e calor.

c. ____?
Duvido que nós tenhamos dinheiro suficiente pra isso.

d. ____?
Que eu saiba ela se mudou pro Rio no ano passado.

e. ____?
Paguei. Temos agora que pagar o IPVA que vence agora, no começo do mês.

f. ____?
Normalmente, entregamos a declaração do IR em abril.

g. ____?
Eu teria viajado mais e aproveitado mais a vida.

h. ____?
Foi ótimo! Duvidei que fosse me divertir tanto em um casamento.

O que normalmente falamos nas situações abaixo?

a. É Natal. ______________________________
b. É Ano Novo. ______________________________
c. Alguém ganhou muito dinheiro na loteria. ______________________________
d. Você quer agradecer por algo que fizeram por você. ______________________________
e. É o casamento de alguém e você vai cumprimentar os noivos. ______________________________

O que você faria se....

a. ...tivesse ganhado uma passagem para qualquer lugar do Brasil, mas não pudesse ir por causa do trabalho?

____

b. ...tivesse a oportunidade de corrigir um erro do passado?

____

c. ...tivesse a oportunidade de aconselhar alguém?

____

Em duplas, pergunte ao/à colega o que ele teria feito diferente do que ele/a fez (algo de que ele/a se arrepende). Consiga o maior número de informações possível.

APÊNDICE 1 **Mapa do Brasil**

APÊNDICE 2 # Apêndice Lexical

1. PAÍSES, NACIONALIDADES E IDIOMAS

Países	Nacionalidade: gênero	Nacionalidade: número	Idioma oficial
Afeganistão	Afegão/ã	Afegãos/ãs	Farsi
África do Sul	Sul-africano/a	Sul-africanos/as	Inglês
Albânia	Albanês/a	Albaneses/as	Albanês
Alemanha	Alemão/ã	Alemães/ãs	Alemão
Angola	Angolano/a	Angolanos/as	Português
Arábia Saudita	Árabe	Árabes	Árabe
Argélia	Argelino/a	Argelinos/as	Árabe
Argentina	Argentino/a	Argentinos/as	Espanhol
Armênia	Armênio/a	Armênios/as	Farsi
Austrália	Australiano/a	Australianos/as	Inglês
Áustria	Austríaco/a	Austríacos/as	Alemão
Bélgica	Belga	Belgas	Neerlandês e Francês
Bolívia	Boliviano/ a	Bolivianos/as	Espanhol
Brasil	Brasileiro/ a	Brasileiros/as	Português
Bulgária	Búlgaro/a	Búlgaros/as	Búlgaro
Cabo Verde	Cabo-verdense	Cabo-verdenses	Português
Camarões	Camaronês/a	Camaroneses/as	Inglês
Canadá	Canadense	Canadenses	Inglês e Francês
Chile	Chileno/a	Chilenos/as	Espanhol
China	Chinês/a	Chineses/as	Chinês
Cingapura	Cingapurense	Cingapurenses	Inglês

Colômbia	Colombiano/a	Colombianos/a	Espanhol
Congo	Congolês/a	Congoleses/as	Francês
Coreia	Coreano/a	Coreanos/as	Coreano
Costa Rica	Costa-riquenho/a	Costa-riquenhos/as	Espanhol
Croácia	Croata	Croatas	Croata
Cuba	Cubano/a	Cubanos/as	Espanhol
Dinamarca	Dinamarquês/a	Dinamarqueses/as	Dinamarquês
Equador	Equatoriano/a	Equatorianos/as	Espanhol
Egito	Egípcio/a	Egípcios/as	Árabe
Espanha	Espanhol/a	Espanhóis/las	Espanhol
Estados Unidos	Americano/a	Americanos/as	Inglês
Etiópia	Etíope	Etíopes	Amárico
Finlândia	Finlandês/a	Finlandeses/as	Finlandês e Sueco
França	Francês/a	Franceses/as	Francês
Filipinas	Filipino/a	Filipinos/as	Tagalog
Grécia	Grego/a	Gregos/as	Grego
Guatemala	Guatemalteco/a	Gualtematecos/as	Espanhol
Guiné-Bissau	Guineense	Guineenses	Português
Guiana Francesa	Guianense	Guianenses	Francês
Haiti	Haitiano/a	Haitianos/as	Francês e Crioulo
Holanda	Holandês/a	Holandeses/as	Neerlandês (popularmente Holandês)
Honduras	Hondurenho/a	Hondurenhos/as	Espanhol
Hungria	Húngaro/a	Húngaros/as	Húngaro
Índia	Indiano/a	Indianoas/as	Hindi, Bengali e Inglês
Indonésia	Indonésio/a	Indonésios/as	Indonésio
Inglaterra	Inglês/a	Ingleses/as	Inglês
Irã	Iraniano/a	Iranianos/as	Farsi
Iraque	Iraquiano/a	Iraquianos/as	Farsi
Irlanda	Irlandês/a	Irlandeses/as	Irlandês e Inglês
Islândia	Islandês/a	Islandeses/as	Islandês
Israel	Israelense	Israelenses	Hebraico e Árabe
Itália	Italiano/a	Italianos/as	Italiano
Jamaica	Jamaicano/a	Jamaicanos/as	Inglês
Japão	Japonês/a	Japoneses/as	Japonês
Líbano	Libanês/a	Libaneses/as	Árabe
Líbia	Líbio/a	Líbios/as	Árabe
Luxemburgo	Luxemburguês/a	Luxemburgueses/as	Luxemburguês
Malásia	Malasiano/a	Malasianos/as	Malaio
Marrocos	Marroquino/a	Marroquinos/as	Árabe
México	Mexicano/a	Mexicanos/as	Espanhol
Moçambique	Moçambicano/a	Moçambicanos/as	Português
Mongólia	Mongólico/a	Mongólicos/as	Calca-mongol
Nepal	Nepalês/a	Nepaleses/as	Nepali
Nova Zelândia	Neozelandês/a	Neozelandeses/as	Inglês

Nicarágua	Nicaraguenho/a	Nicaraguenhos/as	Espanhol
Nigéria	Nigeriano/a	Nigerianos/as	Inglês
Noruega	Norueguês/a	Noruegueses/as	Norueguês
Paquistão	Paquistanês	Paquistaneses	Urdo e Inglês
Panamá	Panamenho/a	Panamenhos/as	Espanhol
Paraguai	Paraguaio/a	Paraguaios/as	Espanhol
Peru	Peruano/a	Peruanos/as	Espanhol
Polônia	Polonês/a	Poloneses/as	Polaco
Portugal	Português/a	Portugueses/as	Português
Romênia	Romeno/a	Romenos/as	Romeno
Rússia	Russo/a	Russos/as	Russo
São Tomé e Príncipe	São-tomense	São-tomenses	Português
Senegal	Senegalês/a	Senegaleses/as	Francês
Somália	Somali	Somalis	Árabe
Suriname	Surinamês	Surinameses	Neerlandês
Suíça	Suíço/a	Suíços/as	Alemão, Francês, Italiano e Romance
Suécia	Sueco/a	Suecos/as	Sueco
Síria	Sírio/a	Sírios/as	Árabe
Tailândia	Tailandês/a	Tailandeses/as	Tailandês
Tanzânia	Tanzaniano/a	Tanzanianos/as	Inglês
Tunísia	Tunisiano/a	Tunisianos/as	Árabe
Turquia	Turco/a	Turcos/as	Turco
Uruguai	Uruguaio/a	Uruguaios/as	Espanhol
Venezuela	Venezuelano/a	Venezuelanos/as	Espanhol
Vietnã	Vietnamita	Vietnamitas	Vietnamita
Zaire	Zairiense	Zairienses	Francês
Zâmbia	Zambiense	Zambienses	Inglês

2. PROFISSÕES

Masculino: singular/plural	Feminino: singular/plural
Açougueiro (s)	Açougueira (s)
Administrador (es)	Administradora (s)
Advogado (s)	Advogada (s)
Agente (s) de viagem	Agente (s) de viagem
Ajudante (s)	Ajudantes (s)
Alfaiate (s)	Alfaiate (s)
Arquiteto (s)	Arquiteta (s)
Artista (s)	Artista (s)
Ascensorista (s)	Ascensorista (s)
Assistente (s)	Assistente (s)
Balconista (s)	Balconista (s)
Bancário (s)	Bancária (s)

Barbeiro (s)	Barbeira (s)
Cabeleireiro (s)	Cabeleireira (s)
Caixa (s) de banco, de supermercado, de loja etc	Caixa (s) de banco, de supermercado, de loja etc
Carpinteiro (s)	Carpinteira (s)
Chaveiro (s)	Chaveira (s)
Contador (es)	Contadora (s)
Corretor (es) de imóveis	Corretora (s) de imóveis
Dentista (s)	Dentista (s)
Diarista (s)	Diarista (s)
Eletricista (s)	Eletricista (s)
Empregado (s)	Empregada (s)
Encanador (s)	Encanadora (s)
Encarregado (s)	Encarregada (s)
Engenheiro (s)	Engenheira (s)
Entregador (es)	Entregadora (s)
Escritor (es)	Escritora (s)
Farmacêutico (s)	Farmacêutica(s)
Faxineiro (s)	Faxineira (s)
Florista (s)	Florista (s)
Fotógrafo (s)	Fotógrafa (s)
Funcionário (s) público (s)	Funcionária (s) pública (s)
Jardineiro (s)	Jardineira (s)
Joalheiro (s)	Joalheira (s)
Jornaleiro (s)	Jornaleira (s)
Jornalista (s)	Jornalista (s)
Marceneiro (s)	Marceneira (s)
Mecânico (s)	Mecânica (s)
Médico (s)	Médica (s)
Modelo (s)	Modelo (s)
Motoboy (motoboys)	*Motogirl (motogirls)*
Motorista (s)	Motorista (s)
Músico (s)	Musicista (s)
Oftalmologista (s)	Oftalmologista (s)
Padeiro (s)	Padeira (s)
Pedreiro (s)	Pedreira (s)
Pintor (es)	Pintora (s)
Poeta (s)	Poetisa (s)
Policial (policiais)	Policial (policiais)
Porteiro (s)	Porteira (s)
Professor (es)	Professora (s)
Programador (es) de computador	Programadora (s) de computador
Projetista (s)	Projetista (s)
Publicitário (s)	Publicitária (s)
Quitandeiro (s)	Quitandeira (s)
Recepcionista (s)	Recepcionista (s)

Repórter (es)	Repórter (es)
Representante (s)	Representante (s)
Secretário (s)	Secretária (s)
Segurança (s)	Segurança (s)
Técnico (s)	Técnica (s)
Tradutor (es)	Tradutora (s)
Vendedor (es)	Vendedora (s)
Verdureiro (s)	Verdureira (s)
Zelador (es)	Zeladora (s)

APÊNDICE 3

Apêndice Gramatical

1. VERBOS

1.1. Verbos regulares

Modelo de conjugação verbal em português. Os verbos regulares de 1ª conjugação (verbos terminados em 'ar') seguem este modelo: AM*AR*

INDICATIVO

Presente	**Pretérito Imperfeito**
Am o	am ava
Am as	*am avas*
Am a	am ava
Am amos	am ávamos
Am ais	*am áveis*
Am am	am avam

Pretérito Perfeito simples	**Pretérito Perfeito composto**	
Am ei	tenho	am ado
Am aste	*tens*	*am ado*
Am ou	tem	am ado
Am amos	temos	am ado
Am astes	*tendes*	*am ado*
Am aram	têm	am ado

SUBJUNTIVO

Presente	**Pretérito Perfeito**	
Am e	tenha	am ado
Am es	*tenhas*	*am ado*
Am e	tenha	am ado
Am emos	tenha	am ado
Am eis	*tenhamos*	*am ado*
Am em	tenham	am ado

Pretérito Imperfeito	**Pret. Mais-que-perfeito**	
Ama sse	tivesse	am ado
Ama sses	*tivesses*	*am ado*
Ama sse	tivesse	am ado
Amá ssemos	tivéssemos	am ado
Amá sseis	*tivésseis*	*am ado*
Ama ssem	tivessem	am ado

Pretérito Mais-que--perfeito simples	Pretérito Mais-que--perfeito composto	
Ama ra	tinha	am ado
Ama ras	*tinhas*	*am ado*
Ama ra	tinha	am ado
Amá ramos	tínhamos	am ado
Amá reis	*tínheis*	*am ado*
Ama ram	tinham	am ado

Futuro simples	Futuro composto	
Ama r	tiver	am ado
Ama res	*tiveres*	*am ado*
Ama r	tiver	am ado
Ama rmos	tivermos	am ado
Ama rdes	*tiverdes*	*am ado*
Ama rem	tiverem	am ado

Futuro do Presente simples	Futuro do Presente composto	
Amar ei	terei	am ado
Amar ás	*terás*	*am ado*
Amar á	terá	am ado
Amar emos	teremos	am ado
Amar eis	*tereis*	*am ado*
Amar ão	terão	am ado

IMPERATIVO

Afirmativo	Negativo
Am a (tu)	não am es (tu)
Am e (você)	não am e (você)
Am emos (nós)	não am emos (nós)
Am ai (vós)	não am eis (vós)
Am em (vocês)	não am em (vocês)

Futuro do Pretérito simples	Futuro do Pretérito composto	
Amar ia	teria	am ado
Amar ias	*terias*	*am ado*
Amar ia	teria	am ado
Amar íamos	teríamos	am ado
Amar íeis	*teríeis*	*am ado*
Amar	teriam	am ado

A 2ª pessoa do plural (vós) não é usada na conversação do português do Brasil. A 2ª pessoa do singular (tu) é usada em algumas regiões do Brasil.

FORMAS NOMINAIS

Infinitivo impessoal	Infinito pessoal
Am ar	amar
	amar es
	amar
	amar mos
	amar des

Gerúndio	Particípio
Ama ndo	am ado

Modelo de conjugação verbal em português. Os verbos regulares de 2ª conjugação (verbos terminados em 'er') seguem este modelo: COM*ER*

INDICATIVO

Presente	Pretérito Imperfeito
com o	com ia
com es	*com ias*
com e	com ia
com emos	com iámos
com eis	*com íeis*
com em	com iam

Pretérito Perfeito simples	Pretérito Perfeito composto	
com i	tenho	com ido
com este	*tens*	*com ido*
com eu	tem	com ido
com emos	temos	com ido
com estes	*tendes*	*com ido*
com eram	têm	com ido

SUBJUNTIVO

Presente	Pretérito Perfeito	
com a	tenha	com ido
com as	*tenhas*	*com ido*
com a	tenha	com ido
com amos	tenha	com ido
com ais	*tenhamos*	*com ido*
com am	tenham	com ido

Pretérito Imperfeito	Pret. Mais-que-perfeito	
come sse	tivesse	com ido
come sses	*tivesses*	*com ido*
come sse	tivesse	com ido
comê ssemos	tivéssemos	com ido
comê sseis	*tivésseis*	*com ido*
come ssem	tivessem	com ido

Pretérito Mais-que-perfeito simples	Pretérito Mais-que-perfeito composto	
come ra	tinha	com ido
come ras	*tinhas*	*com ido*
come ra	tinha	com ido
comê ramos	tínhamos	com ido
comê reis	*tínheis*	*com ido*
come ram	tinham	com ido

Futuro do Presente simples	Futuro do Presente composto	
comer ei	terei	com ido
comer ás	*terás*	*com ido*
comer á	terá	com ido
comer emos	teremos	com ido
comer eis	*tereis*	*com ido*
comer ão	terão	com ido

Futuro do Pretérito simples	Futuro do Pretérito composto	
comer ia	teria	com ido
comer ias	*terias*	*com ido*
comer ia	teria	com ido
comer íamos	teríamos	com ido
comer íeis	*teríeis*	*com ido*
comer iam	teriam	com ido

A 2ª pessoa do plural (vós) não é usada na conversação do português do Brasil. A 2ª pessoa do singular (tu) é usada em algumas regiões do Brasil.

Futuro simples	Futuro composto	
come r	tiver	com ido
come res	*tiveres*	*com ido*
come r	tiver	com ido
come rmos	tivermos	com ido
come rdes	*tiverdes*	*com ido*
come rem	tiverem	com ido

IMPERATIVO

Afirmativo	Negativo
com e (tu)	não com as (tu)
com a (você)	não com a (você)
com amos (nós)	não com amos (nós)
com ei (vós)	não com ais (vós)
com am (vocês)	não com am (vocês)

FORMAS NOMINAIS

Infinitivo impessoal	Infinito pessoal
com er	comer
	comer es
	comer
	comer mos
	comer des
	comer em

Gerúndio	Particípio
come ndo	com ido

Modelo de conjugação verbal em português. Os verbos regulares de 3ª conjugação (verbos terminados em 'ir') seguem este modelo: PART*IR*

INDICATIVO

Presente	Pretérito Imperfeito
part o	part ia
part es	*part ias*
part e	part ia
part imos	part iámos
part is	*part íeis*
part em	part iam

Pretérito Perfeito simples	Pretérito Perfeito composto	
part i	tenho	part ido
part iste	*tens*	*part ido*
part iu	tem	part ido
part imos	temos	part ido
part istes	*tendes*	*part ido*
part iram	têm	part ido

SUBJUNTIVO

Presente	Pretérito Perfeito	
part a	tenha	part ido
part as	*tenhas*	*part ido*
part a	tenha	part ido
part amos	tenha	part ido
part ais	*tenhamos*	*part ido*
part am	tenham	part ido

Pretérito Imperfeito	Pret. Mais-que-perfeito	
parti sse	tivesse	part ido
parti sses	*tivesses*	*part ido*
parti sse	tivesse	part ido
partí ssemos	tivéssemos	part ido
partí sseis	*tivésseis*	*part ido*
parti ssem	tivessem	part ido

Pretérito Mais-que--perfeito simples	Pretérito Mais-que--perfeito composto	
parti ra	tinha	part ido
parti ras	*tinhas*	*part ido*
partí ra	tinha	part ido
partí ramos	tínhamos	part ido
parti reis	*tínheis*	*part ido*
parti ram	tinham	part ido

Futuro do Presente simples	Futuro do Presente composto	
partir ei	terei	part ido
partir ás	*terás*	*part ido*
partir á	terá	part ido
partir emos	teremos	part ido
partir eis	*tereis*	*part ido*
partir ão	terão	part ido

Futuro do Pretérito simples	Futuro do Pretérito composto	
partir ia	teria	part ido
partir ias	*terias*	*part ido*
partir ia	teria	part ido
partir íamos	teríamos	part ido
partir íeis	*teríeis*	*part ido*
partir iam	teriam	part ido

A 2ª pessoa do plural (vós) não é usada na conversação do português do Brasil. A 2ª pessoa do singular (tu) é usada em algumas regiões do Brasil.

Futuro simples	Futuro composto	
parti r	tiver	part ido
parti res	*tiveres*	*part ido*
parti r	tiver	part ido
parti rmos	tivermos	part ido
parti rdes	*tiverdes*	*part ido*
parti rem	tiverem	part ido

IMPERATIVO

Afirmativo	Negativo
part e (tu)	não part as (tu)
part a (você)	não part a (você)
part amos (nós)	não part amos (nós)
part i (vós)	não part ais (vós)
part am (vocês)	não part am (vocês)

FORMAS NOMINAIS

Infinitivo impessoal	Infinito pessoal
part ir	partir
	partir es
	partir
	partir mos
	partir des
	partir em

Gerúndio	Particípio
parti ndo	part ido

1.2. Alguns verbos irregulares

SER

INDICATIVO

Presente	Pretérito Imperfeito
sou	era
és	*eras*
é	era
somos	éramos
sois	*éreis*
são	eram

Pretérito Perfeito simples	Pretérito Perfeito composto
fui	tenho sido
foste	*tens sido*
foi	tem sido
fomos	temos sido
fostes	*tendes sido*
foram	têm sido

Pretérito Mais-que--perfeito simples	Pretérito Mais-que--perfeito composto
fora	tinha sido
foras	*tinhas sido*
fora	tinha sido
fôramos	tínhamos sido
fôreis	*tínheis sido*
foram	tinham sido

Futuro do Presente simples	Futuro do Presente composto
serei	terei sido
serás	*terás sido*
será	terá sido
seremos	teremos sido
sereis	*tereis sido*
serão	terão sido

Futuro do Pretérito simples	Futuro do Pretérito composto
seria	teria sido
serias	*terias sido*
seria	teria sido
seríamos	teríamos sido
seríeis	*teríeis sido*
seriam	teriam sido

A 2ª pessoa do plural (vós) não é usada na conversação do português do Brasil. A 2ª pessoa do singular (tu) é usada em algumas regiões do Brasil.

SUBJUNTIVO

Presente	Pretérito Perfeito
seja	tenha sido
sejas	*tenhas sido*
seja	tenha sido
sejamos	tenha sido
sejais	*tenhamos sido*
sejam	tenham sido

Pretérito Imperfeito	Pret. Mais-que-perfeito
fosse	tivesse sido
fosses	*tivesses sido*
fosse	tivesse sido
fôssemos	tivéssemos sido
fôsseis	*tivésseis sido*
fossem	tivessem sido

Futuro simples	Futuro composto
for	tiver sido
fores	*tiveres sido*
for	tiver sido
formos	tivermos sido
fordes	*tiverdes sido*
forem	tiverem sido

IMPERATIVO

Afirmativo	Negativo
sê (tu)	não sejas (tu)
seja (você)	não seja (você)
sejamos (nós)	não sejamos (nós)
sede (vós)	não sejais (vós)
sejam (vocês)	não sejam (vocês)

FORMAS NOMINAIS

Infinitivo impessoal	Infinito pessoal
ser	ser
	seres
	ser
	sermos
	serdes
	serem

Gerúndio	Particípio
sendo	sido

IR

INDICATIVO

Presente	Pretérito Imperfeito
vou	ia
vais	*ias*
vai	ia
vamos	íamos
ides	*íeis*
vão	iam

Pretérito Perfeito simples	Pretérito Perfeito composto	
fui	tenho	ido
foste	*tens*	*ido*
foi	tem	ido
fomos	temos	ido
fostes	*tendes*	*ido*
foram	têm	ido

Pretérito Mais-que--perfeito simples	Pretérito Mais-que--perfeito composto	
fora	tinha	ido
foras	*tinhas*	*ido*
fora	tinha	ido
fôramos	tínhamos	ido
fôreis	*tínheis*	*ido*
foram	tinham	ido

Futuro do Presente simples	Futuro do Presente composto	
irei	terei	ido
irás	*terás*	*ido*
irá	terá	ido
iremos	teremos	ido
ireis	*tereis*	*ido*
irão	terão	ido

Futuro do Pretérito simples	Futuro do Pretérito composto	
iria	teria	ido
irias	*terias*	*ido*
iria	teria	ido
iríamos	teríamos	ido
iríeis	*teríeis*	*ido*
iriam	teriam	ido

A 2ª pessoa do plural (vós) não é usada na conversação do português do Brasil. A 2ª pessoa do singular (tu) é usada em algumas regiões do Brasil.

SUBJUNTIVO

Presente	Pretérito Perfeito	
vá	tenha	ido
vás	*tenhas*	*ido*
vá	tenha	ido
vamos	tenha	ido
vades	*tenhamos*	*ido*
vão	tenham	ido

Pretérito Imperfeito	Pret. Mais-que-perfeito	
fosse	tivesse	ido
fosses	*tivesses*	*ido*
fosse	tivesse	ido
fôssemos	tivéssemos	ido
fôsseis	*tivésseis*	*ido*
fossem	tivessem	ido

Futuro simples	Futuro composto	
for	tiver	ido
fores	*tiveres*	*ido*
for	tiver	ido
formos	tivermos	ido
fordes	*tiverdes*	*ido*
forem	tiverem	ido

IMPERATIVO

Afirmativo	Negativo
vai (tu)	não vás (tu)
vá (você)	não vá (você)
vamos (nós)	não vamos (nós)
ide (vós)	não vades (vós)
vão (vocês)	não vão (vocês)

FORMAS NOMINAIS

Infinitivo impessoal	Infinito pessoal
ir	ir
	ires
	ir
	irmos
	irdes
	irem

Gerúndio	Particípio
indo	ido

ESTAR

INDICATIVO

Presente	Pretérito Imperfeito
estou	estava
estás	*estavas*
está	estava
estamos	estávamos
estais	*estáveis*
estão	estavam

Pretérito Perfeito simples	Pretérito Perfeito composto
estive	tenho estado
estiveste	*tens estado*
esteve	tem estado
estivemos	temos estado
estivestes	*tendes estado*
estivera	têm estado

Pretérito Mais-que-perfeito simples	Pretérito Mais-que-perfeito composto
estivera	tinha estado
estiveras	*tinhas estado*
estivera	tinha estado
estivéramos	tínhamos estado
estivéreis	*tínheis estado*
estiveram	tinham estado

Futuro do Presente simples	Futuro do Presente composto
estarei	terei estado
estarás	*terás estado*
estará	terá estado
estaremos	teremos estado
estareis	*tereis estado*
estarão	terão estado

Futuro do Pretérito simples	Futuro do Pretérito composto
estaria	teria estado
estarias	*terias estado*
estaria	teria estado
estaríamos	teríamos estado
estaríeis	*teríeis estado*
estariam	teriam estado

A 2ª pessoa do plural (vós) não é usada na conversação do português do Brasil. A 2ª pessoa do singular (tu) é usada em algumas regiões do Brasil.

SUBJUNTIVO

Presente	Pretérito Perfeito
esteja	tenha estado
estejas	*tenhas estado*
esteja	tenha estado
estejamos	tenha estado
estejais	*tenhamos estado*
estejam	tenham estado

Pretérito Imperfeito	Pret. Mais-que-perfeito
estivesse	tivesse estado
estivesses	*tivesses estado*
estivesse	tivesse estado
estivéssemos	tivéssemos estado
estivésseis	*tivésseis estado*
estivessem	tivessem estado

Futuro simples	Futuro composto
estiver	tiver estado
estiveres	*tiveres estado*
estiver	tiver estado
estivermos	tivermos estado
estiverdes	*tiverdes estado*
estiverem	tiverem estado

IMPERATIVO

Afirmativo	Negativo
está (tu)	não estejas (tu)
esteja (você)	não esteja (você)
estejamos (nós)	não estejamos (nós)
estai (vós)	não estejais (vós)
estejam (vocês)	não estejam (vocês)

FORMAS NOMINAIS

Infinitivo impessoal	Infinito pessoal
estar	estar
	estares
	estar
	estarmos
	estardes
	estarem

Gerúndio	Particípio
estando	estado

TER

INDICATIVO

Presente	**Pretérito Imperfeito**
tenho	tinha
tens	*tinhas*
tem	tinha
temos	tínhamos
tendes	*tínheis*
têm	tinham

Pretérito Perfeito simples	**Pretérito Perfeito composto**
tive	tenho tido
tiveste	*tens tido*
teve	tem tido
tivemos	temos tido
tivestes	*tendes tido*
tiveram	têm tido

Pretérito Mais-que-perfeito simples	**Pretérito Mais-que-perfeito composto**
tivera	tinha tido
tiveras	*tinhas tido*
tivera	tinha tido
tivéramos	tínhamos tido
tivéreis	*tínheis tido*
tiveram	tinham tido

Futuro do Presente simples	**Futuro do Presente composto**
terei	terei tido
terás	*terás tido*
terá	terá tido
teremos	teremos tido
tereis	*tereis tido*
terão	terão tido

Futuro do Pretérito simples	**Futuro do Pretérito composto**
teria	teria tido
terias	*terias tido*
teria	teria tido
teríamos	teríamos tido
teríeis	*teríeis tido*
teriam	teriam tido

A 2ª pessoa do plural (vós) não é usada na conversação do português do Brasil. A 2ª pessoa do singular (tu) é usada em algumas regiões do Brasil.

SUBJUNTIVO

Presente	**Pretérito Perfeito**
tenha	tenha tido
tenhas	*tenhas tido*
tenha	tenha tido
tenhamos	tenha tido
tenhais	*tenhamos tido*
tenham	tenham tido

Pretérito Imperfeito	**Pret. Mais-que-perfeito**
tivesse	tivesse tido
tivesses	*tivesses tido*
tivesse	tivesse tido
tivéssemos	tivéssemos tido
tivésseis	*tivésseis tido*
tivessem	tivessem tido

Futuro simples	**Futuro composto**
tiver	tiver tido
tiveres	*tiveres tido*
tiver	tiver tido
tivermos	tivermos tido
tiverdes	*tiverdes tido*
tiverem	tiverem tido

IMPERATIVO

Afirmativo	**Negativo**
tem (tu)	não tenhas (tu)
tenha (você)	não tenha (você)
tenhamos (nós)	não tenhamos (nós)
tende (vós)	não tenhais (vós)
tenham (vocês)	não tenham (vocês)

FORMAS NOMINAIS

Infinitivo impessoal	**Infinito pessoal**
ter	ter
	teres
	ter
	termos
	terdes
	terem

Gerúndio	**Particípio**
tendo	tido

FAZER

INDICATIVO

Presente	Pretérito Imperfeito
faço	fazia
fazes	*fazias*
faz	fazia
fazemos	fazíamos
fazeis	*fazíeis*
fazem	faziam

Pretérito Perfeito simples	Pretérito Perfeito composto	
fiz	tenho	feito
fizeste	*tens*	*feito*
fez	tem	feito
fizemos	temos	feito
fizestes	*tendes*	*feito*
fizeram	têm	feito

Pretérito Mais-que-perfeito simples	Pretérito Mais-que-perfeito composto	
fizera	tinha	feito
fizeras	*tinhas*	*feito*
fizera	tinha	feito
fizéramos	tínhamos	feito
fizéreis	*tínheis*	*feito*
fizeram	tinham	feito

Futuro do Presente simples	Futuro do Presente composto	
farei	terei	feito
farás	*terás*	*feito*
fará	terá	feito
faremos	teremos	feito
fareis	*tereis*	*feito*
farão	terão	feito

Futuro do Pretérito simples	Futuro do Pretérito composto	
faria	teria	feito
farias	*terias*	*feito*
faria	teria	feito
faríamos	teríamos	feito
faríeis	*teríeis*	*feito*
fariam	teriam	feito

A 2ª pessoa do plural (vós) não é usada na conversação do português do Brasil. A 2ª pessoa do singular (tu) é usada em algumas regiões do Brasil.

SUBJUNTIVO

Presente	Pretérito Perfeito	
faça	tenha	feito
faças	*tenhas*	*feito*
faça	tenha	feito
façamos	tenha	feito
façais	*tenhamos*	*feito*
façam	tenham	feito

Pretérito Imperfeito	Pret. Mais-que-perfeito	
fizesse	tivesse	feito
fizesses	*tivesses*	*feito*
fizesse	tivesse	feito
fizéssemos	tivéssemos	feito
fizésseis	*tivésseis*	*feito*
fizessem	tivessem	feito

Futuro simples	Futuro composto	
fizer	tiver	feito
fizeres	*tiveres*	*feito*
fizer	tiver	feito
fizermos	tivermos	feito
fizerdes	*tiverdes*	*feito*
fizerem	tiverem	feito

IMPERATIVO

Afirmativo	Negativo
faz/faze (tu)	não faças (tu)
faça (você)	não faça (você)
façamos (nós)	não façamos (nós)
fazei (vós)	não façais (vós)
façam (vocês)	não façam (vocês)

FORMAS NOMINAIS

Infinitivo impessoal	Infinito pessoal
fazer	fazer
	fazeres
	fazer
	fazermos
	fazerdes
	fazerem

Gerúndio	Particípio
fazendo	feito

SABER

INDICATIVO

Presente	Pretérito Imperfeito
sei	sabia
sabes	*sabias*
sabe	sabia
sabemos	sabíamos
sabeis	*sabíeis*
sabem	sabiam

Pretérito Perfeito simples	Pretérito Perfeito composto
soube	tenho sabido
soubeste	*tens sabido*
soube	tem sabido
soubemos	temos sabido
soubestes	*tendes sabido*
souberam	têm sabido

Pretérito Mais-que-perfeito simples	Pretérito Mais-que-perfeito composto
soubera	tinha sabido
souberas	*tinhas sabido*
soubera	tinha sabido
soubéramos	tínhamos sabido
soubéreis	*tínheis sabido*
souberam	tinham sabido

Futuro do Presente simples	Futuro do Presente composto
saberei	terei sabido
saberás	*terás sabido*
saberá	terá sabido
saberemos	teremos sabido
sabereis	*tereis sabido*
saberão	terão sabido

Futuro do Pretérito simples	Futuro do Pretérito composto
saberia	teria sabido
saberias	*terias sabido*
saberia	teria sabido
saberíamos	teríamos sabido
saberíeis	*teríeis sabido*
saberiam	teriam sabido

A 2ª pessoa do plural (vós) não é usada na conversação do português do Brasil. A 2ª pessoa do singular (tu) é usada em algumas regiões do Brasil.

SUBJUNTIVO

Presente	Pretérito Perfeito
saiba	tenha sabido
saibas	*tenhas sabido*
saiba	tenha sabido
saibamos	tenha sabido
saibais	*tenhamos sabido*
saibam	tenham sabido

Pretérito Imperfeito	Pret. Mais-que-perfeito
soubesse	tivesse sabido
soubesses	*tivesses sabido*
soubesse	tivesse sabido
soubéssemos	tivéssemos sabido
soubésseis	*tivésseis sabido*
soubessem	tivessem sabido

Futuro simples	Futuro composto
souber	tiver sabido
souberes	*tiveres sabido*
souber	tiver sabido
soubermos	tivermos sabido
souberdes	*tiverdes sabido*
souberem	tiverem sabido

IMPERATIVO

Afirmativo	Negativo
sabe (tu)	não saibas (tu)
saiba (você)	não saiba (você)
saibamos (nós)	não saibamos (nós)
sabei (vós)	não saibais (vós)
saibam (vocês)	não saibam (vocês)

FORMAS NOMINAIS

Infinitivo impessoal	Infinito pessoal
saber	saber
	saberes
	saber
	sabermos
	saberdes
	saberem

Gerúndio	Particípio
sabendo	sabido

QUERER

INDICATIVO

Presente	**Pretérito Imperfeito**
quero	queria
queres	*querias*
quer	queria
queremos	queríamos
quereis	*queríeis*
querem	queriam

Pretérito Perfeito simples	**Pretérito Perfeito composto**	
quis	tenho	querido
quiseste	*tens*	*querido*
quis	tem	querido
quisemos	temos	querido
quisestes	*tendes*	*querido*
quiseram	têm	querido

Pretérito Mais-que--perfeito simples	**Pretérito Mais-que--perfeito composto**	
quisera	tinha	querido
quiseras	*tinhas*	*querido*
quisera	tinha	querido
quiséramos	tínhamos	querido
quiséreis	*tínheis*	*querido*
quiseram	tinham	querido

Futuro do Presente simples	**Futuro do Presente composto**	
quererei	terei	querido
quererás	*terás*	*querido*
quererá	terá	querido
quereremos	teremos	querido
querereis	*tereis*	*querido*
quererão	terão	querido

Futuro do Pretérito simples	**Futuro do Pretérito composto**	
quereria	teria	querido
quererias	*terias*	*querido*
quereria	teria	querido
quereríamos	teríamos	querido
quereríeis	*teríeis*	*querido*
quereriam	teriam	querido

A 2ª pessoa do plural (vós) não é usada na conversação do português do Brasil. A 2ª pessoa do singular (tu) é usada em algumas regiões do Brasil.

SUBJUNTIVO

Presente	**Pretérito Perfeito**	
queira	tenha	querido
queiras	*tenhas*	*querido*
queira	tenha	querido
queiramos	tenha	querido
queirais	*tenhamos*	*querido*
queiram	tenham	querido

Pretérito Imperfeito	**Pret. Mais-que-perfeito**	
quisesse	tivesse	querido
quisesses	*tivesses*	*querido*
quisesse	tivesse	querido
quiséssemos	tivéssemos	querido
quisésseis	*tivésseis*	*querido*
quisessem	tivessem	querido

Futuro simples	**Futuro composto**	
quiser	tiver	querido
quiseres	*tiveres*	*querido*
quiser	tiver	querido
quisermos	tivermos	querido
quiserdes	*tiverdes*	*querido*
quiserem	tiverem	querido

IMPERATIVO

Afirmativo	**Negativo**
quer/ quere (tu)	não queiras (tu)
queira (você)	não queira (você)
queiramos (nós)	não queiramos (nós)
querei (vós)	não queirais (vós)
queiram (vocês)	não queiram (vocês)

FORMAS NOMINAIS

Infinitivo impessoal	**Infinito pessoal**
querer	querer
	quereres
	querer
	querermos
	quererdes
	quererem

Gerúndio	**Particípio**
querendo	querido

DAR

INDICATIVO

Presente	**Pretérito Imperfeito**
dou	dava
dás	*davas*
dá	dava
damos	dávamos
dais	*dáveis*
dão	davam

Pretérito Perfeito simples	**Pretérito Perfeito composto**	
dei	tenho	dado
deste	*tens*	*dado*
deu	tem	dado
demos	temos	dado
destes	*tendes*	*dado*
deram	têm	dado

Pretérito Mais-que-perfeito simples	**Pretérito Mais-que-perfeito composto**	
dera	tinha	dado
deras	*tinhas*	*dado*
dera	tinha	dado
déramos	tínhamos	dado
déreis	*tínheis*	*dado*
deram	tinham	dado

Futuro do Presente simples	**Futuro do Presente composto**	
darei	terei	dado
darás	*terás*	*dado*
dará	terá	dado
daremos	teremos	dado
dareis	*tereis*	*dado*
darão	terão	dado

Futuro do Pretérito simples	**Futuro do Pretérito composto**	
daria	teria	dado
darias	*terias*	*dado*
daria	teria	dado
daríamos	teríamos	dado
daríeis	*teríeis*	*dado*
dariam	teriam	dado

A 2ª pessoa do plural (vós) não é usada na conversação do português do Brasil. A 2ª pessoa do singular (tu) é usada em algumas regiões do Brasil.

SUBJUNTIVO

Presente	**Pretérito Perfeito**	
dê	tenha	dado
dês	*tenhas*	*dado*
dê	tenha	dado
demos	tenha	dado
deis	*tenhamos*	*dado*
deem	tenham	dado

Pretérito Imperfeito	**Pret. Mais-que-perfeito**	
desse	tivesse	dado
desses	*tivesses*	*dado*
desse	tivesse	dado
déssemos	tivéssemos	dado
désseis	*tivésseis*	*dado*
dessem	tivessem	dado

Futuro simples	**Futuro composto**	
der	tiver	dado
deres	*tiveres*	*dado*
der	tiver	dado
dermos	tivermos	dado
derdes	*tiverdes*	*dado*
derem	tiverem	dado

IMPERATIVO

Afirmativo	**Negativo**
dá (tu)	não dês (tu)
dê (você)	não dê (você)
demos (nós)	não demos (nós)
dai (vós)	não deis (vós)
deem (vocês)	não deem (vocês)

FORMAS NOMINAIS

Infinitivo impessoal	**Infinito pessoal**
dar	dar
	dares
	dar
	darmos
	dardes
	darem

Gerúndio	**Particípio**
dando	dado

2. DERIVAÇÃO: AFIXOS

2.1. Prefixos de origem latina

prefixo	significado	exemplo
ante-	anterioridade	anteontem
bem-, ben-	de forma agradável	bem-te-vi, bendizer
co-, com	companhia	coabitar
contra-	oposição	contra-atacar, contradizer
de-	movimento de cima para baixo	decair
des-	ação contrária	desinteresse
e-, es, ex-	movimento para fora	emigrar, escorrer, expor,
extra	posição exterior	extracelular, extracontratual,
in-(im-), i-(ir-), em-(en-)	movimento para dentro	
in-(im-); i-(ir-)	negação, privação	inapropriado, imaculado; ilegal, irregular
mal-	irregular, desagradável	mal-aconselhado
per-	através	percorrer
pre-(pré-)	anterioridade	prefácio, pré-escola
re-	movimento para trás, repetição	refluxo, reler
retro-	movimento para trás	retroceder, retroativo
semi-	metade de	semicerrado, semicírculo
sub-, su-, sob-, so-	movimento de baixo para cima, inferior	subgerente
sobre-, super-, supra-	posição em cima, excesso	sobrepor, sobrecarga, super-compensação, suprassumo
tras-, tres-, trans-	movimento para além de	transposição
ultra-	além de	ultrapassar
vice-	substituição, em lugar de	vice-presidente

2.1.1. Prefixos de origem grega

prefixo	significado	exemplo
na-, a-	privação, negação	ateu, anormal
na(a)-	afastamento	anacrônico
ant(i)-	oposição	antialcoolismo
ec-,ex-	para fora	
hiper	excesso	hipermercado
pró-	posição em frente, anterior	prólogo, prognóstico
sin-(sim-,si-)	simultaneidade, companhia	sinfonia, simpatia

2.2. Sufixos

2.2.1. Sufixação nominal: forma substantivos a partir de outros substantivos

sufixo	substantivo	novo substantivo
-ada	dente	dentada
-ado	eleitor	eleitorado
-agem	folha	folhagem
-al	banana	bananal
-aria, eria-	grito, sorvete	gritaria, sorveteria
-eira, -eiro	pulso, jornal	pulseira, jornaleiro
-ia	diretor	diretoria

2.2.1.1. Sufixação nominal: forma substantivo a partir de adjetivo

sufixo	adjetivo	substantivo
-dade	fiel	fieldade (=fidelidade)
-dão	grato	gratidão
-ez, -eza	mudo, delicado	mudez, delicadeza
-ia	alegre	alegria
-tude	longe	longitude
-ura	louco	loucura

2.2.1.2. Sufixação nominal: forma substantivo a partir de verbo

sufixo	adjetivo	substantivo
-ança, -encia	lembrar, concorrer	lembrança, concorrência
-ante, -ente, -inte	estudar, combater, pedir	estudante, combatente, pedinte
-dor	jogar	jogador
-ção	trair	traição
-douro, -tório	beber, orar	bebedouro, oratório
-dura, -tura	fechar, pintar	fechadura, pintura
-mento	pensar	pensamento

2.2.1.3. Sufixação nominal: forma substantivos e adjetivos a partir de outro substantivo e adjetivo

sufixo	significado	substantivo/adjetivo	substantivo/adjetivo
-ismo	doutrina ou sistema; modo de pensar ou de agir	buda (s), real (a), herói (a)	budismo (s), realismo (s), heroísmo (s)
-ista	partidário de doutrina ou sistema, ocupação e nomes pátrios (origem)	dente (s), real (a), norte (s)	budista (a),dentista (a), realista (s), nortista (a)

2.2.1.4. Sufixação nominal: forma adjetivo a partir de substantivo ou de outro adjetivo

sufixo	**substantivo/adjetivo**	**adjetivo**
-al, -ar	campo, escola	campal, escolar
-ano	roma	romano
-eiro, -ário	verdade, dia	verdadeiro, diário
-ento	sede	sedento
-ês, -ense	holanda, ceará	holandês, cearense
-este, -estre	céu, terra	celeste, terrestre
-ício	natal	natalício
-il	febre	febril
-onho	riso	risonho
-oso	orgulho	orgulhoso
-udo	barba	barbudo

2.2.1.5. Sufixação nominal: formam adjetivo a partir de verbo

sufixo	**verbo**	**adjetivo**
-ante, ente, -inte	tolerar, doer, seguir	tolerante, doente, seguinte
- io, -ivo	fugir, pensar	fugidio, pensativo
-vel	desejar	desejável

2.2.2. Sufixação verbal: forma verbos a partir de substantivo e adjetivo

-ar	almoço, telefone	almoçar, telefonar
-ear	sabor	saborear
-ecer, -escer	escuro, flor	escurecer, florescer
-izar	harmonia	harmonizar

2.2.3. Sufixação adverbial: forma advérbios a partir de adjetivos

-mente	suave, exato, livre	suavemente, exatamente, livremente

2.2.4. Sufixos diminutivos

sufixo	**substantivo**	**diminutivo**
-acho	rio	riacho
-ela	rua	ruela
-inho, -zinho	livro, flor	livrinho, florzinha
-im	espada	espadim
-ino	pequeno	pequenino
-ola	bandeira	bandeirola
-ulo, -ula, -culo, -cula	corpo, gota, monte, verso	corpúsculo, gotícula, montículo, versículo

2.2.5. Sufixos aumentativos

sufixo	substantivo	aumentativo
-ão, -alhão	casa, grande	casão, grandalhão
-arra	boca	bocarra
-uça	dente	dentuça

3. PREPOSIÇÕES

3.1. preposições simples

A	com	em	por (per)
Ante	contra	entre	sem
Após	de	para	sob
Até	desde	perante	trás

3.1.1. Combinações e contrações

preposição	artigo definido	artigo indefinido	combinação	contração
a	a (s)		à (s)	
a	o (s)		ao (s)	
de	a (s)			da (s)
de	o (s) do (s)			
de	um (uns)	dum (duns)		
de	uma (s)	duma (s)		
em	a (s)			na (s)
em	o (s)			no (s)
em	um (uns)	num (nuns)		
em	uma (s)	numa (s)		
para	a (s)			pra (s)*
para	o (s)			pro (s)*
por (per)	a (s)			pela (s)
por (per)	o (s)			pelo (s)

3.1.1.2. Contrações

preposição	pronome	resultado
de	este (s)	deste (s)
de	esta (s)	desta (s)
de	isto	disto
de	esse (s)	desse (s)
de	essa (s)	dessa (s)
de	isso	disso

de	aquele (s)	daquele (s)
de	aquela (s)	daquela (s)
de	aquilo	daquilo
em	este (s)	neste (s)
em	esta (s)	nesta (s)
em	isto	nisto
em	esse (s)	nesse (s)
em	essa (s)	nessa (s)
em	isso	nisso
em	aquele (s)	naquele (s)
em	aquela (s)	naquela (s)
em	aquilo	naquilo

3.2. Locuções prepositivas

abaixo de	acerca de	acima de	a despeito de
adiante de	a par de	apesar de	a respeito de
a fim de	além de	antes de	ao lado de
ao redor de	atrás de	através de	de acordo com
debaixo de	de cima de	defronte de	dentro de
depois de	diante de	embaixo de	em cima de
em frente a	em frente de	em lugar de	em redor de
em torno de	em vez de	graças a	junto a
junto de para	baixo de	para cima de	para com
perto de	por baixo de	por causa de	por cima de
por detrás de	por diante de	por entre	por trás de

4. PRONOMES

4.1. Pronomes pessoais do caso reto

Singular	**Plural**
Eu	Nós
Tu	Vós
Ele, ela, a gente*	Eles, elas

* 'a gente' não é um pronome pessoal, mas sim um pronome de tratamento como 'você'. No entanto, na língua oral usamos o 'a gente' como se fosse 'nós'.

4.1.1. Pronomes pessoais do caso oblíquo

Singular	**Plural**
Me	Nos
Te	Vos
O, a, se, lhe	Os, as, se, lhes

4.2. Pronomes oblíquos tônicos

Singular	Plural
Mim	Nós
Ti	Vós
Ele, ela, si	Eles, elas, si

4.3. Pronomes possessivos

Primeira pessoa do singular	Primeira pessoa do plural	Segunda pessoa do singular	Segunda pessoa do plural	Terceira pessoa do singular	Terceira pessoa do plural
Meu, meus, minha, minhas	Nosso, nossos, nossa, nossas	Teu, teus, tua, tuas	Vosso, vossos, vossa, vossas	Seu, seus, sua, suas	Seu, seus, sua, suas

4.4. Pronomes demonstrativos

Primeira pessoa	Segunda pessoa	Terceira pessoa
Este, estes, esta, estas	Esse, esses, essa, essas	Aquele, aquela, aqueles, aquelas
isto	isso	aquilo

4.5. Pronomes relativos

Invariáveis	Variáveis
Que, quem, onde, quando, como	O qual, os quais, a qual, as quais
	Cujo, cujos, cuja, cujas
	Quanto, quantos, quantas

4.6. Pronomes indefinidos

Invariáveis	Variáveis
Alguém, ninguém	Algum, alguns, alguma, algumas
Tudo, nada	Nenhum, nenhuns, nenhuma, nenhumas
Algo	Todo, todos, toda, todas
Cada	Outro, outros, outra, outras
Outrem	Muito, muitos, muita, muitas
Mais, menos, demais	Pouco, poucos, pouca, poucas
	Certo, certos, certa, certas
	Vário, vários, vária, várias
	Tanto, tantos, tanta, tantas
	Quanto, quantos, quanta, quantas
	Um, uns, uma, umas
	Bastante, bastantes
	Qualquer, quaisquer

4.7. Pronomes interrogativos*

que quem qual quais quanto quantos quanta quantas

*Quando usados para formar interrogações diretas ou indiretas

4.8. Advérbios interrogativos*

Onde quando como por que

* empregados em orações interrogativas diretas ou indiretas

5. CONJUNÇÕES

5.1. Conjunções coordenativas

aditivas	E; nem; não só ..., mas também etc.
adversativas	Mas, porém, todavia, contudo, entretanto, no entanto, não obstante etc.
alternativas	Ou; ou ...ou; ora ...ora etc.
conclusivas	Logo, portanto, por conseguinte, pois (posposto ao verbo) etc.
explicativas	Pois (anteposto ao verbo), que, porque, porquanto

5.2. Conjunções subordinativas

integrantes	Que, se, como
causais	Porque, como, uma vez que, visto que, já que etc.
concessivas	Embora, ainda que, mesmo que, conquanto, apesar de que etc.
condicionais	Se, caso,desde que, contanto que etc.
conformativas	Conforme, consoante, segundo, como etc.
comparativas	Como, (do) que (após comparativos: mais, menos, maior, melhor etc.)
consecutivas	Que (após tão, tanto, tamanho etc.), de sorte que, de forma que
finais	Para que, a fim de que, que etc.
proporcionais	À medida que, à proporção que, ao passo que, quanto mais, quanto menos etc.
temporais	Quando, enquanto, antes que, depois que, desde que, logo que, assim que etc.

6. ACENTUAÇÃO*

1. Conceito: **acentuação** é o estudo da intensidade com que são pronunciadas as sílabas. A sílaba é um grupo de sons pronunciados de uma só vez.

I A sílaba pode ser formada por:
a. uma vogal, por exemplo: é
b. um ditongo (grupo de duas vogais proferidas em uma só sílaba), por exemplo: oi
c. um tritongo (grupo de três vogais proferidas em uma só sílaba), por exemplo: uau!

II A sílaba pode ser formada por:
a. uma vogal acompanhada de consoante, por exemplo: fa- zer
b. um ditongo acompanhado de consoante, por exemplo: Pau-lo
c. um tritongo acompanhado de consoante, por exemplo: Pa-ra-guai

III A sílaba pode ser **aberta** ou **fechada**.
a. A aberta termina por uma vogal, por exemplo: co-mi-da
b. A fechada termina por uma consoante, por exemplo: a-mor

IV As palavras quanto ao número de sílabas podem ser:
a. monossílabas: só uma sílaba, por exemplo: quer
b. dissílabas: duas sílabas: ru-a
c. trissílabas: três sílabas, por exemplo: por-tu-guês
d. polissílaba: mais de três sílabas, por exemplo: u-ni-ver-si-da-de

Em português, a sílaba que é pronunciada com intensidade é chamada de sílaba **tônica**, por exemplo: cri**an**ças, a**zul**. E a sílaba que é pronunciada de forma fraca é chamada de sílaba **átona**, por exemplo: **cri**an**ças**, **a**zul.

2. **Acentuação tônica**: quanto à acentuação as palavras podem ser:
a. oxítonas: acento na última sílaba, por exemplo: a**bril**, se**nhor**, vo**cê**
b. paroxítonas: acento na penúltima sílaba, por exemplo: **bran**co, co**nhe**ço, **ál**bum
c. proparoxítonas: acento na antepenúltima sílaba, por exemplo: vo**cá**bulo, **xí**cara, **ú**mido

3. **Acentuação gráfica**: em português, há os seguintes sinais gráficos: ´ (agudo), `(grave), ^ (circunflexo) e ~ (til).
´ (agudo): até
` (grave) = crase: a (preposição) + a(s) (vogal feminina) = à(s)
^ (circunflexo): você
~ (til): são

* *O assunto* ***acentuação*** *não foi completamente explorado neste livro, por isso, para mais detalhes a respeito de acentuação, consulte uma gramática da língua portuguesa falada no Brasil.*

a. Todas as palavras **proparoxítonas** recebem sinal gráfico. Vejamos alguns exemplos: álcool, bússola, estratégia, século etc.

b. São acentuadas as palavras **paroxítonas** terminadas em:
i, **is**; **u**, **us**: júri, grátis, bônus, Vênus.
l, **n**, **r**, **x**, **ps**: amável, hífen, caráter, látex, bíceps.
ã, **ãs**; **ão**, **ãos**: ímã, órfãs, órgão, sótãos.
om, **ons**: elétrons.
um, **uns**: álbum, álbuns.
ditongo oral (crescente[1] ou decrescente[2], seguido ou não de –s): jóquei, pônei, vôlei, história, área, gênio.
[1] **ditongo crescente**: O ditongo, como vimos, é um grupo de duas vogais proferidas em uma só sílaba, e das quais uma funciona como consoante e se chama semivogal. O ditongo crescente é aquele em que a semivogal soa antes que a vogal, por exemplo: quando.
[2] **ditongo decrescente**: é aquele em que a vogal soa antes que a semivogal, por exemplo: mais, sei, boi.

c. **oxítonas**: acentuam-se as palavras terminadas em:
a, as; e, es; o, os: guaraná, atrás, buquê, vocês; cipó; retrós
em, ens: também, armazéns

d. **monossílabos**: recebem acento gráfico os monossílabos tônicos terminados em:
a, as: cá, lá, já, há, pás.
e, es: pé, fé, mês, três.
o, os: pó, só, nó, nós, vós.

4. **Regras especiais**:
a. **hiato**: sequência de duas vogais que pertencem a sílabas diferentes: o **u** e o **i** tônico recebem acento quando estiverem sozinhos na sílaba (ou com **s**), formando hiato com a vogal anterior. Por exemplo, baú, saúde, saída, país.

b. **acentos diferenciais**: acento circunflexo sobre as terceiras pessoas do plural do presente do indicativo dos verbos ter e vir e seus derivados (conter, convir etc.). Por exemplo: ele t**e**m/ eles t**ê**m; ele v**e**m/ eles v**ê**m.

c. **outros acentos diferenciais**: por exemplo: p**ô**de (terceira pessoa do singular do pretérito perfeito do indicativo)/ p**o**de (terceira pessoa do singular do presente do indicativo)
p**ô**r (verbo)/ p**o**r (preposição)
porqu**ê** (substantivo/ porque (conjunção)

Respostas dos Exercícios

UNIDADE 1

LIÇÃO A CONSTRUÇÃO DO CONTEÚDO

A.

As respostas podem variar.

B.

Paulo: Oi. O meu nome é Paulo.
Carlos: Oi. Muito prazer. Eu sou o Carlos.
Paulo: O prazer é meu.

C.

1. Tudo bem *ou* Tudo e você?
2. Meu nome é ... *ou* Eu sou o(a) ...
3. Meu sobrenome é ...

LIÇÃO A AMPLIAÇÃO DO VOCABULÁRIO

A.

1. Gonçalves
2. Maique
3. Xavier
4. Luiz
5. Nanci

B.

Cláudia: Oi. Meu nome é Cláudia.
Sílvia: Olá. Muito prazer. Meu nome é Sílvia.
Cláudia: O prazer é meu.
Sílvia: Cláudia, qual é o seu sobrenome?
Cláudia: Zorodoguoi.
Sílvia: Como?
Cláudia: Zorodoguoi.
Sílvia: Como se escreve/ soletra?
Cláudia: Z – O – R – O – D – O – G – U – O – I.

LIÇÃO B CONSTRUÇÃO DO CONTEÚDO

A.

1. meu
2. sua
3. seu *ou* teu (na conversação)
4. meus
5. minha
6. seu
7. seus *ou* teus (na conversação)

B.

Carla: Oi. O meu nome é Carla. E o seu (*ou* teu)?
Marcos: O meu nome é Marcos. Muito prazer.
Carla: O prazer é meu.
Marcos: Carla, você é brasileira?
Carla: Eu sou, mas minha mãe é mexicana.
Marcos: Nossa! Meu pai não é brasileiro também. Ele é italiano.

LIÇÃO B AMPLIAÇÃO DO VOCABULÁRIO

A.

T	Ç	S	E	C	R	E	T	Á	R	I	O
J	G	H	I	A	L	O	V	F	U	B	M
E	R	B	N	Z	E	T	Q	X	S	G	´E
S	D	E	H	M	C	E	V	U	S	N	X
Q	A	R	G	E	N	T	I	N	A	S	I
E	T	H	I	D	X	N	I	T	L	R	C
B	R	A	S	I	L	E	I	R	O	X	A
H	F	I	U	C	Z	Q	P	R	I	A	N
L	A	D	V	O	G	A	D	A	S	Q	O
G	A	F	T	S	S	I	A	S	C	L	S
X	E	N	F	E	R	M	E	I	R	A	O

B. Coloque as nacionalidades e profissões encontradas na tabela abaixo:

1. Nacionalidades
   brasileiro russa mexicanos argentinas
1. Profissões
   secretário enfermeira médicos advogadas

LIÇÃO C AMPLIAÇÃO DO VOCABULÁRIO

A.

1. Ele é japonês.
2. Ele é motorista.
3. Meu pai é enfermeiro.
4. Minha mãe é francesa.
5. Minha dentista é canadense.

B.

1. Eles são engenheiros.
2. Nós somos brasileiras.
3. Vocês são escritores.
4. Elas são chinesas.
5. Vocês são espanhóis.

C. Complete as frases abaixo com as nacionalidades e profissões:

1. engenheiros
2. espanhola

3. brasileiros
4. advogadas
5. dentista

LIÇÕES A, B e C COMPREENSÃO AUDITIVA
1. advogada
2. Ferrera
3. brasileiro

LEITURA
A.
1. a. (X) Paulo
2. c. (X) Dany
3. a. (X) Sô
4. a. (X) sim
5. a. (X) sim
6. a. (X) português
7. b. (X) chefe
8. a. (X) Oi, tudo bem?
9. b. (X) Tchau

UNIDADE 2

LIÇÃO A CONSTRUÇÃO DO CONTEÚDO
A.
1. aquela
2. aqueles
3. essa *ou* esta (na conversação)
4. estes *ou* esses (na conversação)
5. esta *ou* essa (na conversação)
6. essas *ou* estas (na conversação)

B.
1. Carlos: Lúcia, aqueles são os novos diretores?
   Lúcia : Não. Aqueles são os advogados.
   Carlos: A mulher também?
   Lúcia : Aquela é a nova médica.

2. Caio: Oi, Artur. Esta *ou* essa é a Karina. Ela é nova aqui. Karina, este *ou* esse é o Artur, meu amigo.
   Karina: Oi, Artur. Tudo bem?
   Artur: Tudo.

3. Menina: Mãe, esse *ou* este é o Paulinho?
   Mãe: É sim.

LIÇÃO A AMPLIAÇÃO DO VOCABULÁRIO
A.
1. e Igualmente
2. c. Toda
3. f. Tudo, e você? ou b. Tudo!
4. g. Tchau, até amanhã!
5. a. Bem, obrigada!
6. d. De nada!
7. f. Tudo, e você? ou b. Tudo!

B.
Faça a inversão das frases abaixo.
1. Essa é minha dentista Solange.
2. Estes são Rodrigo e Avanir, meus colegas.
3. Aquele é Pedro, meu médico.
4. Aquelas são minhas secretárias Giovanna e a Natália.

LIÇÃO B CONSTRUÇÃO DO CONTEÚDO
A.
1. precisamos
2. precisam
3. precisa
4. preciso
5. precisa

B.
1. liga
   ligamos
   ligo
   liga
   liga

C.
Júnior: Oi, Marcela. Tudo bem?
Marcela: Oi, Júnior. Tudo e você?
Júnior: Tudo bem. Marcela, eu preciso falar com a Marta Você liga sempre pra ela, né?
Marcela: Eu ligo.
Júnior:Você precisa ligar para ela hoje?
Marcelo: Hoje não.

LIÇÃO B AMPLIAÇÃO DO VOCABULÁRIO
A.
Respostas possíveis
1. f) d) e)
2 c)
3. f)
4. a) b)
5. a) b)
6. c)
7. d)

B.
1. 18
2. 8888-9191
3. R$ 16,00 – R$ 6,00
4. 8888-1112

LIÇÃO C CONSTRUÇÃO DO CONTEÚDO
A.
1. isto *ou* isso (na conversação)
2. isso *ou* isto (na conversação)
3. aquilo
4. isto *ou* isso (na conversação)

B.
a. 3
b. 4
c. 1
d. 2
e. 3
f. 1
g. 4

C.
1. em
2. em
3. na
4. em
5. no

LIÇÃO C AMPLIAÇÃO DO VOCABULÁRIO

A.
1. Minha esposa é motorista de táxi.
2. Ela é minha amiga.
3. Qual o nome da sua mãe?
4. Ele sempre liga para a namorada.
5. Onde mora seu colega?
6. Ela é filha única.

B.
As respostas podem variar.

LIÇÕES A, B e C COMPREENSÃO AUDITIVA

1. Marina
   telefone: 888-2536
   email: marina.castro@muitoprazer.br
   esidência: São Paulo

2. Ricardo
   telefone: (85) 888-0170
   email: ricaneves@muitoprazer.br
   residência: Fortaleza

3. Sandra
   telefone: 888-8944
   email: Sandra25@muitoprazer.br
   residência: Brasília

LEITURA

1. <u>e.perez@muitoprazer.com.br</u>
2. 8888-3844
3. Av. da Independência, 22 – Salvador – Bahia

UNIDADE 3

LIÇÃO A CONSTRUÇÃO DO CONTEÚDO

A.
1. O nome dele é Gilberto Rocha.
   Ele é cantor / A profissão dele é cantor.
   Ele é brasileiro.
   Ele tem 20 / vinte anos.

2. O nome dela é Erika Sarson.
   Ela é chefe de cozinha.
   Ela é sueca.
   Ela tem 35 / trinta e cinco anos.

3. Os nomes deles são Paolo Michelli e Elizabetta Giuliani.
   Eles são bailarinos.
   Eles são italianos.
   Eles têm 26 / vinte e seis e 23 / vinte e três anos.

B.
1. dela
2. seus – dele
3. dele – dela
4. delas – delas – nossas

LIÇÃO A AMPLIAÇÃO DO VOCABULÁRIO

1. <u>Os cônjuges</u> devem assinar os documentos aqui.
2. <u>Os amigos</u> são da Finlândia.
3. <u>Meus pais</u> têm 55 anos.
4. Quem são <u>aqueles namorados</u>?
5. <u>Os colegas</u> estudam de manhã.
6. <u>Nossos filhos</u> são crianças.

B.
1. filha
2. amigo
3. marido
4. pai

LIÇÃO B CONSTRUÇÃO DO CONTEÚDO

A.
1. pode
2. pode
3. podemos
4. podem
5. posso

B.
1. pode – posso
2. podemos – podemos
3. podem – podem – pode

C.

R$ 1.089, 12 – hum mil e oitenta e nove reais e doze centavos
R$ 357, 23 – trezentos e cinquenta e sete reais e vinte e três centavos
R$ 596,44 – quinhentos e noventa e seis reais e quarenta e quatro centavos

LIÇÃO B AMPLIAÇÃO DO VOCABULÁRIO

A.

1. Espaço do Vídeo
   Código do cliente: **134590**
   Nome: **Rodrigo Pereira**
   Data de nascimento: **07/04/1969**
   Telefone: **11 - 8888-2121**
   E-mail: **rodrigo74@muitoprazer.br**
   Endereço: **Avenida José Maria, n° 17, apto. 34 – São Paulo – SP**

2. Universidade Brasileira / Biblioteca
   Nome do aluno: **Cristina dos Santos**
   RG: **011874946-67**
   Data de nascimento: **03/06/1980**

B.

As respostas podem variar.

LIÇÃO C CONSTRUÇÃO DO CONTEÚDO

A.

1. daqui – daí
2. de lá – de lá

B.

1. quero
2. querem – queremos
3. quer – quer
4. quer – quer – quero

LIÇÃO C AMPLIAÇÃO DO VOCABULÁRIO

A.

As respostas podem variar.

a. (são) oito e quinze
b. (é) uma hora
c. (são) sete e cinquenta e cinco / (são) cinco para às sete
d. (são) cinco e vinte
e. (são) dez e cinco
f. (é) meio dia e meia
g. (são) seis e vinte e cinco
h. (são) quinze para às duas / (são) quatorze e quarenta e cinco
i. (são) nove e trinta e cinco
j. (são) cinco para a meia-noite

C.

As respostas podem variar.

LIÇÕES A, B e C COMPREENSÃO AUDITIVA

1. a. americana
   b. 36
   c. inglês

2. a. 6:35h *ou* 18:35h
   b. na escola
   c. 13

3. a. Fonseca
   b. 87.432.556-HR
   c. (11) 888-0744

LEITURA

1. Hora de Verão ou Horário de Verão é o tempo local de uma região, apenas durante um período do ano, geralmente uma hora adiantada do tempo oficial.

2. Nas regiões que adotam a hora de verão, é normal ter luz solar entre 18h30 e 20h15.

3. A Alemanha. O sol se põe entre 21h30 e 21h50 nessa época.

B.

As respostas podem variar.

UNIDADE 4

LIÇÃO A CONSTRUÇÃO DO CONTEÚDO

A.

1. estarão *ou* vão estar
2. Terei *ou* Vou ter
3. irão ou vão ir
4. serão *ou* vão ser
5. precisaremos *ou* vamos precisar

B.

Taxista: Vai assistir *ou* Assistirá a um show?
Passageira: Hoje uma cantora famosa vai fazer *ou* fará um show lá. Mas, eu não vou ver *ou* verei.
Taxista: Que pena! Minha filha vai estar *ou* estará lá.
Passageira: É. Dizem que o show vai ser *ou* será maravilhoso.
Taxista: Vai ser *ou* Será sim. Ela é ótima e tem milhões de fãs.
Passageira: O nome dela é Bárbara Luz. Ela vai cantar *ou* cantará suas músicas novas.
Taxista: Bárbara???? Será que ela é a cantora?

LIÇÃO A AMPLIAÇÃO DO VOCABULÁRIO

A.

1. Sávio: Bom dia
   Taxista: Bom dia. Para onde, senhor?
   Sávio: Hotel Marina, Leblon.
   Taxista: São R$ 15,00.
   Sávio: Aqui está.
   Taxista: O senhor não tem trocado?
   Sávio: Ah, um minutinho... Tenho R$ 20,00...
   Taxista: Muito obrigado.
   Sávio: De nada.

2. Caixa: Boa tarde! Posso ajudar?
   Rita: Boa tarde. Quero pagar estas contas, por favor.

Caixa: Certo. O total é R$ 89,90.
Rita: Aceita cheque?
Caixa: Desculpe, senhora. Só dinheiro...
Rita: Certo. Só tenho uma nota de R$ 100,00.
Caixa: Obrigada, aqui está seu troco: 10 reais e 10 centavos.
Rita: Obrigada.

3. Klaus: Bom dia, quanto está a cotação do euro?
Atendente: Para compra R$ 2,71 e venda R$ 2,75
Klaus: Por favor, quero vender € 1.000.
Atendente: São 2.710,00 em reais. Bem-vindo ao Brasil!
Klaus: Obrigado.

B.

As respostas podem variar. Algumas respostas possíveis.

1. Michael: Bom dia, quanto está a cotação do euro?
Atendente: Para compra R$ 1,85 e venda R$ 1,86
Michael: Por favor, quero vender US 1.000.
Atendente: São R$ 1.850,00 em reais. Bem-vindo ao Brasil!
Michael: Obrigado.

2. Taxista: Para onde, senhora?
Sônia: Hotel Marina, Leblon.
Taxista: São R$ 31,50.
Sônia: Aqui está.
Taxista: A senhora não tem trocado?
Sônia: Ah, um minutinho... Tenho R$ 50,00...
Taxista: Muito obrigado.
Sônia: De nada.

LIÇÃO B CONSTRUÇÃO DO CONTEÚDO

A.

1. Preciso depositar um dinheiro no banco, mas não posso sair do escritório antes das 16h.
2. Cátia quer comer comida mexicana, mas o restaurante não vai abrir hoje.
3. Minha assistente não é daqui, mas as pessoas não notam seu sotaque.
4. Tenho que ligar para um amigo, mas meu celular não está bom.
5. Minha esposa e eu moramos aqui, mas preferimos um lugar mais calmo.
6. Os motoristas dirigem mal, mas usam o cinto de segurança.
7. Eles sabem que não podem fumar no prédio, mas continuam fazendo isso.

B.

1. incoerente. "Quero jantar, mas estou sem fome."
2. incoerente. "Ilma não é nem alta, nem baixa, ou seja, tem estatura mediana."
3. coerente
4. coerente
5. incoerente. "Elas não querem pagar em dinheiro, mas vão pagar."

LIÇÃO B AMPLIAÇÃO DO VOCABULÁRIO

A.

Marta
entrada: –
prato principal: prato feito com peixe
bebida: limonada

Luis
entrada: –
prato principal: filé com fritas
bebida: cerveja

Filomena
entrada: –
prato principal: feijoada
bebida: suco de abacaxi

B.

As respostas podem variar.

LIÇÃO C CONSTRUÇÃO DO CONTEÚDO

A.

1. (F) Clarinha está com sono.
2. (F) Jônatas está com sede.
3. (V)
4. (F) Dona Júlia está com calor.

B.

Hilda: Gustavo, estou com vontade de comer batata frita. Vamos?
Gustavo: Onde você quer comprar a batata?
Gustavo: Mas, eu não estou com vontade de comer batata. Quero comer massa.
Hilda: Enquanto eu compro a batata, você pega a massa.
Gustavo: Você tem bastante tempo? Depois do almoço eu vou tomar um café.
Hilda: Eu sempre esqueço que você precisa tomar café depois do almoço. Nós iremos *ou* vamos a pé, mas acho que temos tempo.

LIÇÃO C AMPLIAÇÃO DO VOCABULÁRIO

1. Manuel e Maria
local: shopping
sobremesa: sorvete
bebida: capucino

2. Lígia e Victoria
local: casa da Victoria
sobremesa: pudim de leite e bolo de cenoura
bebida: chá (de camomila) e cafezinho

B.

As respostas podem variar.

LIÇÕES A, B e C COMPREENSÃO AUDITIVA

1. correr – nem correr nem estudar – ver um filme
2. comer – nem passear nem dormir – comer

3. andar a pé – nem andar a pé nem pegar o ônibus – andar a pé

LEITURA

A.

As respostas podem variar.

B.

1. Sabor Saúde
2. Empório Saúde
3. As respostas podem variar.

REVISÃO DAS UNIDADES 1 A 4

1. a. esta
   b. aquela
   c. isso
   d. dela
   e. de lá

2. a. posso / tem
   b. quer / ligar
   c. Será
   d. mandar
   e. estaremos
   f. vai
   g. tenho
   h. estou / compra

3. a. Eu preciso ligar para a minha chefe.
   b. Esta é a Gabi, minha amiga.

4. a. Qual é o seu sobrenome?
   b. Oi, tudo bem?
   c. Qual é o seu e-mail?
   d. Quantos anos eles têm?
   e. De onde você é?
   f. Que horas são?
   g. Quanto é?
   h. Você vai à festa amanhã?

5. a. Eu moro em Curitiba. Tenho 32 anos e <u>duas filhas</u>. Sou <u>brasileira</u> e <u>diretora</u> de uma escola. Eu trabalho até as 18 horas. <u>Minhas filhas</u> e eu fazemos muitas coisas <u>juntas</u>. Queremos viajar com <u>uma amiga</u> para Fortaleza. <u>Ela</u> é <u>canadense</u>. Acho que vamos viajar em agosto.
   b. <u>O Paulo</u> é <u>meu amigo</u>. <u>Ele</u> é <u>brasileiro</u>. <u>Ele</u> mora no interior. <u>Ele</u> é <u>casado</u> e tem <u>dois filhos</u>. <u>Ele</u> é <u>professor</u> de francês. <u>Ele</u> acorda cedo todos os dias. <u>Seus filhos</u> também são <u>professores</u>.

6.
a. Aquele livro é de chinês? Eu quero um livro de japonês. Este caderno é meu. Essa caneta é nossa. E aquele dicionário é seu.
b. 1. A: O que vocês querem comprar?
   B: Queremos comprar umas casas.
   2. A: Quem são aqueles homens?
   B: Eles são meus irmãos.

7. As respostas podem variar.

UNIDADE 5

LIÇÃO A CONSTRUÇÃO DO CONTEÚDO

A.

1. está – estou
2. está – está
3. estão – estão – estou

B.

Josué: Karina, aonde você <u>quer</u> ir hoje?
Karina: Não sei. Ao parque? Você <u>acha</u> que está aberto?
Josué: <u>Acho</u> que sim. Você <u>quer</u> ir?
Karina: <u>Quero</u>. Minha irmã também <u>quer</u>.
Josué: Ela gosta de fazer exercícios?
Karina: <u>Acho</u> que não.
Josué: Então é melhor ela ficar.
Karina: É... <u>Acho</u> que sim.

LIÇÃO A AMPLIAÇÃO DO VOCABULÁRIO

A.

1. Eles estão adiantados.
2. Nós estamos cansados.
3. A sala está vazia.
4. O ônibus está lotado.
5. Elas estão livres hoje.

B.

1. Eles estão atrasados.
2. Nós estamos descansados.
3. A sala está cheia.
4. O ônibus está vazio.
5. Elas estão ocupadas hoje.

C. Faça frases usando os adjetivos do quadro para descrever as situações abaixo:
1. Ele (O rapaz) está atrasado.
2. A prova está difícil.
3. O trem está vazio.
4. Eles estão cansados.

LIÇÃO B CONSTRUÇÃO DO CONTEÚDO

A.

trabalho – à *ou* de
estudam – depois *ou* antes
trabalha – de
estudamos – às
estuda – às *ou* antes das *ou* depois das
trabalham – à *ou* de

B.

As respostas podem variar.

LIÇÃO B AMPLIAÇÃO DO VOCABULÁRIO

	Atividade	A que horas?
1.	praticar esportes	3:00
2.	trabalhar até tarde	10:00 (da noite)
3.	lavar louça	8:00 (da noite)
4.	chegar em casa	11:30 (da noite)
5.	jantar	6:00 (da tarde)

B.

As respostas podem variar.

LIÇÃO C CONSTRUÇÃO DO CONTEÚDO

A.

1. De onde
2. Quantos
3. O que
4. Onde *ou* Por que
5. Onde
6. Qual
7. Como
8. Quem *ou* Qual *ou* Como

B.

Celina: Oi. Desculpa, como você se chama?
Ivete: Ivete. Qual é o seu nome?
Celina: Celina. Eu moro aqui com meu marido e meus filhos. Onde você mora?
Celina: Mesmo? Que distraída! Quem mora com você?
Ivete: Moro sozinha. Quantos filhos você tem?
Ivete: Que gracinha! De onde vocês são? De Brasília mesmo?

LIÇÃO C AMPLIAÇÃO DO VOCABULÁRIO

A.

1. Márcia: Vamos pra academia mais tarde? Quero fazer uma aula de yoga para relaxar.
Cris: Que horas é a aula?
Márcia: É às 20h00. Dá tempo! Vamos!
Cris: Está bom. Mas eu estou cansada. Só vou fazer esta aula e ir pra casa.

2. Mauro: Já estou indo. Até a noite!
Solange: Espere um pouco, querido... você precisa tomar café!
Mauro: Estou atrasado! Preciso chegar no trabalho em 30 minutos. Tenho uma reunião que vai começar às 8h00!
Solange: Você pode comprar algumas coisas no supermercado quando voltar? Aqui está a lista.
Mauro: Tudo bem, mas acho que vou trabalhar até as 8 hoje. Meu dia vai ser complicado.
Solange: Obrigada, querido, nós conversamos mais tarde!

3. Mãe: Carol, vamos logo! Você já está atrasada!
Filha: Já vou, mãe! Por que nós moramos tão longe da escola? Tenho que acordar tão cedo. Minhas amigas moram mais perto da escola!

LIÇÕES A, B e C COMPREENSÃO AUDITIVA

1. 17:15 – ir pro shopping – no ônibus
2. livre – domingo – do Rio
3. não manda o fax – uma página – manda o fax

LEITURA

A.

1. Maria acorda antes das 7 da manhã e Pedro acorda às 7:00 da noite.
2. Maria
3. Pedro
4. Maria

B.

As respostas podem variar.

UNIDADE 6

LIÇÃO A CONSTRUÇÃO DO CONTEÚDO

A.

1. João vai pra aula de inglês.
2. Francisca vai pra academia.
3. Ele vai pro futebol às sextas.
4. Francisca convida o senhor para ir pro teatro. Júlio convida o garoto para ir pro clube.
5. As respostas podem variar.
6. As respostas podem variar.

B.

1. Ela tem que estudar.
2. Ele tem que viajar.
3. Elas têm que ir para o banco.
4. Ele tem que fazer o jantar.
5. Eles têm que mudar de casa.
6. Ela tem que limpar a casa.

C.

Rosário: Breno, você quer ir pro cinema comigo na sexta?
Breno: Na sexta... Desculpa, não posso. Tenho que viajar a trabalho.
Rosário: Jura? Que chato! Você pode na semana que vem? A gente pode ir na quarta-feira. É até mais barato.
Breno: Na quarta tenho que trabalhar até tarde. Você não pode na quinta?
Rosário: Bem, na quinta eu vou para a casa da minha irmã. É aniversário dela.
Breno: Meu Deus! Acho que é impossível. Convida a Marcela.
Rosário: Ela não pode. Ela vai para a praia. Acho que eu vou sozinha...

LIÇÃO A AMPLIAÇÃO DO VOCABULÁRIO

A.

Possíveis respostas:

Tênis-quadra-caminhada
sapatos de balé-academia-dança
pesos de ginástica-academia-ginástica
óculos e touca de mergulho-piscina-natação

B.

As respostas podem variar.

LIÇÃO B CONSTRUÇÃO DO CONTEÚDO

A.

vou
vamos
vão
vão
vai

B.

1. gosta de – gosto de
2. gosta de – gostamos
3. gostam de – gostam de
4. gostam – gostamos de

C.

Salete: Regina, meu namorado da Alemanha está aqui!
Regina: Legal. Vocês vão se casar?
Salete: Acho que sim. Ele gosta do Brasil.
Regina: Você acha que ele vai ter problemas de adaptação?
Salete: Acho que não. Escuta, quero fazer uma festa para ele.
Regina: Tá bom. Você vai fazer um jantar ou uma festa mesmo?
Salete: Não sei... Ele não gosta de festas. Você acha que podemos fazer um jantar na sua casa?
Regina: Podemos sim, claro. Vocês gostam de comida italiana?
Salete: Gostamos.
Regina: Então eu vou comprar uma lasanha.
Salete: Que delícia!!!

LIÇÃO B AMPLIAÇÃO DO VOCABULÁRIO

A.

1. Rogério
2. Pérola e Hugo
3. Manuel e Maria
4. Pérola
5. Manuel
6. Ana Maria
7. Manuel tem 68 e Maria tem 65 anos

B.

As respostas podem variar.

LIÇÃO C CONSTRUÇÃO DO CONTEÚDO

A.

1. Ela está fazendo uma ligação ou ligando para alguém.
2. Ela está estudando ou lendo.
3. Eles estão acordando ou levantando.
4. Ele está lavando a louça.
5. Elas estão tomando café da manhã.
6. Ela está indo para a escola.

B.

1. ela está cansada
2. eu quero
3. ela está atrasada
4. eles têm que trabalhar
5. As respostas podem variar.

C.

1. sabe – sei – sabe
2. sabem – sabemos
3. sabe – sei
4. sabe – sabe – sabemos

LIÇÃO C AMPLIAÇÃO DO VOCABULÁRIO

	Meio de transporte escolhido	O local é perto ou longe?
Juliana	**à pé**	**Perto (dois quarteirões)**
Mateus	**de ônibus**	**Longe (cinquenta quilômetros)**
Eduardo	**de avião**	**Longe**

B.

As respostas podem variar.

LIÇÕES A, B e C COMPREENSÃO AUDITIVA

Leonice

1. está lendo
2. está cansada hoje
3. vai sair com a tia

Heloísa:

1. vai de metrô
2. quer ir pro teatro
3. vai sair com o irmão

LEITURA

A.

1. O Terminal Rodoviário Tietê.
2. 1.010 cidades
3. O terminal funciona 24 horas por dia

UNIDADE 7

LIÇÃO A CONSTRUÇÃO DO CONTEÚDO

A.

1. está – estou – está
2. é
3. está
4. são – são

B.

Professor: De novo? Por que você sempre se atrasa? Você vem de ônibus para cá?
Aluno: Não. Eu venho de metrô. Mas vou para casa depois da aula de ônibus.
Professor: E suas amigas? Elas também estão atrasadas. Como elas vêm para a aula?
Aluno: Acho que elas vêm de carona. Mas vão para casa a pé.
Aluno: Está bem, mas o senhor às vezes chega atrasado também. O senhor vem de ônibus ou trem?
Professor: Não, eu venho de carro, mas moro muito longe e o trânsito às vezes é muito ruim.

LIÇÃO A AMPLIAÇÃO DO VOCABULÁRIO

A.

Oi, Eduardinha! Tudo bem?
Que saudade!!!!!
Aqui está tudo ótimo! A praia está maravilhosa e estamos aproveitando muito.
E vc? Quando vem aqui? Estamos te esperando!
O Marquinhos e a Joana estão mandando beijos.
Vc vem de ônibus ou de carro? Vc pode trazer algumas garrafas de refri e carne para o churrasco? O Marquinhos pode te buscar na rodoviária de carro, tá? É só avisar.

B.

1. carne e refrigerante
2. ao supermercado
3. a mãe do Tony

LIÇÃO B CONSTRUÇÃO DO CONTEÚDO

A.

2. Não tem um parque no bairro.
3. Tem uma loja de sapatos.
4. Tem um cinema no bairro.
5. Tem uma farmácia no bairro.
6. Não tem uma igreja no bairro.
7. Tem uma livraria no bairro.

B.

As respostas podem variar.

LIÇÃO B AMPLIAÇÃO DO VOCABULÁRIO

A.

B.

As respostas podem variar. Algumas possibilidades:

Supermercado: almoçar, comer, comprar: Cds, revistas, livros, encher o tanque, fazer compras, pagar contas, retirar dinheiro, tomar café
Cinema: assistir a filmes
Shopping center: assistir a filmes, caminhar, fazer compras, comer, almoçar, comprar: Cds, revistas, livros, remédios, retirar dinheiro, tomar café
Correio: enviar cartas
Restaurante: almoçar, comer, jantar
Parque: caminhar, conversar, correr
Farmácia: fazer compras, comprar: Cds, revistas, livros, remédio
Posto de gasolina: encher o tanque, comprar: Cds, revistas, livros
Padaria: tomar café, fazer compras
Livraria: comprar: Cds, revistas, conversar
Banco: depositar cheque(s), pagar contas, retirar dinheiro

C.

As respostas podem variar.

LIÇÃO C CONSTRUÇÃO DO CONTEÚDO

A.

1. Júlio: Carlinhos, você conhece este homem?
   Carlinhos: Conheço. Ele é ator.
   Carlinhos: Esta eu não conheço. Quem é?

2. Xavier: Carmem, sua irmã prefere dançar ou ir a um restaurante?
   Carmem: Dançar. Ela conhece muitas casas noturnas por aqui.

3. Ivone: Eu quero ir para a França. Você conhece a França?
   Thiago: Não, mas meus pais conhecem. Eles viajam todo ano.
   Ivone: Eles preferem a França ou a Inglaterra?
   Thiago: Acho que eles preferem a Inglaterra.

B.

1. onde
2. quem
3. como
4. onde
5. qual

LIÇÃO C AMPLIAÇÃO DO VOCABULÁRIO

A.

3/1/2/4

B.

Diálogo 1: terças e quintas – academia
Diálogo 2: 3 vezes por semana – escola
Diálogo 3: todos os dias – academia
Diálogo 4: final de semana – clube

LIÇÕES A, B e C COMPREENSÃO AUDITIVA

1. cansada – não – de carro
2. é ocupado – o restaurante – convidar a Cláudia
3. ir pra academia – normal – para o parque

LEITURA

A.

pista de cooper-corrida, trilha para caminhada-caminhada, ciclovia-bicicleta, aparelhos de ginástica-ginástica, quadras--basquetebol e playground-brincadeiras

A.

Responda as perguntas abaixo.

1. a. Ibirapuera
   b. Aclimação
   c. Ibirapuera
   d. Aclimação

2. a. Aclimação
   b. Aclimação

UNIDADE 8

LIÇÃO A CONSTRUÇÃO DO CONTEÚDO

A.

1. fica – fica
2. ficam – ficam
3. fica – fica – fica
4. fica – fica

B.

Nós gostaríamos de sair para comemorar nossa volta e contar sobre os negócios.
Aonde você gostaria de ir?
A Clara gostaria de ir ao "Dom Capri".
Eu gostaria de comer churrasco.
O Marcelo gostaria de ir?

C.

Marlene: Claro. Veja estes folhetos de viagem.
Heitor: Pra onde você gostaria de ir? Sul ou nordeste do Brasil?
Marlene: Prefiro ir para a praia. Que tal Jequitinhonha?
Heitor: Onde fica?
Heitor: Dá para dividir o pagamento?

LIÇÃO A AMPLIAÇÃO DO VOCABULÁRIO

A.

1. O Café Pingado fica entre a escola municipal e academia Força.
2. O parque da cidade fica em frente ao shopping center Maior na avenida Central.
3. O posto BA fica na rua Luis Tomas.
4. A farmácia Saúde fica atrás do supermercado Mega.
5. A loja de departamentos Magnólia fica ao lado do prédio de apartamentos.
6. A livraria da Faculdade fica na esquina da rua Maria Gomes e da avenida Dr. Carlos Toschi.
7. O restaurante Prato Cheio fica entre a igreja e o posto BA.

B.

C.

As respostas podem variar.

LIÇÃO B CONSTRUÇÃO DO CONTEÚDO

A.

1. Tem alguns carros no posto.
2. Tem muitas pessoas no supermercado.
3. Tem muito café na xícara.
4. Tem algumas meninas na frente da farmácia.
5. Tem muitos livros em cima da mesa.
6. Tem algum dinheiro na carteira.

B.

José: Você tem muito dinheiro.
Rene: Tenho sim. Tenho muitas dívidas.
José: A festa é aqui? Não tem muitas pessoas...
Rene: Tem algumas mulheres em frente à igreja. Será que é lá?

LIÇÃO B AMPLIAÇÃO DO VOCABULÁRIO

A.

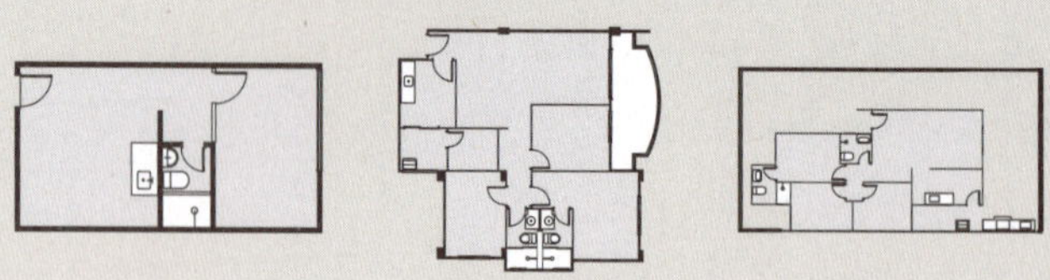

2 3 1

B e C.

As respostas podem variar.

LIÇÃO C CONSTRUÇÃO DO CONTEÚDO

A.

1. O espelho A é maior do que o espelho B.
2. Júlia é tão alta quando Renata.
3. O copo B está mais cheio do que o copo A.
4. O livro A é mais grosso do que o livro B.

B.

1. a, b, d
2. a, b, d
3. f
4. c
5. e
6. a, b, d, e

LIÇÃO C AMPLIAÇÃO DO VOCABULÁRIO

A. Respostas possíveis: sofá, televisão, tapete, espelho, cama, criado mudo, cortinas, estante, porta retratos, quadros, computador, relógio de parede, poltrona, abajur, mesinha de centro, armários, mangueira, impressora, churrasqueira, carro

Cozinha: microondas, televisão, geladeira, armários, relógio de parede, fogão
Sala de jantar: Mesa de jantar, cadeiras, cortinas, tapete
Quarto: espelho, cama, criado mudo, cortinas, abajur
Banheiro: espelho
Quarto de hóspedes: espelho, cama, criado mudo, cortinas, abajur
Sacada
Jardim: mangueira
Sala de estar: sofá, televisão, tapete, cortinas, poltrona, mesinha de centro, estante, quadros
Quarto de empregada
Escritório: computador, cadeira, impressora
Quintal: mangueira
Garagem: carro

B.

As respostas podem variar.

LIÇÕES A, B e C COMPREENSÃO AUDITIVA

a. (F) A senhora precisa ir para uma farmácia.
(F) A Rua Treze de Maio faz esquina com a Avenida Sete de Setembro.
(V)

b. (V)
(F) Dulce prefere tomar um café.
(V)

c. (F) Ela precisa das revistas para o trabalho.
(V)
(F) As revistas estão atrás de Caio.

LEITURA

1. O dos Jardins
2. O da Vila Clementino
3. Os de Atibaia e Alphaville
4. O de Boituva
5. Os de Boituva, Vila Clementino, Alphaville, Jardins e Atibaia
6. As respostas podem variar.

REVISÃO DAS UNIDADES 5 A 8

1. a. 2. banheiros – sala de estar – sala de jantar
b. 2. padarias – postos de gasolina – agência dos correios
c. 3. mesa – cadeiras – armários
2. a. Estou/ trabalhando/ vou / tenho
b. Veja/ ir
c. tem/ buscar
d. é/ estudar
e. acha
f. conhece
g. sabe/ fica
h. prefiro

3. a. Você quer ir ao cinema hoje?
b. Como ele se chama mesmo?

4. respostas possíveis:
a. Quando você estuda português?
b. Onde está meu celular?
c. Nós vamos para o cinema. Quer ir?
d. Quem são eles?
e. O que você está fazendo?
f. Para onde você gosta de ir nos finais de semana?
g. Você conhece a Rose?
h. Onde fica a lanchonete?

5. a. Nós preferimos andar de carro
b. Vocês têm mais experiência do que nós.
c. Elas estão descansadas.
d. Eles precisam ir. Estamos atrasados.

6. a. Eu gostaria de ver um apartamento, por favor.
b Por favor, nós gostaríamos de beber água.

7. As respostas podem variar.

UNIDADE 9

LIÇÃO A CONSTRUÇÃO DO CONTEÚDO

A.

Eva: Nelson, você faz ginástica todos os dias?
Nelson: Não. Às segunda e quartas, faço natação e, às terças e quintas, faço aulas de tênis. E você? Faz algum exercício físico?
Eva: Não. Mas, quero fazer. Olha *ou* olhe, (olhar) tem uma academia aqui na esquina.
Nelson: Aqui é a minha academia. Vamos! A gente faz juntos. Olha *ou* olhe como aqui é legal. Tem todos os esportes.
Eva: Tá bem. Eu faço a matrícula agora. Vamos.

B.

gostava
gostava
gostávamos

gostava
gostava

C.
1. tinha – tinha – era
2. tinha – tinha – era

LIÇÃO A AMPLIAÇÃO DO VOCABULÁRIO

A.

1. Márcio 2. Alda 3. Ricardo 4. Ana Júlia 5. Osvaldo

6. Vanessa 7. Maria 8. Mauro 9. Silvana 10. Regiane

B.
As respostas podem variar.

C. As respostas podem variar.

LIÇÃO B CONSTRUÇÃO DO CONTEÚDO

A.
1. morava ou corria
2. íamos
3. usavam
4. levava
5. corria ou ia

B.
As respostas podem variar.

C.

Téo: Gil, você morava aqui quando era criança?
Gil: Morava. Mas, minha família tinha uma casa em outro bairro.
Téo: Sua irmã e você brincavam muito na rua?
Gil: O dia todo. A gente corria para o supermercado e depois levava pão para minha avó.
Téo: Eu era muito levado. Meu irmão e eu usávamos roupas velhas e a gente fumava atrás da padaria.
Gil: Nossa! Você fumava?
Téo: É... não era bom.

LIÇÃO B AMPLIAÇÃO DO VOCABULÁRIO

A.
As respostas podem variar.

B.
1. Conjunto preto
2. um vestido vermelho
3. calça vermelha

LIÇÃO C CONSTRUÇÃO DO CONTEÚDO

A.
1. parece
2. parece
3. parecem
4. parece

B.

Jorge: Álvaro, você (se) lembra do Juvenal?
Álvaro: Juvenal? Não (me) lembro não.
Jorge: Ele trabalhava aqui, mas agora está outra empresa.
Álvaro: Como ele era?
Jorge: Ele tinha muitas pintas no rosto e os cabelos vermelhos.
Álvaro: Ele tinha uma irmã muito simpática que ia pro refeitório com a gente?
Jorge: Isso. Ela tinha os cabelos bem compridos e era baixa. Era copeira, mas agora é recepcionista em outro lugar.
Álvaro: Ah! Agora (me) lembro deles sim. O Juvenal usava óculos, estava sempre bem vestido e era um pouco gordo.

LIÇÃO C AMPLIAÇÃO DO VOCABULÁRIO

A.
1. Camila
   roupas: tênis e calça confortáveis e uma camiseta
   local: Parque Ibirapuera

2. Pedro
   roupas: terno e gravata
   local: trabalhar

3. Adauto
   roupas: short, camiseta e chinelo
   local: ficar em casa

B.
As respostas podem variar.

LIÇÕES A, B e C COMPREENSÃO AUDITIVA

1. tinha cabelos compridos – morava em Ribeirão Preto – ia pro cinema com os primos
2. tinha cabelos loiros – era atraente – gostava da camisa cor-de-laranja
3. era educada – fumava muito – parece simpática na foto

LEITURA

A.
1. As respostas podem variar.
2. A cor que transmite tranquilidade é o azul. A cor da força de vontade é o vermelho.

B.
As respostas podem variar.

UNIDADE 10

LIÇÃO A CONSTRUÇÃO DO CONTEÚDO

A.

1. sarou – tomou
2. tomar – tomei – sarei
3. tomou
4. sararam – sararam – tomaram

B.

Sou o Dr. Menezes. No meu consultório tudo é organizado. Sempre tem alguém para atender os pacientes. Cada paciente recebe atendimento personalizado. Ninguém sai do consultório sem falar comigo. Se um paciente precisar de algo, ele fala com a secretária. Nada acontece sem meu conhecimento. Prezo muito a saúde de meus pacientes.

LIÇÃO A AMPLIAÇÃO DO VOCABULÁRIO

A.

1. Dor de cabeça
2. Dor de estômago
3. Dor nos olhos
4. dor nos pés

B.

1. Parte do corpo: pés. Motivo: Salto alto
2. Parte do corpo: ouvido. Motivo: Ouviu música alta demais
3. Parte do corpo: braços. Motivo: Exagerou na academia
4. Parte do corpo: garganta. Motivo: tomou muito sorvete
5. Parte do corpo: costas. Motivo: Está torto no sofá

LIÇÃO B CONSTRUÇÃO DO CONTEÚDO

A.

1. Foi a dentista que recomendou esta pasta de dente.
2. Fomos nós que tomamos aquele remédio.
3. Foram vocês que sararam muito rápido.
4. Foi o Dr. Braga que mandou a receita.
5. Fui eu que comprei o antiácido.

B.

Cliente: É. Eu geralmente tenho acidez. Como muita gordura.
Farmacêutico: Você só deve comer gordura às vezes.
Cliente: Eu sei, mas adoro frituras e churrasco. Quase sempre faço churrasco em casa, com muita caipirinha.
Farmacêutico: Aqui está. Os clientes geralmente compram este aqui. É muito bom.
Cliente: Obrigado. Acho que você vai me ver aqui com frequência.

LIÇÃO B AMPLIAÇÃO DO VOCABULÁRIO

A.

1. Eu estou com dor nos pulsos.
2. Eu estou com dor de ouvido.
3. Eu estou com dor no pescoço.
4. Eu estou com dor nas pernas.
5. Eu estou com dor de estômago.

B.

1. a. Dor nos pulsos.
   b. Analgésico e anti-inflamatório.
   c. Ainda não.

2. a. Dor de cabeça
   b. Sessões de acupuntura
   c. Sim, totalmente.

LIÇÃO C CONSTRUÇÃO DO CONTEÚDO

A.

1. estou com – tenho
2. está com – está
3. tem
4. ficamos – estou com

B.

As respostas podem variar.

LIÇÃO C AMPLIAÇÃO DO VOCABULÁRIO

A.

As respostas podem variar.

B.

As respostas podem variar.

LIÇÕES A, B e C COMPREENSÃO AUDITIVA

Reinaldo
problemas de saúde: **dor nos pulsos**
motivo: **usa o computador todos os dias**
medicamentos: **analgésico**
Gilda
problemas de saúde: **dor de cabeça**
motivo: **não consegue dormir por causa da vizinha**
medicamentos: **comprimido**
Glauce
problemas de saúde: **dor nas pernas, enxaqueca**
motivo: **ansiosa pela viagem para a Rússia**
medicamentos: **nenhum**

LEITURA

A.

As respostas podem variar.

1. Dez mil plantas.
2. Só 120 são exploradas comercialmente.
3. Boldo-do-chile e gengibre.
4. Alcachofra.

B.

As respostas podem variar.

UNIDADE 11

LIÇÃO A CONSTRUÇÃO DO CONTEÚDO

A.

Livio: Nicolas, como foi a exposição de fotos ontem?
Livio: A que horas começou?
Nicolas: Por volta das 9hs da noite. Mas eles só começaram a tocar música às 10hs.
Nicolas: Muito. A Paula e eu descobrimos que adoramos fotografia. Quero fazer um curso. O fotógrafo é meu amigo. Ele não me viu. Tinha muita gente lá. Depois do show os músicos permaneceram lá para conversar com o público. Adorei!

B.

Ontem, minha irmã e eu vemos (vimos) uma revista sobre história mundial no consultório do dentista. Eu peguei a revista e começou (comecei) a ler. Minha irmã logo fui (foi) para a sala do dentista para ser atendida. Eu li um artigo sobre a revolução russa. Descobrimos (Descobri) muitas coisas interessantes. Minha irmã saiu duas horas depois. Ela me vi (viu) na sala e disse: "Vamos pra casa. Odeio dentista!"

LIÇÃO A AMPLIAÇÃO DO VOCABULÁRIO

A. Possíveis respostas:

ser bom em	começar a	acabar de	gostar de	gostar de	precisar de	precisar
contas	chorar	chover	brincar	história	histórias	chorar
história	discutir	concluir	falar	histórias	funcionários	chegar
	brincar	falar	descansar	barulho	amigos	discutir
	descansar	gastar	gastar	dinheiro	descanso	brincar
	chover	conversar	conversar	música	dinheiro	falar
	gastar	ler	ler	amigos	informações	descansar
	conversar				reforma	chover
	falar				espaço	gastar
	ler				amigos	conversar
						ler
						concluir

B.

As respostas podem variar.

LIÇÃO B CONSTRUÇÃO DO CONTEÚDO

A.

1. Quando eu era criança, gostava de...
2. Quando eu estava na escola, eu fazia...
3. Quando eu era adolescente, meus pais preparavam...
4. Quando eu morava..., nos divertíamos muito.
5. Quando eu tinha..., eu era...

B. Ache a resposta correta para cada pergunta. Escreva os verbos na forma correta.

1. fazia – e
2. se divertiam – c
3. era – d
4. preparava – a
5. éramos – b

LIÇÃO B AMPLIAÇÃO DO VOCABULÁRIO

A.

1. Oh, Val desculpe. Eu estava distraído...
2. Eu estava deitado no sofá quando minha mãe me chamou.
3. Em 3 de outubro do ano passado, as atualizações eram feitas a cada trinta minutos.
4. Ambrosina tinha vinte e quatro anos e já estava casada.
5. João me contou que algumas ilhas não eram habitadas outras eram.
6. Mário, que até então estava calado, falou.
7. Eles eram considerados excelentes pintores.
8. Quando Aurélio chegou, eu já estava sentado tomando o primeiro chope.
9. Os textos, depois de traduzidos, eram posteriormente analisados por um especialista da área.
10. A casa estava sendo vendida por R$ 100 mil.

B.

1. Kim está cansado.
2. Ana Maria e Simone estão impressionadas com a beleza do lugar.
3. Dudu está calado.

LIÇÃO C CONSTRUÇÃO DO CONTEÚDO

A.

Geni: Elisa, onde estão os livros do curso de contabilidade? São vários e não estou encontrando nenhum.
Elisa: Não sei Geni. Todos os livros que vi estavam no seu quarto.
Geni: Toda manhã é a mesma coisa. Nunca acho os livros.
Elisa: É. Você já fez isso várias vezes.
Geni: Eu sei. Todo livro que tiro do quarto desaparece.
Elisa: Nenhuma idéia de onde estão?

B.

Mariana tinha dez anos quando mudou para o Rio Grande do Sul. Em Juiz de Fora, sua família trabalhava com venda de carros, mas depois que mudaram para Porto Alegre começaram um novo negócio. Roberto, seu pai, decidiu abrir uma livraria. Ele gostava muito de ler quando era criança. Seu avô lia contos de fadas para ele todos os fins de semana. A livraria fez sucesso durante muitos anos. Mariana ia lá com as colegas da escola para folhear os livros. Elas ficavam na livraria horas e horas. Agora, Roberto tem outro negócio porque a livraria fechou. Ele tem um restaurante de comida italiana.

LIÇÃO C AMPLIAÇÃO DO VOCABULÁRIO

A e B.

As respostas podem variar.

LIÇÕES A, B e C COMPREENSÃO AUDITIVA

1. (V)
(F)
(F)

2. (V)
   (V)
   (F)

3. (V)
   (F)
   (V)

LEITURA

A.

As respostas podem variar.

B.

1. Pamonha, curau, milho cozido, canjica, cuscuz, pipoca, bolo de milho, arroz doce, bolo de amendoim, bolo de pinhão, bom-bocado, broa de fubá, cocada, pé de moleque, quentão, vinho quente, batata doce e muito mais.
2. As respostas podem variar.

UNIDADE 12

LIÇÃO A CONSTRUÇÃO DO CONTEÚDO

A.

Zuleica: Eu ando tão cansada ultimamente! Ontem trabalhei o dia inteiro.
Elis: Mas, ontem foi domingo. Eu bem que te liguei, mas acho que você tinha saído.
Zuleica: É eu fui ao escritório pegar alguns documentos.
Zuleica: Eu sei. Na sexta, quando você me perguntou se eu tinha terminado os relatórios, eu disse que não. Lembra?
Elis: Agora lembro. Mas, seu chefe tinha dito *ou* disse que você podia terminar na segunda-feira, não?
Zuleica: Ele mudou de idéia.

B.

1. grandinho
2. franguinho
3. cafezinho
4. bonitinha
5. peninha

C.

1. sanduichão
2. charmosão
3. Paulão
4. um casão *ou* casarão
5. carrão

LIÇÃO A AMPLIAÇÃO DO VOCABULÁRIO

A.

Clientes	Pedidos	Tipo de restaurante
1. Marcelo e Marcos	Marcos: batata frita, bife, arroz e feijão. Marcelo: lasanha.	Restaurante por quilo
2. Juliana	Salada completa feijoada light e limonada	Restaurante a la carte
3. Viviane	Pizza portuguesa	Pizzaria
4. Lopes e Lima	Churrasco e caipirinha	Churrascaria

LIÇÃO B CONSTRUÇÃO DO CONTEÚDO

A.

1. andava
2. tocava
3. eram
4. gostávamos
5. As respostas podem variar.

B.

1. estava fazendo *ou* fazia – chegamos
2. estava vendo *ou* via – percebeu
3. chegou – estavam andando *ou* andavam
4. estava andando *ou* andava – vi
5. estavam discutindo *ou* discutiam – gritou

C.

Oi, Lucilene. Eu estava vendo ou vi aqui no texto que, na época, não tinha estradas boas entre uma cidade e outra e que as pessoas usavam cavalos ou iam a pé. A melhor estrada era de terra e tinha muitos buracos. Parece que as pessoas não suportavam *ou* estavam suportando mais a situação quando finalmente o prefeito construiu uma estrada boa na região. Agora o movimento de caminhões e carros é o mais intenso daquela área. Podemos falar sobre essa parte do texto na aula. Que acha? A parte menos interessante a gente não precisa acrescentar ao seminário. Me escreva para decidirmos o que fazer. Beijos, Regiane.

LIÇÃO B AMPLIAÇÃO DO VOCABULÁRIO

1. Vanessa: O que você vai fazer no fim de semana?
   Patrícia: Ah, vou almoçar com a família. Vamos fazer um churrasco.
   Vanessa: Que delícia! Posso ir também? Você sabe que sou arroz de festa.

2. Raimundo: Fui usar o computador do meu chefe e não estava funcionando... Só quero ver. Vou pagar o pato por uma coisa que não fiz. Eu não devia ter mexido no computador dele...
   João: Não adianta chorar sobre o leite derramado. Relaxa.

3. Richard: Ainda não me costumei direito a dar beijos. Nunca sei se dou um, dois ou três!

4. Bruno: Ele foi a uma festa, tomou todas e enfiou o pé na jaca.

5. Mãe: Ah, filha, acho que vamos para a casa da sua tia, na praia.
Filha: Legal!
Mãe: Mas antes de pensar nas férias, você deveria pensar em passar de ano. Pare de encher linguiça e acabe a lição de casa, certo?

LIÇÃO C CONSTRUÇÃO DO CONTEÚDO

A.

1. diz – digo
2. esteve – estive – dizem
3. diz– estive
4. dizem – estiveram

B.

1. estive
2. estive
3. digo
4. digo
5. dizem

LIÇÃO C AMPLIAÇÃO DO VOCABULÁRIO

A.

Respostas possíveis:

1. caminhar, andar de bicicleta, jogar bola, tomar refrigerante.
2. comprar artesanato, comprar frutas e hortaliças
3. comer, beber
4. comer pipoca, assistir filmes
5. dançar, encontrar pessoas novas
6. paquerar, beber, encontrar pessoas novas

B.

As respostas podem variar.

C.

Onde estão	O que se pode fazer lá
1. **Museu do Ipiranga**	**visitar exposição**
2. **Show**	**dançar, beber**
3. **Teatro**	**assistir a peças, musicais**

LIÇÕES A, B e C COMPREENSÃO AUDITIVA

1. distraído – depois de ela comer o doce – ver uma peça
2. calma – nunca esteve na danceteria – resolve a situação e entra na danceteria
3. carne – foi reformado duas vezes – resolveu ir ao casarão.

LEITURA

A e B.

As respostas podem variar.

C.

1. Hoje há diversas influências brasileiras nos hábitos japoneses.
2. A sociedade japonesa é fechada e distante. Mas, com a globalização, o Japão tende a mudar, pois precisa incorporar imigrantes por causa de sua baixa taxa de natalidade.
3. Certas empresas japonesas promovem churrascos para seus funcionários e os japoneses são fãs de caipirinha. Em refeitórios de fábricas, muitos optam pela comida brasileira. Outros, ainda, gostam de pão de queijo, pastel e coxinha. Os japoneses também gostam de futebol e da Seleção Brasileira, jovens japoneses estão aprendendo capoeira e frequentam aulas de axé. Há os que gostam de carnaval e, também, os que adoram bossa nova.

PRONÚNCIA DO PORTUGUÊS – PARTE 3

Manuel: Paulão! Você aqui no aeroporto. Vai viajar?
Paulão: Meus pais estão chegando do Rio de Janeiro. Mas, me fala. Como está a Soraia?
Manuel: Bem. Está em Brasília hoje.
Paulão: E os filhos? Quais os nomes deles mesmo?
Manuel: Rogério e Fabrício. O mais velho está no Uruguai estudando.
Paulão: Bem, bom te ver. Ah, depois de amanhã é meu aniversário. Passa lá em casa.
Manuel: Falou. A gente se vê.

REVISÃO DAS UNIDADES 9 A 12

1. a. 3. ninguém – ninguém
   b. 1. cabeça – garganta – costas – febre
   c. 2. nervoso – calmo
   d. 3. bom em

2. a Olha / Faz
   b. gostava / tinham
   c. usa / está / era
   d. ando
   e. tomou
   f. fui / Fiquei / foi / vi
   g. Fui
   h. dizem / estou

3. a. Foi a minha chefe que pediu.
   b. Eu me divertia muito quando eu era criança.

4. As perguntas podem variar. Sugestões:
   a. Quantas vezes (por semana) você faz musculação?
   b. Está tudo bem? Você está com dor nas costas?
   c. Quem receitou este analgésico?
   d. Qual é o seu livro favorito?
   e. Quanto é aquela cobertura?
   f. Vamos almoçar nesse restaurante?
   g. Vamos ao teatro hoje?
   h. Quando é a Festa de N.S. Achiropita?

5. Escreva os opostos:
   a. A Valentina está nervosa.
   b. A Mônica está livre hoje e tem provas fáceis mais tarde.
   c. O trem está vazio e eu estou adiantada para minha consulta.
   d. O Beto tem um carro velho.

6. a. Eles preparavam o almoço todos os dias.
   b. Vocês iam para a praia todos os finais de semana.
   c. A gente nunca esteve no Rio Grande do Sul.
   d. Elas tinham me falado que iam sair de férias na semana que vem.

UNIDADE 13

LIÇÃO A CONSTRUÇÃO DO CONTEÚDO

A.

1. Por isso estou de regime. Agora uso adoçante.
2. Por isso estou planejando ir para a Flórida.
3. Por isso estou fazendo exercícios em casa.
4. Por isso comprei uma agenda.
5. Por isso estou trabalhando muito e economizando.

B.

Laerte: Nossa, o que é aquela mulherada reclamando perto da máquina de café?
Nilton: Então, tem que reenviar.
Laerte: Iiiii. Mais papelada. Sempre que tem pedido é isso.
Nilton: Acho que é urgente. As garotas não querem engordar. Eu mesmo vou reescrever o pedido.

LIÇÃO A AMPLIAÇÃO DO VOCABULÁRIO

A.

1. moçada
2. reconhecer
3. fornada
4. vassourada
5. dinheirada
6. criançada
7. reescrever
8. mulherada
9. reler
10. reunir

B.

1. embolar
2. recandidatar
3. embolorar
4. reafirmar
5. retirar
6. reagendar
7. empilhar
8. endividar
9. encarar
10. envergonhar

C.

1. empilhou
2. dinheirada
3. vai embolorar / embolorará
4. recandidatar
5. endividou
6. fornada
7. vai agendar / agendará
8. envergonhou

LIÇÃO B CONSTRUÇÃO DO CONTEÚDO

A.

Lígia: Você tem estudado muito ultimamente, Pri.
Priscila: É mesmo. Tenho passado horas em cima dos livros para entrar na faculdade.
Lígia: Você estudou ontem? Eu liguei pra sua casa, mas ninguém atendeu.
Priscila: Claro que estudei. É que, desde a semana passada, tenho ido à biblioteca diariamente para me concentrar melhor.
Lígia: É... Esses dias tenho dedicado todo meu tempo aos estudos também.
Lígia: É que resolvi pesquisar os melhores bares e restaurantes da cidade. Só no fim de semana passado fui a quatro lugares diferentes!

B.

Sonho de Viver realmente surpreende. É um dos melhores dramas dos últimos tempos. O orçamento foi o menor do ano para filmes desse porte, mas, mesmo assim, o filme emociona por sua belíssima fotografia e delicadeza na interpretação. O protagonista passa por péssimos momentos em sua vida e acaba em um sanatório, o pior do país. Lá, ele passa por momentos dificílimos até ser resgatado por uma amiga de infância. *Sonho de Viver* é um filme profundo e sensível.

LIÇÃO B AMPLIAÇÃO DO VOCABULÁRIO

A.

vitrola – tocar discos, ouvir músicas – antigo
trem / metrô / ônibus / carro / avião – ir a lugares, transportar pessoas, meio de transporte – moderno
fogão – cozinhar – moderno
tocador de MP3/4 – baixar e ouvir músicas -moderno
e-mail – comunicar-se, por meio da escrita, com outras pessoas – moderno
carta – comunicar-se, por meio da escrita, com outras pessoas – antigo/moderno
máquina de escrever – datilografar relatórios, correspondências – antigo
ferro – passar roupas – moderno
celular – falar com outras pessoas de qualquer lugar – moderno
computador – digitar relatórios, correspondências, escrever e ler e-mails – moderno
telefone – falar com outras pessoas de um lugar fixo – moderno

B.

Possíveis respostas:

1. O notebook é usado para várias tarefas, entre elas digitar relatórios, correspondências, escrever e ler e-mails.
2. O telefone é usado para falar com outras pessoas de um lugar fixo.

3. O metrô é usado para ir a lugares e transportar pessoas.
4. O avião é usado para para ir a lugares e transportar pessoas.
5. O micro-ondas é usado para cozinhar.
6. O e-mail é usado para comunicar, por meio da escrita, com outras pessoas.

C.

As respostas podem variar.

LIÇÃO C CONSTRUÇÃO DO CONTEÚDO

A.

Eda: Não sei. O que você faria?
Roberto: Eu trocaria de carro e compraria uma TV nova. A sua é velhíssima.
Roberto: O seu irmão não diria isso. Ele gastaria todo o dinheiro com coisas novas para a casa de vocês.
Eda: É, eu deveria perguntar para ele antes de gastar, assim nós decidiríamos juntos. Afinal, a casa também é dele.

B.

1. têm discutido
2. tinha enviado
3. Tenho feito – tinha avisado
4. têm perdido – têm chegado – tinha comentado

LIÇÃO C AMPLIAÇÃO DO VOCABULÁRIO

A.

educacional / fundamental / graduação / especialização / idiomas / informática

B.

As respostas podem variar.

LIÇÕES A, B e C COMPREENSÃO AUDITIVA

Ouça três pessoas que estão prestes a começar uma nova fase da vida. Responda às perguntas.

1. a. Iria bem vestida.
   b. Porque sabe que a roupa é importante.
   c. Ele tem estudado muito.

2. a. Começaria a fazer aulas de canto.
   b. Porque eles têm vários objetos antigos no palco. Os dançarinos devem ter cuidado.
   c. Ela tem feito aulas de canto.

3. a. Pediria para a empresa ajudar com a documentação.
   b. Porque tem estudado muito
   c. Ele tem estudado japonês.

LEITURA

A.

As respostas podem variar.

UNIDADE 14

LIÇÃO A CONSTRUÇÃO DO CONTEÚDO

A.

Ontem finalmente consegui comprar o computador. Ele tem uma configuração fantástica. Vou enviá-la por e-mail, assim você pode avaliar a qualidade. Os preços estavam ótimos. Vou enviá-los também. Peguei o fax com manual. Eu o li rapidinho e os técnicos já instalaram o fax. Colocaram-no ao lado da foto copiadora. Depois eu ligo para combinarmos a instalação dos programas. Eu a aviso quando o técnico marcar a visita.

B.

Chico: Não sei. Vou levá-lo para consertar. No mês passado ele teve o mesmo problema.
Chico: Na verdade, minha mulher levou-o para consertar. Mas, ela não perguntou qual era o problema.
Lígia: Ótimo. Vou devorá-la inteira. Mas, posso convidar o Lucas? Ele me chamou para almoçar hoje.

LIÇÃO A AMPLIAÇÃO DO VOCABULÁRIO

A.

1. formal
2. informal
3. informal
4. formal / informal
5. informal
6. informal
7. formal
8. informal

B.

Possíveis respostas:

1. Você poderia me ajudar?
2. Por favor, poderia anotar um recado?
3. Você poderia aguardar um momento?
4. Por favor, diga para ele/ela que eu liguei.
5. Você pode pedir para ele/ela me ligar mais tarde?
6. Diga para ele/ela me ligar?
7. Você deve ligar para ele/ela no celular dele/dela.
8. Você quer deixar um recado?
9. Você gostaria de deixar um recado?
10. Você pode aguardar um momento?

C e D.

As respostas podem variar.

LIÇÃO B CONSTRUÇÃO DO CONTEÚDO

A.

1. A: Maria, eu pedi para lhe deixar a encomenda no escritório. O que aconteceu?
2. A: Este livro é muito legal. Quem lhe deu este presente?
   B: Não é meu, não. É da Joana. O Jorge lhe deu o livro de presente de aniversário.
3. B: Não. Quem vai lhes contar?

4. A: O Marcos nos disse que não vai terminar o curso.

B.

A: Mariano, por que você não me ligou?
A: Eu já lhe falei algumas vezes.
A: Então, acho melhor eu lhe telefonar.
B: Concordo. Você pode ligar para mim a qualquer hora.
B: Pode ser, mas qualquer coisa me ligue.

LIÇÃO B AMPLIAÇÃO DO VOCABULÁRIO

A.

1. A: Zuppo, Ângela, boa tarde.
B: Oi, Ângela, é o Caio novamente. A ligação caiu.
A: Olá, Sr. Caio.
B: O Paulo ainda está aí?
A: Um momento, Sr. Caio... Está chamando, mas ninguém atende.
B: Se ele voltar ainda hoje, peça que me ligue em casa. Acabou a bateria do meu celular.
A: Pois não, Sr. Caio. Boa tarde.
B: Boa tarde e até amanhã.

B.

Possíveis respostas:

1. C: O telefone está tocando... Quem vai atendê-lo?
B: É o meu celular. A bateria está acabando. Preciso carregar a bateria do meu celular.
A: Alô?... alô?

2. Nívea: Não, senhor. Não consigo completar a ligação. A linha sempre cai.

LIÇÃO C CONSTRUÇÃO DO CONTEÚDO

A.

Roberta: Vou passar na farmácia para comprar um remédio e depois vou dar uma caminhada no parque. Quer vir comigo?
Miguel: Caminhar com você? Não sei. Estou um pouco cansado.
Miguel: Mas, você vai caminhar com eles? Pensei que você fosse sozinha.
Roberta: Qual o problema? Deixa de frescura e venha caminhar conosco *ou* com a gente. A gente vai conversando e não sente o tempo passar.

B.

Situação 1. "Não trago mais vocês comigo."
Situação 2. "Podemos entrar com ele?"
Situação 3. "Venha almoçar conosco."
Situação 4. As respostas podem variar.

LIÇÃO C AMPLIAÇÃO DO VOCABULÁRIO

A.

1. A: Alô? Quem fala?
B: É a Clarisse. Com quem você quer falar?
A: Com a Márcia. Ela está?
B: Acho que você ligou no número errado. Não tem ninguém aqui com esse nome.
A: Qual é o número aí?
B: É 5888-8885
A: Ah, desculpe, foi engano.
B: Sem problemas.

2. A: Alô?
B: Alô, por favor, o Pedro está?
A: Não, ele saiu. Quer deixar recado?
B: Não, eu ligo mais tarde. Obrigado.

B.

Possíveis respostas:

1. A: Alô?
B: Bom dia, posso falar com a Catarina, por favor?

2. A: Alô?
B: Alô, por favor, a Joana está?
A: Não, ela saiu. Você gostaria de deixar recado?
B: Você poderia pedir para ela me ligar?
A: Claro!

C.

As respostas podem variar.

LIÇÕES A, B e C COMPREENSÃO AUDITIVA

1. (F)
(V)
(F)

2. (V)
(F)
(F)

3. (F)
(V)
(V)

LEITURA

B.

As respostas podem variar.

UNIDADE 15

LIÇÃO A CONSTRUÇÃO DO CONTEÚDO

A.

1. Marilda disse que não iria mais mandar torpedos para mim.
2. Sérgio perguntou se as pessoas responsáveis pela lan house estavam presentes.
3. Sidney disse que fez uma aula inteira pelo skype.
4. Lineide perguntou para quem eu estava mandando aquela mensagem.
5. Melina disse que tinha todos os programas para conversar on-line.

B.
1. tinha esquecido
2. conseguiríamos
3. sabia nadar
4. se eu chegaria – chegaria

LIÇÃO A AMPLIAÇÃO DO VOCABULÁRIO

A.

1. Chefe: Você já enviou o e-mail para a filial na Argentina, Margarida?
   Margarida: Ainda não. Estou acabando de escrever, senhor.
   Chefe: Certo. Quando receber uma resposta, me avise, ok?

2. A: Quero ver meus e-mails e falar com um amigo pelo Messenger.
   B: Espera só um minutinho, deixa eu acabar de ler essa matéria na página do jornal.

3. A: Mari, o Skype está ligado? Preciso ligar para o Paolo, na Itália.
   Mari: Está sim. Peça a ele para entrar no meu blog! Coloquei umas fotos bem legais da gente lá.

B.
As respostas podem variar.

LIÇÃO B CONSTRUÇÃO DO CONTEÚDO

A.
1. "Entre no meu blog e leia a crônica sobre a internet."
2. "Quando eu era adolescente, passava muitas horas em frente ao computador."
3. "Conecte no Skype para economizar com a conta telefônica."
4. "Você gosta de entrar em salas de bate-papo e *sites* de relacionamento?"
5. "Não fale mais sobre problemas do *site* com o gerente. Fale comigo."

B.

Mara pediu a Geraldo que pegasse os textos e colocasse-os no *site*. Geraldo disse que fazia aquele trabalho antes de José chegar, mas que agora ele é quem faz. Mara agradeceu e mandou Geraldo chamar o José na sala dela. Geraldo disse que José estava fora do país. Mara, então, pediu a Geraldo que ligasse para ele e avisasse que precisavam dos serviços dele com urgência.

LIÇÃO B AMPLIAÇÃO DO VOCABULÁRIO

A.
1. recados/mensagens
2. ligações
3. pedidos
4. convites
5. torpedos
6. encomendas

B.
As respostas podem variar.

C.
Coloque a palavra mais adequada no texto
✓ A encomenda pela Fedex chega hoje! Aceitar!
✓ Aceitar o convite do chefe para almoçar com os clientes do Paraná.
✓ Ativar a transferência de chamadas para a mesa do Tadeu nos meus dias de folga.
✓ Fazer o pedido das peças que estão faltando.
✓ Transmitir o seguinte recado para a Fabiana: O pedido n° 8543 foi cancelado.
✓ Mandar um torpedo para a esposa. Vamos viajar hoje!!!!

LIÇÃO C CONSTRUÇÃO DO CONTEÚDO

A.

Vinícius: Gi, eu não lhe *ou* te contei sobre minha conversa com a Elena, contei?
Gisele: Não. O que ela lhe *ou* te disse? Que você deve esquecê-la?
Vinícius: Mais ou menos isso. Ela me falou que não quer mais receber ligações, mensagens, torpedos e convites meus.
Gisele: Você vai obedecer a ela? Afinal, você não fez nada. Ela está completamente enganada. Vou lhe mandar um torpedo dizendo que quero falar com ela. Marco um encontro. Aí, você aparece lá.
Vinícius: Boa idéia. Alguém me disse que ela irá à academia hoje. Combine com ela lá e eu apareço.

B.
1. Eu ainda não te dei meu endereço de e-mail.
2. Vou sempre lhe dizer *ou* dizer-lhe a verdade para que nossos negócios sejam claros.
3. Ambos me deram o mesmo presente.
4. Os web designers o acharam *ou* acharam-no muito simples. Querem um site com mais recursos.
5. Nós apenas o transferimos para o Rio de Janeiro após o término do projeto.

LIÇÃO C AMPLIAÇÃO DO VOCABULÁRIO

A.
1. d
2. h
3. g
4. c
5. a
6. e
7. b
8. f

B.
1. estou de olho
2. Sou toda ouvidos/ Deixa nas maõs
3. braço direito/ a pulga atrás da orelha
4. dor de cotovelo

C.
As respostas podem variar.

LIÇÕES A, B e C COMPREENSÃO AUDITIVA

1. (V)
(F)
(F)

2. (F)
(F)
(V)

3. (V)
(V)
(F)

LEITURA

A.
As respostas podem variar.

B.

1. As aulas on-line se baseiam tanto em conversas escritas ou por voz, em geral utilizando programas como o MSN e o Skype, que possibilitam se comunicar de forma instantânea e sem custos adicionais além da conexão à internet. A principal vantagem é que não é preciso se deslocar para uma escola de inglês ou até a casa do professor particular. Além disso, há mais flexibilidade de horários e economia para o aluno, já que uma aula particular via MSN ou Skype em geral custa menos do que uma presencial. Desvantagens: Nada substitui o cara a cara e os alunos precisam ter disciplina para estudar sozinhos.

2. As respostas podem variar.

UNIDADE 16

LIÇÃO A CONSTRUÇÃO DO CONTEÚDO

A.

Alan: Meu, eu tenho que <u>ir à</u> cidade de Brotas.
Alan: Ecoturismo de aventura. Você <u>gosta de</u> rafting?
Adolfo: Na verdade, prefiro fazer viagens mais culturais. Você nunca <u>pensou em</u> ir para
Alan: Depois que eu ficar velho eu <u>vou a</u> esses lugares. Eu <u>sou do</u> tipo "vamos curtir a vida". Entende?
Adolfo: Entendo. Mas eu estou <u>pensando em</u> conhecer Machu Pichu. O problema é que tenho que <u>andar de</u> avião. Isso não dá.

B.
As respostas podem variar.

LIÇÃO A AMPLIAÇÃO DO VOCABULÁRIO

A, B e C.
As respostas podem variar.

LIÇÃO B CONSTRUÇÃO DO CONTEÚDO

A.

1. pagar
2. preenchermos
3. saírem
4. perder
5. partir
6. chegarem

B.

1. e
2. c
3. b
4. a
5. d

LIÇÃO B AMPLIAÇÃO DO VOCABULÁRIO

A.

quarto *single* – acomodação para uma pessoa
quarto duplo – acomodação para duas pessoas
quarto triplo – acomodação para três pessoas
suíte – apartamento com sala de estar e quartos separados
meia pensão – café da manhã e outra refeição (almoço ou jantar) inclusos
frigobar – refrigerador compacto
traslado – transporte, geralmente do aeroporto/hotel e hotel/aeroporto
diária – cada noite dormida no estabelecimento
espaço para eventos – local para congressos, reuniões de negócios etc
taxa de serviço – importância adicionada ao valor das despesas dos hóspedes, normalmente de 10%

B. As respostas podem variar.

LIÇÃO C CONSTRUÇÃO DO CONTEÚDO

A.

1. Fechado
2. avisar
3. conseguirei *ou* conseguiremos *ou* conseguirá
4. reparou
5. Nada disso
6. aproveitamos
7. combina

B.
As respostas podem variar.

LIÇÃO C AMPLIAÇÃO DO VOCABULÁRIO

A.
As respostas podem variar.

B.

	Viagem para...	Lembrancinha
1. Esmeralda	**Porto de Galinhas**	**bolsa**
2. Ana Cristina	**Gramado**	**caneca**
3. Charles	**Rio**	**estatueta do Cristo**

LIÇÕES A, B e C COMPREENSÃO AUDITIVA

1. Viagem para: Rio de Janeiro
   Viagem de: turismo
   Características das acomodações: suíte com cama de casal
   Visitas programadas: Cristo Redentor e Pão de Açúcar

2. Viagem para: Curitiba
   Viagem de: negócios
   Características das acomodações: hotel 5 estrelas para duas noites
   Visitas programadas: nenhuma

3. Viagem para: Buenos Aires
   Viagem de: lua de mel
   Características das acomodações: hotel 4 estrelas, quartos com TV a cabo, ar condicionado, banheiro de luxo, acesso à internet. Café da manhã e um jantar especial incluídos
   Visitas programadas: nenhuma

LEITURA

A.

As respostas podem variar.

B.

1. No verão
2. Mergulho, show da Baleia Jubarte, caminhada.
3. As respostas podem variar.

REVISÃO DAS UNIDADES 13 A 16

1. a. 2. por isso
   b. 2. gosta de – pensando em
   c. 1. reunir – criançada – endinheirar
   d. 2. quando

2. a. tenho
   b. poderia/gostaria
   c. bater/receber/ligar
   d. receber
   e mandar
   f. transferir
   g. está
   h. pagar/ parcela

3. a. A Pérola me perguntou se eu queria ir ao shopping com ela mais tarde.
   b. Eu disse que podia e perguntei a que horas.
   c. O Bento pediu a Marta que ligasse para o fornecedor deles e perguntasse se ele ainda tinha a peça de que eles precisam.
   d. O Everaldo disse que gostava de bater papo pelo MSN, mas agora não tem mais tempo.

4. Possíveis respostas:
   a. Você vai comprar este vestido?
   b. Você tem viajado muito?
   c. O que você vai fazer no feriado?
   d. De que tipo de filmes você mais gosta?
   e. O Manu já chegou?
   f. Quanto custa a diária com café da manhã?
   g. O que você vai fazer quando receber a promoção?
   h. Você pode fazer o café enquanto eu durmo um pouco mais?

5. a. Você a viu? Se você a vir, diga lhe que a Joana pediu para enviar-lhe o orçamento.
   b. Recebi um e-mail sobre um curso de especialização ótimo! Vou mandá-lo para você. Você não quer fazer o curso comigo?
   c. A gente poderia ir para a praia nesse final de semana. Vamos chamar o Adauto e o Ricardo para ir conosco?
   d. O Manuel nos disse que não está conseguindo falar com a Lurdes. A ligação sempre cai.

6. a. Você gostaria de deixar recado?
   b. Você poderia aguardar um momento?
   c. Você poderia dizer pra ela me ligar?

7. As respostas podem variar.

UNIDADE 17

LIÇÃO A CONSTRUÇÃO DO CONTEÚDO

A.

1. será construída
2. fui recebido
3. é lido
4. era convidado
5. foi interrompido

B.

1. escreveu – redigiu – foi escrito
2. levou – foi roubada
3. pagou – eram pagas
4. ouviu – aconteceu – foi atingida – foi levada
5. vai mandar *ou* mandará – vou terminar ou terminarei – enviará – será enviado

LIÇÃO A AMPLIAÇÃO DO VOCABULÁRIO

A.

Possíveis respostas:
TV (2, 3, 8)
lava-louças (3, 5, 7, 13, 17, 20)
barbeador (3, 18, 24)
cortador de grama (3, 5, 22)
lavadora de roupas (3, 7, 11)
telefone (1, 3, 10)
aspirador de pó (3, 5, 6)

geladeira (3, 14, 17)
ventilador (3, 9)
ar-condicionado (3, 9)
computador (3, 4, 8, 15, 21, 23, 25)
secadora de roupas (3, 5, 11, 20)
vídeo (3, 8, 10, 19, 23)
DVD (2, 3, 8, 10, 23, 25)

B e C.
As respostas podem variar.

LIÇÃO B CONSTRUÇÃO DO CONTEÚDO

A.

1. A: Quando as provas serão criadas pelos professores?
   B: Elas já estão sendo elaboradas.

2. A: Quando mandei o e-mail, o carregamento já tinha sido recebido (por eles).
   B: Então, por que aqueles pedidos ainda estão sendo enviados?

3. A: Muitas teses têm sido corrigidas para publicação pela Mirtes.
   B: Eu sei. Quando passei na casa dela, a tese mais longa estava sendo corrigida (por ela).

B.

1. está criando
2. será feito
3. estavam discutindo
4. tinha mencionado
5. têm sido tomadas
6. será resolvido
7. (não) tinha consertado

LIÇÃO B AMPLIAÇÃO DO VOCABULÁRIO

A.

				10.	5.	I	M	P	R	E	S	S	O	R	A	
2.	W	E	B	C	A	M										7
		6.	F	A	X											P
	4.	T	E	L	E	F	O	N	E							I
			8.	C	A	M	E	R	A	D	I	G	I	T	A	L
				U	1.											H
				L	P											A
3.	T	O	C	A	D	O	R	D	E	M	P	4				
				D	A											
				O												
				R	9.	H	O	M	E	T	H	E	A	T	E	R
				A												
				S												

B.

diálogo	eletroeletrônico
1.	Tocador de MP4
2.	PDA
3.	bateria
4.	camera (digital)

LIÇÃO C CONSTRUÇÃO DO CONTEÚDO

A.

1. vai comprar *ou* comprará – tiver
2. posso ou poderei – for – quiser
3. vêm *ou* virão *ou* vão vir – vierem
4. serei *ou* vou ser – for

B.

1. Quando eu for mais velho, vou cuidar bem da minha saúde.
2. Se eu tiver que aprender outra língua, pretendo contratar um professor particular.
3. Se ETs vierem para a Terra quero ir embora com eles.
4. Quando eu for para o Japão, não vou entender uma única palavra.
5. Se um dia eu tiver que parar de trabalhar, quero morar na praia.

LIÇÃO C AMPLIAÇÃO DO VOCABULÁRIO

A.

1. porta-malas
2. lanternas
3. vidros
4. portas
5. carroceria
6. para-brisas
7. farol
8. carpetes
9. volante
10. acendedor de cigarro
11. câmbio
12. porta-luvas

B.

1. Comprar um carro
2. Levar o carro ao mecânico

C.

1. para obter mais informações sobre o veículo? b, c, d, e
   para obter o preço? f, m
   para dar mais informações sobre o estado do veículo? i, k, n, o

2. pelo vendedor? f, g, i
   cliente? a, b, c, d, e, h, j, k, l, m, n, o

LIÇÕES A, B e C COMPREENSÃO AUDITIVA

1. Máquina/aparelho com defeito: máquina de lavar louça
   Defeito: louças ficam soltas dentro e o sabão está saindo pelas laterais
   Solução: levar para a assistência técnica
2. Máquina/aparelho com defeito: aparelho de CD
   Defeito: é temperamental e leitor de laser com problema
   Solução: ouvir na casa do Leandro
3. Máquina/aparelho com defeito: ar condicionado

Defeito: está cuspindo pedrinhas de gelo
Solução: chamar a manutenção

LEITURA

B.

As respostas podem variar.

UNIDADE 18

LIÇÃO A CONSTRUÇÃO DO CONTEÚDO

A.

1. escolha
2. compre
3. progridam – consigam
4. mexam
5. mudem
6. saia
7. falem

B.

consiga – escolha – promova – aproveite

LIÇÃO A AMPLIAÇÃO DO VOCABULÁRIO

A.

Meio Ambiente
Especialista na preservação do Meio Ambiente

Terceiro Setor
Gestor de Empresas do Terceiro Setor

Turismo, Lazer e Entretenimento
Turismo
Hotelaria
Gastronomia
Coordenadores de Atividades de Lazer e Entretenimento

Tecnologia da Informação
Designer e planejador de Games
Telecomunicações
Especialista em Ensino a Distância (EAD)
Sistema de Informações
Administradores de Comunidades Virtuais
Engenheiros de Rede
Gestor de Segurança na internet

Administração
Administradores de Comunidades Virtuais
Logística
Gestor de Patrocínios
Gerentes de Terceirização
Gestor de Relações com o Cliente
Administração
Marketing
Coordenadores de Projetos
Consultor de Carreiras

B.

As respostas podem variar.

LIÇÃO B CONSTRUÇÃO DO CONTEÚDO

A.

1. esteja ...
2. saibam ...
3. possam ...
4. vá ...
5. haja ...
6. seja ...
7. deem ...

B.

1. seja
2. saibam – possam
3. vão
4. haja
5. esteja – recupere

LIÇÃO B AMPLIAÇÃO DO VOCABULÁRIO

A.

seca, tempestade, erosão, enchente e cerração

B.

1. tempestade
2. cerração
3. seca
4. erosão
5. enchente

C.

As respostas podem variar.

LIÇÃO C CONSTRUÇÃO DO CONTEÚDO

A.

1. e
2. a
3. g
4. b
5. f
6. d
7. c

B.

1. tem – tenha
2. vai sobrar *ou* sobrará – sobre
3. sabem – saibamos
4. fez – faça
5. dará ou vai dar – dê

LIÇÃO C AMPLIAÇÃO DO VOCABULÁRIO

A.

Imposto: IPTU, IPVA, ICMS, de renda, único
Taxa: de juros, de água e esgosto, de câmbio, de frete, de condomínio, de 5% ao mês

Multa: de trânsito, por atraso no pagamento, de 5% ao mês

B.
1. recebi/ pagar
2. recebemos/ pagar
3. recebeu
4. declarou

LIÇÕES A, B e C COMPREENSÃO AUDITIVA
1. Espero que tenha sido boa.
   Tomara que eu consiga esse emprego.
   Duvido que eles não te promovam depois de um tempo.
   Espero que reconheçam meu valor.

2. Espero que não seja o fim do mundo.
   É uma pena que as pessoas não se importem com o meio ambiente.
   Estou torcendo para que não chova.
   Não acredito que em pleno século XXI a gente ainda tenha problemas com isso.

3. Espero que não sejam muitas (multas).
   Espero que eu não tenha muita multa para pagar.
   Talvez você deva fazer administração.
   Meus amigos duvidam que eu passe em administração.

LEITURA
A.
1. É um profissional que tem a capacidade de expressar e aplicar seu conhecimento, competências e habilidades de muitas maneiras.
2. As respostas podem variar.
3. Porque no mundo do futuro, haverá muito poucas oportunidades para a mão de obra desqualificada.
4. As respostas podem variar.

UNIDADE 19

LIÇÃO A CONSTRUÇÃO DO CONTEÚDO
A.
1. Se eu gostasse de jogar roleta, compraria uma de brinquedo para jogar em casa.
2. Se os brasileiros tivessem um maior poder aquisitivo, gastariam mais com viagens e lazer.
3. Se o entretenimento nas cidades menores fosse melhor, o turismo se espalharia para outras áreas do país.
4. Se as pessoas pudessem escolher entre ganhar na loteria e ter um trabalho que pagasse muito bem, com certeza escolheriam não trabalhar e ganhar dinheiro fácil.
5. Se em alguns países jogar fosse liberado para menores de 18 anos, os jovens poderiam ter problemas na escola.
6. Se as pessoas não se viciassem, os bingos poderiam ser legalizados.
7. Se o jogo do bicho fosse legalizado, o governo poderia recolher mais impostos.

B.
1. tivessem ...
2. ... fosse ...
3. vissem ...
4. pensasse ...
5. existisse

LIÇÃO A AMPLIAÇÃO DO VOCABULÁRIO
A.
1. cara ou coroa
2. bingo
3. dados
4. baralho
5. loteria
6. rifa
7. pedra, papel, tesoura

B.
Possíveis respostas:
1. Que sorte!; Que sortudo/a!;
2. Que azar! Que azarado/a!
3. Que azar! Que azarado/a!
4. Que sorte!; Que sortudo/a!;

C.
As respostas podem variar.

D.
1. fazer uma fezinha / ganhar
2. cara ou coroa
3. fazer um bolão / arriscar a sorte / apostar

LIÇÃO B CONSTRUÇÃO DO CONTEÚDO
A.
1. fosse – conhecesse – fosse
2. aparecesse – dissesse – estivesse

B.
As respostas podem variar.

LIÇÃO B AMPLIAÇÃO DO VOCABULÁRIO
A.
Possíveis respostas:
Preparativos: vestido de noiva, lembrancinhas, lista de presentes, traje do noivo, convite de casamento, chá de cozinha, despedida de solteiro
Pessoas: convidados, noivo, noiva, madrinhas, padrinhos
Comidas: docinhos, bolo, salgados, prato de massa, entrada, aperitivos, prato principal
Bebidas: café
Religioso: alianças, padre/pastor
Recepção: música

B.
As respostas podem variar.

LIÇÃO C CONSTRUÇÃO DO CONTEÚDO

A.
2. Talvez não tenhamos entendido o conteúdo bem.
3. Talvez eles tenham se adaptado bem ao novo emprego.
4. Duvido que ela tenha gostado do presente.
5. Acredito que tenha cometido um erro.
6. Duvido que ele tenha mudado de ideia de repente.

B.
tenham escolhido – tenham decidido – tenham escolhido – tenha pedido – tenha ensaiado

LIÇÃO C AMPLIAÇÃO DO VOCABULÁRIO

A.
De 4 meses a 2 anos – berçário
De 2 a 3 anos – maternal
De 6 a 14 anos – Ensino Fundamental
De 15 a 17 anos – Ensino Médio
A partir dos 17 anos – Ensino Superior
A partir dos 22 anos –pós-graduação

B.
As respostas podem variar.

C.
1. bombei ou vou bombar / estudou / prestar vestibular
2. colou / matou aula / prestar vestibular / fazer cursinho

LIÇÕES A, B e C COMPREENSÃO AUDITIVA

1. Qual o arrependimento de Mirela? Escolheu biologia no vestibular.
   O que Antônio faria se fosse ela? Ele se inscreveria em jornalismo em outra faculdade.
   De quem foi a ideia de abrir um negócio para Antônio? De seu pai.
   Que tipo de negócio Mirela abriria se pudesse? Abriria um café.

2. Se o Marcão fosse casar, ele faria a cerimônia na igreja? Não.
   Onde talvez ele faria a cerimônia? Ao ar livre em uma chácara.
   Por que Luis não disse para a noiva que gostaria de uma cerimônia menos tradicional?
   Tinha medo que ela odiasse a ideia e achasse que ele não queria casar.
   Até onde Luis casaria com Lorena? Até debaixo d'água.

3. O que a avó de Daniele falou para Isaías? Falou que tinha apostado uma grana alta e perdido tudo.
   O que Isaías faria se a avó dele fosse como a de Daniele? Ele não jogaria com dinheiro.
   O que Isaías pensava da avó antes de conhecê-la? Pensava que ela fosse uma velhinha recatada e quietinha.
   O que Daniele faria se tivesse metade da energia da avó? Realizaria vários sonhos.

LEITURA

A.
As respostas podem variar.

B.
1. Os dois são os mais importantes para conseguir uma entrevista.
2. As respostas podem variar.
3. As respostas podem variar.

UNIDADE 20

LIÇÃO A CONSTRUÇÃO DO CONTEÚDO

A.
1. d
2. f
3. e
4. c
5. a
6. g
7. b

B.
1. teria feito – teria economizado
2. Teriam feito – teríamos discutido
3. teria estudado – teria dado
4. teria perdido – Teria feito

LIÇÃO A AMPLIAÇÃO DO VOCABULÁRIO

A.
Possíveis respostas:
1. Boas Festas!
2. Feliz Ano Novo!
3. Feliz Natal!

B.
As respostas podem variar.

C e D.
As respostas podem variar.

LIÇÃO B CONSTRUÇÃO DO CONTEÚDO

A.
1. Gil: Cara de arrependimento. Se eu tivesse ligado para a Mari naquele dia, ela não teria saído com o João.
   Ana: E hoje você não estaria com essa cara.
   Gil: A senhora mesma. Se você tivesse escutado o seu amigo aqui, não estaria desempregada.
   Ana: É. Eu era muito imatura mesmo. Se eu tivesse conversado com meu chefe, estaria trabalhando lá ainda.

2. Juliana: Ela mesma. Se a minha irmã tivesse aceitado

aquela proposta do empresário do grupo, nós estaríamos olhando para ela na TV e não para essa Martinha.
Avó: Verdade. Se eu tivesse tentado convencê-la, ela teria mudado de ideia. Mas, eu não quis intervir.

B.
As respostas podem variar.

LIÇÃO B AMPLIAÇÃO DO VOCABULÁRIO

A.
1. arrepende / arrependimento
2. perdoar
3. inquietação
4. voltaria atrás
5. punição
6. castigo / culpa

B.
As respostas podem variar.

LIÇÃO C CONSTRUÇÃO DO CONTEÚDO

A.
1. fosse – teria feito
2. tivesse – emprestaria ou teria emprestado
3. escutassem – teriam gastado
4. dividíssemos – ficaria
5. soubessem – teriam arrumado

B.
1. "Se eu fosse você, iria para os Estados Unidos já."
2. "Se eu estivesse na frente do meu autor favorito, eu teria pedido um autógrafo".
3. "Se eu fosse meu chefe, teria te contratado na hora".
4. "Se eu fosse você, levaria o carro para o mecânico".

LIÇÃO C AMPLIAÇÃO DO VOCABULÁRIO

A.
1. seguido/ dar
2. conselho
3. aconselhou
4. pedir

B.
1. dar conselhos
2. seguir conselhos
3. pedir conselhos

C.
As respostas podem variar.

LIÇÕES A, B e C COMPREENSÃO AUDITIVA

Senhora
Ela tem algum arrependimento? Se tivesse economizado um pouco mais, teria conseguido reformar a casa.
Teria feito algo diferente? Teria caminhado mais e economizado nas calorias

Moço
Ele realizou muitas coisas? Não.
Culpa alguém pelo que não realizou? Culpa um pouco a si mesmo e um pouco ao governo. Se culpasse o governo por tudo, não teria conseguido nada.

Homem
O que ele realizou? Aumentou o número de clientes.
Qual conselho ele daria? Se ele soubesse o que as pessoas devem fazer, não diria.

LEITURA

A e B.
As respostas podem variar.

REVISÃO DAS UNIDADES 17 A 20

1. a. 2. arriscar – fazer
   b. 2. Que azar!
   c. 3. estudei
   d. 1. dar

2. a. for
   b. tivermos
   c. visitarão/ chegarem
   d. progrida/ seja/ promova
   e. consiga/ vá
   f. faça/ tenha
   g. fosse/ procuraria
   h. mude

3. a. A casa foi limpa.
   b. O relatório de despesas foi entregue.
   c. Todos os carros da empresa têm sido consertados por ele.
   d. Os impostos serão pagos pelo Lucca na semana que vem.

4. a. O que você acha que vai acontecer com o meio-ambiente em um futuro próximo?
   b. Será que vai fazer sol no final de semana?
   c. Será que nós conseguiremos viajar para a Europa nas próximas férias?
   d. O que aconteceu com a Camila?
   e. Você pagou o IPTU?
   f. Quando entregamos a declaração do IR?
   g. O que você teria feito de diferente?
   h. Como foi o casamento da Letícia e do Bruno?

5. Possíveis respostas:
   a. Feliz Natal!
   b. Feliz Ano Novo! / Boas Festas!
   c. Que sorte!
   d. Obrigado/a!
   e. Parabéns!

6. As respostas podem variar.

7. As respostas podem variar.

Textos de Áudio

UNIDADE 1

LIÇÃO A AMPLIAÇÃO DO VOCABULÁRIO

A.

1. A: O seu nome é Jorge Gonçalves?
   B: É. Gonsalves com "s".
   A: Como?
   B: G – O – N – S – A – L – V – E – S

2. A: Mike da Silva?
   B: Isso.
   A: Mike se escreve com "i"?
   B: Não. Meu nome é M – A – I – Q – U – E.
   A: M – A – I – Q – U – E?
   B: Isso.

3. A: O meu nome é Júlio Xavier.
   B: Chavier com "ch"?
   A: Não com "x". X – A -V – I – E – R.

4. A: O seu nome, por favor?
   B: Luiz.
   A: Luiz com "s" ou com "z"?
   B: Luiz com "z".

5. A: Qual é o seu nome?
   B: Nanci.
   A: N – A – N – C – I?
   B: Isso. Nanci com "i".
   A: Obrigada.

LIÇÕES A, B e C COMPREENSÃO AUDITIVA

1. Júlia: Bom dia. Eu sou a Júlia. Como vai?
   Paulo: Bem, obrigado. Muito prazer, Júlia.
   Júlia: O prazer é meu.
   Paulo: Bem, Júlia, sente-se.
   Júlia: Obrigada.
   Paulo: Qual é o seu sobrenome?
   Júlia: Silva.
   Paulo: Ok, e você é secretária, certo?
   Júlia: Não, não. Sou advogada.
   Paulo: Ah, me desculpe.

2. Roberto: Oi, Sandro. Tudo bem?
   Sandro: Tudo. E você?
   Roberto: Tudo bem... Sandro, qual é o seu sobrenome?
   Sandro: Ferrera.
   Roberto: Ferrera? Como se escreve?
   Sandro: F – E – R – R – E – R – A
   Roberto: Hum. Diferente. Bem, obrigado. Tchau.
   Sandro: Tchau. Até amanhã.

3. Ana: Com licença, você é o John?
   John: Sou.
   Ana: Oi, John, tudo bem? Eu sou a Ana. Amiga do seu pai.
   John: Oi, Ana. Tudo bem?
   Ana: Por que seu nome é John? Seu pai é brasileiro, não é?
   John: É, mas minha mãe não é brasileira.
   Ana: Ah!

UNIDADE 2

LIÇÃO B AMPLIAÇÃO DO VOCABULÁRIO

B.

1. Entrevistadora: Qual é o seu nome?
   Stella: Stella
   Entrevistadora: E quantos anos você tem?
   Stella: Dezoito

2. Entrevistadora: Qual é o seu telefone?
   Stella: 8888-9191
   Entrevistadora: Você poderia repetir, por favor?
   Stella: Sim, claro. 8-8-8-8-9-1-9-1
   Entrevistadora: Obrigada!
   Stella: De nada!

3. Comprador: Por favor, quanto é isso?
   Vendedor: Seis reais, senhor.
   Comprador: Dezesseis?
   Vendedor: Não, seis reais.

4. Patrícia: Que bom te ver, Vanessa! Me liga! Você tem o meu celular?
   Vanessa: Acho que não...
   Patrícia: É 8888-1112.
   Vanessa: Pode repetir?
   Patrícia: 8888-1112...

LIÇÕES A, B e C COMPREENSÃO AUDITIVA

1. Homem: Por favor, Marina. O número do seu telefone é 888-2436?
   Marina: Não. É 888-2536.
   Homem: Ok, e onde você mora? Aqui em Belo Horizonte mesmo?

Marina: Não, eu moro em São Paulo.
Homen: Qual seu endereço de e-mail?
Marina: É marina.castro@muitoprazer.br

2. Rafael: Leandro. O que é aquilo em cima da mesa?
Leandro: Não sei, acho que é uma calculadora.
Rafael: Vamos ver.
Leandro: Isto não é uma calculadora. É uma agenda.
Rafael: Tem nome?
Leandro: Tem. É Ricardo.
Rafael: E e-mail?
Leandro: hmmm Aqui! É ricaneves@muitoprazer.br
Rafael: Procura um telefone também.
Leandro: Aqui. É (85) 888-0170
Rafael: Esse Ricardo mora aqui em São Paulo?
Leandro: Não, mora em Fortaleza.
Rafael: Eu envio um e-mail.
Leandro: Legal. Obrigado.

3. Operadora: Banco Brasileiro, bom dia.
Sandra: Bom dia. Preciso transferir um dinheiro.
Operadora: Pois não. Preciso conferir alguns dados. Qual seu e-mail?
Sandra: sandra25@muitoprazer.br
Operadora: Mora em que cidade?
Sandra: Brasília.
Operadora: Seu telefone?
Sandra: 888-8944
Operadora: Qual a quantia?

UNIDADE 3

LIÇÃO A AMPLIAÇÃO DO VOCABULÁRIO

B.

1. Pai, cadê você?
2. Oi? Ricardo? Vamos pra casa do Pedro? Todos nossos amigos estão lá!
3. Por favor, minha esposa está?
4. Filha, você já fez sua lição de casa?

LIÇÃO B AMPLIAÇÃO DO VOCABULÁRIO

A.

1. Atendente: Próximo!
Rodrigo: Olá!
Atendente: Bom dia! Em que posso ajudá-lo?
Rodrigo: Eu gostaria de fazer a carteirinha da locadora.
Atendente: Qual é o seu nome, por favor?
Rodrigo: Rodrigo Pereira.
Atendente: Data de nascimento?
Rodrigo: 07 do 04 de 1969
Atendente: Certo. Onde você mora?
Rodrigo: Avenida José Maria, número 17, apartamento 34... São Paulo.
Atendente: Qual é o seu telefone?
Rodrigo: É 8888-2121
Atendente: Tem e-mail?
Rodrigo: Sim. rodrigo74@muitoprazer.br
Atendente: Um minutinho, por favor. Prontinho! Sua carteirinha! Seu código é 134590. Você já pode alugar um de nossos filmes. Temos desconto de 10% às segundas-feiras!
Rodrigo: Muito obrigado!
Atendente: De nada. Próximo...

2. Cristina: Bom dia, eu gostaria de fazer a carteirinha da biblioteca.
Atendente: Você tem uma foto aí?
Cristina: Tenho.
Atendente: Então vamos preencher esta ficha. Nome completo?
Cristina: Cristina dos Santos.
Atendente: Número do RG?
Cristina: 011874946-67.
Atendente: Data de nascimento?
Cristina: 3 de junho de 1980.
Atendente: Você pode me dar a foto?
Cristina: Claro! Está aqui.
Atendente: Obrigado. Qual é o seu curso?
Cristina: Letras. Alemão.
Atendente: Pronto. Você pode pegar sua carteirinha amanhã.
Cristina: Obrigada.
Atendente: De nada.

LIÇÃO C AMPLIAÇÃO DO VOCABULÁRIO

B.

a. são oito e quinze
b. é uma hora
c. são cinco para as sete
d. cinco e vinte
e. dez e cinco
f. meio-dia e meia
g. seis e vinte e cinco
h. faltam quinze para as três
i. são nove e trinta e cinco
j. vinte e três horas e cinquenta e cinco minutos

LIÇÕES A, B e C COMPREENSÃO AUDITIVA

1. Geni: Oi, Júlia. Esse é meu marido Richard.
Júlia: Olá, Richard. Muito prazer.
Richard: Prazer é meu.
Júlia: Você não é brasileiro?
Richard: Excuse me?
Geni: Ele não sabe português, Júlia.
Júlia: Qual a nacionalidade dele?
Geni: Ele é americano.
Júlia: Muito simpático... Quantos anos ele tem?
Geni: 36

2. Martinha: Nossa, que horas são, Robson?
Robson: Seis e trinta e cinco.
Martinha: Preciso ir agora. Não posso mais ficar aqui.

Robson: Por quê?
Martinha: A minha filha sai da escola às seis e meia. Estou atrasada.
Robson: Qual a idade dela?
Martinha: Treze. Ela não pode ir embora de lá sozinha.

3. Homem: Oi. Vim fazer a carteirinha da locadora.
Mulher: Pois não. Para o senhor mesmo?
Homem: Não. Para uma amiga.
Mulher: Qual o nome dela?
Homem: Viviane Fonseca.
Mulher: E o RG dela?
Homem: 87.432.556-HR
Mulher: Você quer a carteirinha normal ou a master?
Homem: Pode ser a master.
Mulher: Ela tem telefone?
Homem: Tem. É (11) 888-0744
Mulher: Um minuto... Aqui está.
Homem: Obrigado.

UNIDADE 4

LIÇÃO B AMPLIAÇÃO DO VOCABULÁRIO

A.

Garçom: Boa tarde. Mesa para quantas pessoas?
Marta: Três, por favor.
Garçom: Aqui está o cardápio. Vão querer um aperitivo?
Filomena: Pra mim, não, obrigada.
Marta: Pra mim, também nada.
Luis: Meninas, o que vocês vão comer?
Filomena: Hum... Hoje é quarta, então eu vou querer uma feijoada! Dizem que a feijoada daqui é muito boa! E para beber, vou querer um suco de abacaxi. E você, Marta?
Marta: Ah... Eu estou de regime. Então vou querer um prato feito com peixe e uma limonada.
Luis: Eu vou querer um filé com fritas e uma cerveja.

LIÇÃO C AMPLIAÇÃO DO VOCABULÁRIO

A.

1. Manuel: Até que enfim, Maria!
Maria: Ah, foi difícil estacionar o carro! Esse shopping é enorme!
Manuel: Bem, vamos comer?
Maria: Hum... não estou com fome. Vamos só tomar um sorvete?
Manuel: Ah, eu não quero sorvete... vou então tomar um capucino. Aqui tem uma cafeteria ótima!
Maria: Tá bom. A gente se encontra aqui, certo?

2. Lígia: Que bom que você veio à minha casa, Victoria! Vamos tomar nosso chá da tarde?
Victoria: Vamos. O que tem para comer, Li?
Lígia: Eu fiz um pudim de leite e um bolo de cenoura!
Victoria: Nossa! Tudo isso?
Lígia: E para beber temos vários tipos de chá ou café.
Victória: Eu vou querer o bolo e o pudim! Vou beber um cafezinho... está com um cheiro tão bom...
Lígia: Bom, eu vou comer só o bolo... Adoro bolo de cenoura com cobertura de chocolate! E vou beber um chá de camomila

LIÇÕES A, B e C COMPREENSÃO AUDITIVA

1. Cássio: E aí Paulão? Vamos correr no parque hoje?
Paulão: Ah, Cássio. Não estou com vontade de correr, não. Você não prefere ver um filme? Estou cansado pra correr.
Cássio: Não sei. Na verdade preciso estudar um pouco porque eu vou ter uma prova dia dez.
Paulão: Estudar? Que isso, meu? A prova é só dia dez. Tem um filme ótimo passando e o cinema é perto. Depois do filme você estuda.
Cássio: Então, tá. Vou pegar minha carteira e gente vai ver o filme, mas amanhã nós vamos correr hein?
Paulão: Amanhã a gente pode conversar sobre isso.

2. Mariana: Irmãzinha... acorda.
Larissa: O quê? O que foi Mariana? Que horas são?
Mariana: Hora de comer!!!!!!! Estou com muita fome.
Larrisa: Já? Nossa. Está tarde mesmo. O que vamos fazer hoje?
Mariana: Você quer passear? Ir até a Paulista?
Larissa: Não. Ai, que sono!
Mariana: Quer dormir mais então?
Larissa: Não, chega de dormir. Eu estou com vontade de comer uma omelete com muito queijo. Vamos cozinhar?
Mariana: Legal. Enquanto você faz a omelete eu faço o café.
Larissa: Perfeito. Hmm.

3. Marcel: Amor, vamos ver aquele show de blues?
Luzia: Aquele festival de blues na rua?
Marcel: Esse mesmo. Eu quero muito ir e a gente pode ir a pé. Será ótimo andar um pouco.
Luzia: A pé??? Por quê? Vamos de carro. É muito mais rápido. Odeio andar a pé.
Marcel: Lá não vamos achar vaga para estacionar.
Luzia: A pé não, amor.
Marcel: Será que já começou? Já são 3 horas?
Luzia: Ainda não. São 2 da tarde.
Marcel: Então, temos bastante tempo pra andar.
Luzia: Benzinho, eu não tenho mais vinte anos.
Marcel: Vamos pegar o ônibus então?
Luzia: Ônibus não.
Marcel: Luzia, nós não temos mais vinte anos, por isso precisamos andar mais, fazer mais exercício físico.
Luzia: É... isso é verdade. Vou colocar o tênis.

UNIDADE 5

LIÇÃO B AMPLIAÇÃO DO VOCABULÁRIO

A.

1. João: Marcelo?

Marcelo: Oi, João! Tudo bem?
João: Tudo.
Marcelo: E aí? Que tal um futebol amanhã?
João: Nossa! Amanhã não dá... tenho aula até às 5:00. Que tal no domingo? Já tem alguma coisa pra fazer no domingo?
Marcelo: Não. Então tá combinado. Que horas? Mesmo horário, às 3:00?
João: Combinado!

2. Mulher: Alô?
Marido: Oi, querida! Tudo bem?
Mulher: Oi, onde você está?
Marido: Ainda estou no escritório. Fico até às 10h00 hoje... Tenho um relatório para acabar e ainda estou na metade...
Mulher: Certo, querido. Te vejo mais tarde.

3. Marido: Obrigado, querida! O jantar estava ótimo.
Esposa: De nada, meu bem... ah... , minha novela é agora às 8 da noite...
Você poderia lavar a louça hoje pra mim, por favor?
Marido: HOJE?? Eu lavo a louça depois do jantar TODOS OS DIAS...
Esposa: Mas eu lavo a louça do almoço, cozinho, cuido das crianças, lavo roupa...
Marido: Tá bem, tá bem...

4. Marido: Oi, sou eu de novo...
Mulher: Oi, onde você está?
Marido: Estou saindo do escritório... Chego às onze e meia.
Mulher: Certo, um beijo.

5. Mãe: A comida tá na mesa! Vamos comer!
Filho: Ah, mãe, tá cedo! Estamos assistindo TV...
Mãe: Não é cedo, não. São 6 horas.

LIÇÕES A, B e C COMPREENSÃO AUDITIVA

1. Melissa: Alô?
Luciana: Oi Mel. É a Lu.
Melissa: Oi. E aí?
Luciana: Então, você quer ir pro shopping comigo?
Melissa: Agora? Que horas são?
Luciana: São cinco e quinze. Você está ocupada?
Melissa: Não, por quê? Eu estou no ônibus.
Luciana: Então, vamos?
Melissa: Acho que sim. Eu te encontro no shopping às 6:30. Pode ser?
Luciana: Ótimo. Até mais.

2. Mulher: Com licença. Este assento está ocupado?
Homem: Não. Acho que está livre.
Mulher: Obrigada
Homem: Como você se chama?
Mulher: Sabrina e você.
Homem: Prazer, meu nome é Rodrigo.
Mulher: O metrô está vazio hoje, né?
Homem: É. É assim aos domingos mesmo.
Mulher: De onde você é?
Homem: Do Rio.
Mulher: Que legal. Você trabalha ou estuda aqui em São Paulo?
Homem: Trabalho.
Mulher: Eu também.
Homem: Preciso ir. Essa é a minha estação. Tchau!
Mulher: Tchau.

3. Paulo: Gerson, você pode enviar esse fax pra mim?
Gerson: Não sei. O fax está estranho. Deixa eu tentar. Acho que não posso. Está difícil.
Paulo: Que droga. Preciso mandar este documento antes do meio-dia. Já são dez pro meio-dia!
Gerson: Quantas páginas são? Só uma?
Paulo: Só, por quê?
Gerson: Espera aí. Cadê a Vera? Vera!
Vera: Oi Gerson. Que foi?
Gerson: Você pode mandar este fax para o Paulo? É urgente.
Vera: Claro. Agora mesmo.
Paulo: Muito obrigado, Vera.
Vera: Que isso.

UNIDADE 6

LIÇÃO C AMPLIAÇÃO DO VOCABULÁRIO

A.

1. Juliana: Por favor, como eu faço pra chegar ao shopping?
Desconhecido: Ah, é logo ali! Ande só mais dois quarteirões e vire à esquerda. Não tem como errar!
Juliana: Ah, certo! Muito obrigada!
Desconhecido: De nada.

2. Mateus: Mãe, onde fica São Roque?
Mãe: Fica no interior de São Paulo, há uns 50 quilômetros daqui. Por quê?
Mateus: Vai ter uma festa lá este final de semana. Tem ônibus pra lá?
Mãe: Acho que sim. Dá uma ligada pro terminal pra ver os horários...
Mateus: Valeu, mãe.

3. Eduardo: Vamos pro Nordeste neste feriado prolongado?
Márcia: Claro! Mas como iremos? De avião ou de ônibus?
Eduardo: De avião é mais rápido, mas de ônibus é mais barato...
Márcia: Vamos de avião? Não vou conseguir ficar mais de dez horas dentro de um ônibus até chegar lá...
Eduardo: Combinado!

LIÇÃO A, B e C COMPREENSÃO AUDITIVA

Leonice: Alô?
Heloísa: Oi Léo. É a Helô. Tudo bem?
Leonice: Oi Helô. Tudo.
Heloísa: O que você está fazendo?
Leonice: Nada, só estou lendo uma revista. Por quê?
Heloísa: O que nós vamos fazer hoje à noite?
Leonice: Não sei ainda. Eu quero ir pro cinema. Tem um filme de terror passando.
Heloísa: Filme de terror? Tenha dó, Léo. Meu irmão acha que tem uma peça de teatro legal no centro da cidade. Você não quer ir com a gente?
Leonice: Como vocês vão? De carro?
Heloísa: Não. Meu irmão quer ir de metrô. É mais fácil.
Leonice: Não sei... estou cansada hoje. Pegar o metrô é complicado.
Heloísa: *Você* é muito complicada.
Leonice: Não, não é isso, Helô. Eu prefiro ir pro cinema. Acho que eu vou com minha tia, ela gosta de filmes de terror também.
Heloísa: Tá bom, tá bom. A gente se fala depois. Tchau.
Leonice: Tchau, Helô.

UNIDADE 7

LIÇÃO A AMPLIAÇÃO DO VOCABULÁRIO

B.

Eduarda: Alô?
Tony: Oi, Eduarda. É o Tony. Então, que horas você vai chegar hoje?
Eduarda: Umas 8h00. Por quê?
Tony: Você precisa ir pro supermercado.
Eduarda: Ah, é! O que é que eu preciso levar mesmo?
Tony: Carne e refrigerante. Lembra?
Eduarda: Só isso?
Tony: Acho que sim! Você vai buscar a minha mãe, tá? Ela vem com você pra praia!
Eduarda: Tá bom! Beijos!
Tony: Beijo, tchau.

LIÇÃO C AMPLIAÇÃO DO VOCABULÁRIO

A e B.

1. Maria: Você vai pra academia, André?
André: Sim, toda terça e quinta à noite! Eu adoro! Encontro um monte de gente e colocamos os papos em dia!
Maria: E o que você pratica lá?
André: Eu faço musculação. Quero manter a forma.

2. André: E você, Maria? Gosta de "malhar"?
Maria: Eu não... mas minha filha faz balé! Ela é linda! Já fica na ponta do pé! Ela tem aulas na escola três vezes por semana, às segundas, quartas e sextas.
André: Que legal!

3. *Um, dois, três, quatro, força, vamos pessoal!*
Juliana: Ufa! Estou acabada! Vou parar...
Hanae: Só mais um pouquinho... já está quase acabando...
Juliana: E aí, Hanae? Você vem pra academia amanhã?
Hanae: É claro! Lembra que combinamos vir todos os dias?
Juliana: Lembro, mas amanhã é sexta e quero fazer uma coisa diferente, não aeróbica...

4. Junior: A piscina está cheia hoje! Não dá nem para nadar direito...
Silvana: É querido, está calor e é domingo! Todo mundo está aqui no clube hoje...
Junior: O problema é que eu não tenho outro dia pra nadar... só no final de semana.
Silvana: Venha se secar que já é meio-dia. Podemos pedir um lanchinho na lanchonete, o que você acha?
Junior: Ótima ideia! Tô com uma fome...

LIÇÕES A, B e C COMPREENSÃO AUDITIVA

1. Marlene: Quem é?
Gisele: Sou eu, a Gi.
Marlene: Oi, Gi.
Gisele: Não diga não. Vamos assistir a um filme?
Marlene: Hmmm. Não sei, Gi. Eu estou muito cansada hoje.
Gisele: Exatamente. Pra você relaxar.
Marlene: Você sabe qual o cinema que tem o filme?
Gisele: Sei, o Cine Brasil. Você conhece?
Marlene. Não. Vamos de ônibus?
Gisele: Não. Mas meu irmão tem carro. Ele leva a gente.
Marlene: Tá bom então.

2. Pedro: Márcio, quer almoçar?
Márcio: Estou ocupado agora.
Pedro: Não, você é ocupado. Vamos vai. Estou com fome.
Márcio: Tá. Você prefere comer aqui na lanchonete ou em um restaurante?
Pedro: Prefiro um restaurante. Tem aquele de comida por quilo perto do posto de gasolina. Você conhece?
Márcio: Conheço. Mas, você sabe se eles estão abertos agora?
Pedro: Estão sim. Por que a gente não convida a Cláudia?
Márcio: Ótima ideia. Vou buscar meu celular e nós já vamos.

3. Senhora: Bem, vou fazer exercício.
Senhor: Você vai ao parque?
Senhora: Não. Prefiro fazer a aula de ioga na academia.
Senhor: Tá. Tem um supermercado perto da academia?
Senhora: Tem.
Senhor: Você vai passar lá depois da ioga?
Senhora: Vou. O que você quer?
Senhor: Café. Sabe a marca que gosto?
Senhora: Sei.

Senhor: Você traz para mim, amor?
Senhora: Trago. Você prefere o normal ou o extraforte?
Senhor: Prefiro o normal.
Senhora: Então eu vou para a aula.
Senhor: Eu vou caminhar no parque, tá bom?
Senhora: Até mais tarde então.
Senhor: Tchau.

UNIDADE 8

LIÇÃO A AMPLIAÇÃO DO VOCABULÁRIO

B.

1. Mulher 1: Aonde você está indo?
   Mulher 2: Ao supermercado. Quer ir comigo?
   1: Onde fica?
   2: Logo ali, atrás do shopping, em frente ao parque.

2. Mulher: Xiiii, a gasolina está acabando...
   Homem: Não se preocupe, tem um posto logo ali, à esquerda do parque.
   Mulher: Ufa! Ainda bem!
3. Esposa: Querido, estou com uma dor de cabeça...
   Marido: Vamos a uma farmácia comprar um remédio pra você.
   Marido: Desculpe. Por favor, onde tem uma farmácia por aqui?
   Homem: É só subir a rua, uns três quarteirões à sua direita. Fica em frente à loja de departamentos.
   Marido: Obrigado!
   Homem: De nada.

LIÇÃO B AMPLIAÇÃO DO VOCABULÁRIO

A.

1. Compradora: E esta?
   Corretor: Esta é uma casa totalmente reformada, ótima pra um casal com dois filhos porque tem três quartos e dois banheiros, sendo um lavabo, um jardim ao lado da garagem e um quintal. Tem sala de jantar e de estar, uma cozinha ampla e uma lavanderia do lado de fora.
   Compradora: Nossa! É tudo o que eu preciso! Quanto é?
   Corretor: O proprietário aceita...

2. Júlia: E aí, Maria? Está gostando da vida de casada?
   Maria: Sim! Estou adorando! Só não gosto muito de limpar a casa, mas vou me acostumar.
   Júlia: E a casa nova? Quando eu vou conhecer?
   Maria: Vamos marcar um fim de semana pra você e o Miguel irem lá. Mas não reparem porque ela é bem pequena...
   Júlia: Menor que a minha?
   Maria: É. Minha casa só tem um quarto, um banheiro e a cozinha!
   Júlia: Nossa!
   Maria: Mas acho ótimo! Menos trabalho pra limpar!
   Júlia: É verdade.

3. Empregada: Ô, Dona Matilde?
   D. Matilde: O que é, Luzia?
   Empregada: a senhora precisa mudar de apartamento...
   D. Matilde: Por quê?
   Empregada: É enorme! Sala de jantar e sala de estar, cozinha, lavanderia, varanda...
   Empregada: ... o seu quarto, os quartos do Luccas e do Pedrinho e dois banheiros...
   D. Matilde: E ainda um quarto e banheiro de empregada...
   Empregada: Eu sei. Estou cansada. Ufa!

LIÇÕES A, B e C COMPREENSÃO AUDITIVA

1. Senhora: Por favor, tem uma farmácia perto daqui?
   Rapaz: Tem sim. A Droga Vida. A senhora não conhece? É bem grande.
   Senhora: Não conheço não. Onde é que fica?
   Rapaz: Na esquina da Rua Treze de Maio com a Avenida Sete de Setembro, ao lado do posto de gasolina.
   Senhora: Muito obrigada, rapaz.
   Rapaz: De nada. Tenha um bom dia.
2. Dulce: Cátia, o que vamos fazer hoje à noite?
   Cátia: Bem, eu tenho duas sugestões. Podemos ver um filme e tomar um café no centro da cidade ou comer um sanduíche no bar do Juca. Hoje tem música ao vivo. O que você prefere?
   Dulce: Acho que ir para o centro da cidade para tomar um café é melhor. Eu gostaria de assistir a um filme romântico.
   Cátia: Tá bom Dulce. Dá pra gente ir com o seu carro?
   Dulce: Dá sim, mas... que horas são? Temos tempo?
   Cátia: Temos muito tempo. Relaxa.

3. Mãe: Caio, onde estão minhas revistas?
   Caio: Não sei. Na sala de jantar?
   Mãe: Não. Também não estão no quarto.
   Caio: Você tem muitas revistas. Não tem problema...
   Mãe: Mas eu preciso dessas. É para o meu trabalho.
   Caio: Tem algumas revistas lá na cozinha...
   Mãe: Você está lendo minhas revistas?
   Caio: O quê?
   Mãe: Hmmm. Olha só isso! Elas estão atrás de você.
   Caio: Tudo bem.
   Mãe: Fuuuuu. Filhos!

UNIDADE 9

LIÇÃO B AMPLIAÇÃO DO VOCABULÁRIO

B.

1. Rosângela: Mariana, me diz, qual é sua roupa favorita?
   Mariana: Bem, pra trabalhar, eu gosto de usar branco ou preto.
   Rosângela: Sei, cores básicas. Eu também adoro preto... Emagrece...
   Mas que tipo de roupas? Calça, saia e camisa, conjuntinho...
   Mariana: Ah, eu uso um pouco de tudo, mas acho que ainda prefiro meu conjunto preto...

2. Vendedora: Pois não? Posso ajudá-la?
Raquel: Eu quero ver uma roupa social, para trabalhar.
Vendedora: Sim, senhora. Temos vários modelos de calças, conjuntos sociais, saias e até vestidos.
Raquel: O que você tem em vermelho?
Vendedora: Temos este lindo vestido! Chegou ontem! O que acha?
Raquel: Lindo! Vou experimentar!
Vendedora: Gostaria de ver mais alguma coisa? Temos esses...

3. Pedro: Luis, você viu o que o Rogério está usando hoje?
Luis: Não me diga que ele está usando a gravata amarela com a camisa verde de novo...
Pedro: Não... Hoje ele está com a calça vermelha! Esse Rogério... gosta de ser o centro das atenções!
Luis: Ele é um barato!

LIÇÃO C AMPLIAÇÃO DO VOCABULÁRIO
A.

1. Entrevistador: Por favor, você poderia responder algumas perguntas?
Camila: Sim, claro!
Entrevistador: Aonde você costuma ir nos finais de semana?
Camila: Ultimamente estou ficando em casa, por causa do frio. Mas eu ia muito ao parque Ibirapuera fazer caminhada.
Entrevistador: E que tipo de roupas você usava para caminhada?
Camila: Ah, tênis e calças confortáveis e uma camiseta.
Entrevistador: Muito obrigado por sua atenção.
Camila: De nada.

2. Entrevistador: Por favor, senhor? Posso fazer algumas perguntas sobre vestuário?
Pedro: Sim, claro.
Entrevistador: Quais são suas roupas favoritas para trabalhar?
Pedro: Bem, eu gostaria de usar tênis e calça de moletom para trabalhar, mas não é possível. Estou trabalhando em uma multinacional agora e preciso usar terno e gravata.

3. Entrevistador: Bom dia, senhor. Posso fazer algumas perguntas sobre vestuário?
Adauto: Claro!
Entrevistador: Quais são suas roupas favoritas?
Adauto: Bom, no final de semana, especialmente em casa, eu uso short, camiseta e chinelo o dia inteiro... risos. Minha mulher odeia!

LIÇÕES A, B e C COMPREENSÃO AUDITIVA

1. Túlio: Jana, como você era quando criança?
Jana: Eu tinha cabelos compridos e usava óculos.
Túlio: Mesmo? E você morava aqui?
Jana: Não. Morava em Ribeirão Preto.
Túlio: Você gostava de lá?
Jana: Gostava. Eu ia sempre pro cinema com meus primos. Era legal.

2. Helena: Sérgio, esta foto aqui é sua???
Sérgio: É. Por quê?
Helena: Nossa, que diferente! Você era mais magro e tinha os cabelos loiros?!
Sérgio: É. Nessa foto eu tenho só dezoito anos. Eu era bem tímido, mas agora sou muito mais sociável. Não acha? E agora... sou careca.
Helena: Ahh... Mas, você era bem atraente.
Sérgio: Era?? Não sou mais? Ah, é?
Helena: Claro que é, mas você está bonito na foto. Olha aqui...
Sérgio: É verdade. Obrigado.

Helena: Mas essa camisa laranja e vermelha... é horrível.
Sérgio: Qual o problema? Eu gostava dela.
Helena: Há, há, há.

3. Lenita: Olha, Marisa. Esta é a foto da minha mãe. Você se lembra dela?
Marisa: Não, não lembro... Como ela era charmosa!
Lenita: Ela era uma mulher muito generosa e educada.
Marisa: Ela parece simpática pela foto.
Lenita: Era sim. Ela tinha muitas amigas e estava sempre bem vestida. Usava umas roupas elegantes... Só que ela fumava muito.
Marisa: Você tem ótimas lembranças dela, né?
Lenita: Tenho sim, lembranças e saudade.

UNIDADE 10

LIÇÃO A AMPLIAÇÃO DO VOCABULÁRIO
B.

1. Joana: Ai...
Pedro: O que foi? Tá tudo bem?
Joana: Meus pés estão me matando...
Pedro: Também com esses sapatos! Que salto alto!
Joana: Ah, mas são lindos, não são?

2. Mãe: Filha, vem almoçar!
Mãe: Isabela!!!!
Isabela: Hã? O que, mãe?
Mãe: Tô te chamando! Vem almoçar!
Isabela: Mãe, acho que não estou bem... estou com dor de ouvido...
Mãe: Claro! Ouvindo música alto desse jeito, menina! Vem almoçar!

3. Instrutor: Vamos lá, pessoal! Alongando... Força aí. Vamos lá.
Rosa: Ai, meu braço...
Joaquina: O que foi, Rosa?

Rosa: Ontem eu exagerei e hoje meus braços doem...
Joaquina: Pega leve hoje, então, ok?
Instrutor: Agora a perna.

4. Giovana: Nossa! Que foi?
Mariana: Acho que eu estou gripada. Eu tomei muito sorvete ontem. A minha garganta está doendo.
Giovana: Melhor você tomar alguma coisa, então.

5. Esposa: Querido, vai descansar! Está tarde!
Marido: Num minuto. Eu só preciso acabar este relatório... ai, minhas costas!
Esposa: Você está todo torto aí trabalhando no sofá! Pelo menos vai trabalhar na mesa, com as costas retas...
Marido: Já vou, meu bem.

LIÇÃO B AMPLIAÇÃO DO VOCABULÁRIO B.

1. Médico: Boa tarde. Pode se sentar.
Paciente: Obrigada, doutor.
Médico: Em que posso ajudar?
Paciente: Lembra, doutor, eu estive aqui na semana passada por causa dos meus pulsos que estavam doendo muito...
Médico: Sim, claro! E eu receitei um analgésico e antiinflamatório, certo?
Paciente: Isso.
Médico: E como você está esta semana?
Paciente: Melhorei bastante, mas eles ainda doem um pouco.
Médico: Certo. Vamos continuar com o tratamento por mais três dias e volte aqui na próxima semana.
Paciente: Obrigada, doutor.

2. Acupunturista: Susana, como está sua cabeça? A dor passou?
Susana: Ah, sim, passou totalmente com as duas últimas sessões de acupuntura, Linda! Obrigada!
Acupunturista: Que ótimo! Bem, então vamos...

LIÇÕES A, B e C COMPREENSÃO AUDITIVA

1. Médica: Muito prazer, Reinaldo. Então, qual é o problema?
Paciente: Dra. Regina, eu nunca tive dor nos pulsos. Mas, agora, sempre que uso o computador, fico com dor.
Médica: Com que frequência você usa o computador?
Paciente: Sempre, todos os dias.
Médica: Você tomou algum medicamento?
Paciente: Tomei analgésico.
Médica: Reinaldo, não tome remédios sem falar com o médico. Pode ser perigoso.Você precisa parar a cada uma hora de trabalho e fazer alongamento para as mãos e braços.
Paciente: Tudo bem, Dra. Regina.

2. Gilda: Ai, meu Deus! Eu não aguento mais!
Fátima: Que isso, Gilda? Você está muito nervosa. O que foi?
Gilda: A minha vizinha é louca. Ninguém aguenta mais.
Fátima: Por quê?
Gilda: Primeiro, ela faz barulho a noite toda. Não dá para dormir. Às vezes, ela liga a música bem alto às 4 horas da manhã!
Fátima: Tenha calma. Quer alguma coisa para beber? Um chá? Um café?
Gilda: Café??? Eu dificilmente bebo café. E sem dormir ainda... Ai. Estou é com dor de cabeça.
Fátima: Aqui. Tome este comprimido, então.
Gilda: Obrigada, Fá.

3. Noé: Oi, Elena. Como está sua prima Glauce? Sarou?
Elena: Na verdade, não.
Noé: O que ela tem? Gripe, né?
Elena: Ela tem tudo. Agora diz que está com dor nas pernas e enxaqueca.
Noé: Acho que ela não tem nada.
Elena: Também acho. Ela não tomou nenhum remédio e a dor nas costas da semana passada sumiu. Depois, gripe sem febre... Ela está muito ansiosa com a viagem para a Rússia. É isso.
Noé: Ela é normalmente ansiosa assim?
Elena: De vez em quando. Mas, com o convite para viajar, ela está assim.
Noé: Quem a convidou?
Elena: Foi um amigo dela de Moscou que a convidou.
Noé: Legal. Ela vai gostar de lá. É um país fantástico!

UNIDADE 11

LIÇÃO B AMPLIAÇÃO DO VOCABULÁRIO B.

1. Kim: Má...
Marilene: Que foi, Kim...
Kim: Estou cansado... vamos para casa?
Marilene: Mas eu quero dançar!!
Kim: Essa música?
Marilene: Claro que não. Mas a banda vai começar a tocar umas músicas mais legais daqui a pouco!
Kim: Daqui a pouco quando?
Marilene: Não sei... umas duas horas...
Kim: Ai, meu Deus!

2. Simone: Olha isso, Aninha!
Ana Maria: Nossa! É lindo mesmo! Nem dá para ver a água de tão transparente! Parece que os peixes estão flutuando!
Simone: Estou impressionada com a beleza desse lugar...
Ana Maria: Ah, eu também! Nem quero voltar para São Paulo...

3. Marciano: Dudu?
Dudu: Hã?
Marciano: O que aconteceu?
Dudu: Nada. Por quê?
Marciano: Você está calado...
Dudu: Estamos pescando, né? Não quero assustar os peixes.
Marciano: Tá certo, tá certo...

LIÇÕES A, B e C COMPREENSÃO AUDITIVA

1. Paulo: Luiz, olha esse romance aqui. Vamos levar?
Luiz: Não sei, Paulo. Será que é bom?
Paulo: Bom, eu gosto de ler romances. Quando eu morava na África, eu lia muito. Começava a ler às 9 da noite e só parava a 1 da manhã. Não conhecia muitas pessoas, então eu passava o tempo lendo.
Luiz: Eu prefiro ler contos. Terminam mais rápido.
Paulo: Essa é boa. Você não gosta de ler muito né?
Luiz: Quando eu era criança, eu não lia. Só me divertia brincando e praticando esportes. Eu era muito bom.
Paulo: Então eu compro o romance para mim e te dou esse livro de contos de presente. Tá?
Luiz: Tá ótimo. Superobrigado.

2. Clarice: Filhinha. Está na hora de dormir.
Filha: Ah, mãe. Então, conta uma historinha.
Clarice: Tá. Qual você quer?
Filha: Aquela da moça bonita.
Clarice: Uma moça muito bonita e generosa foi morar com o pai e a madrasta. A madrasta tinha duas filhas muito más. Elas sempre faziam a moça bonita limpar a casa toda e riam dela.
Filha: E o que a moça fez?
Clarice: Ela foi para uma festa com as filhas más. Na festa, todos os homens inteligentes e simpáticos olhavam para a moça bonita. Ela dançou com vários deles e se divertiu muito. As filhas más não dançaram com ninguém e foram para casa muito tristes.
Filha: Benfeito! Há há. Boa noite, mãe.

3. Juca: Hélio, quanto tempo! Como você está diferente.
Hélio: Nem tanto. Mas, que bom te ver, Juca.
Juca: Nossa... Você se lembra de quando a gente morava naquele apartamento horrível?
Hélio: Claro. Era muito sujo, mas a gente se divertia muito, né?
Juca: Você lembra daquele dia no cinema?
Hélio: Lembro sim. Você começou a tossir sem parar e a mulher de trás bateu com um livro na sua cabeça. Há há há.
Juca: É. Várias pessoas reclamaram. Você gostava de confusão...
Hélio: Eu? Claro que não. Eu era supercomportado. Só assistia às suas confusões.
Juca: Tá, tá, tá bom...

UNIDADE 12

LIÇÃO A AMPLIAÇÃO DO VOCABULÁRIO

A.

1. Proprietário: Boa tarde, senhores.
Marcelo e Marcos: Boa tarde.
Proprietário: Nosso restaurante é por quilo, então, os senhores podem ir diretamente ao balcão, pegar o que desejar e ir até a balança.
Marcelo: Certo, muito obrigado.
Marcos: Nossa, Marcelo! Tem tanta comida aqui que é difícil escolher.
Marcelo: Marcão, faça como eu. Pegue um pouco de cada
Marcos: Certo. Vou pegar batata frita, bife, arroz e feijão. E você?
Marcelo: Eu vou pegar uma lasanha. Adoro massas.
2. Garçom: Senhorita, aqui está o cardápio.
Juliana: Obrigada.
Garçom: Posso ajudar?
Juliana: Eu vou querer uma salada completa e uma feijoada light, por favor.
Garçom: Alguma coisa para beber?
Juliana: Uma limonada, por favor.
Garçom: E a senhorita?
Mariana: Eu não quero nada, Ju. Vim só para bater um papo com você. Obrigada moço.

3. Viviane: Então, menina, ontem fui à uma pizzaria ótima!
Heloísa: Sério, Vi? Onde?
Viviane: Na Henrique Schaumann, em Pinheiros. Eles têm todos os tipos de pizza que você possa imaginar: Pizza com borda, frita, calzone...
Heloísa: Qual delas você comeu? Imagino que foi portuguesa. Você sempre pede pizza portuguesa.
Viviane: Engraçadinha. Claro que pedi uma portuguesa. Você me conhece.

4. Garçom: Picanha ao alho?
Lopes: Não, obrigado.
Lima: Nossa, Lopes, já parou?
Lopes: Estou cheio, Lima. Já comi de tudo um pouco... tudo bem que eu adoro churrasco, mas eu acho que exagerei.
Lima: Então vamos pedir mais uma caipirinha e depois a conta, tudo bem?
Lopes: Sem pressa. Hoje é feriado mesmo.

LIÇÃO C AMPLIAÇÃO DO VOCABULÁRIO

C.

1. Guia do museu: Bem-vindos ao Museu do Ipiranga. Poucos meses após a proclamação da Independência, em 7 de setembro de 1822, surgiu a primeira proposta – seguida de inúmeras outras – de erigir um monumento à Independência do Brasil no próprio local onde ela havia sido proclamada, às margens do riacho do Ipiranga. Por falta de verbas e de entendimentos quanto ao tipo de monumento a ser erigido, somente após sessenta e oito anos da proclamação é que a ideia se concretizou, com a inauguração do edifício-monumento, em 1890. No andar térreo, a Ala Oeste...

2. Vivi: Nossa! A Ivete é demais, né?
Cidinha: É mesmo! A gente não consegue ficar parada!

Vivi: Mas vamos parar um pouco porque preciso beber alguma coisa.
Cidinha: Tá.

3. Lucineide: Agora o candelabro vai cair, quer ver?
Rosângela: Para de me contar o que vai acontecer, senão não tem graça!
Lucineide: Ah, todo mundo já leu o livro e sabe o que vai acontecer.
Rosângela: Mesmo assim...
Desconhecido: Eeeee, silêncio!
Rosângela: Tá vendo! Agora presta atenção na peça!
Lucineide: Tá bom, tá bom...

LIÇÕES A, B e C COMPREENSÃO ORAL

1. Samuel: Eu andei por todos os lugares...
Adriano: Que isso, Samuel? Cantando no trabalho?
Samuel: É. Eu ando meio aéreo ultimamente. Não consigo me concentrar.
Adriano: Você mudou mesmo, hein? Era superarroz de festa, estava sempre conversando com todo mundo. Agora, fica cantando no trabalho e olhando para o nada. Parou de tomar todas?
Samuel: É que eu conheci a mulher mais linda do mundo. Eu estava na lanchonete tomando um café quando uma morena linda entrou e pediu uma sobremesa. Um mulherão! E muito simpática.
Adriano: Você conversou com ela?
Samuel: Claro, né? Ela tinha acabado de comer um doce quando eu me aproximei e perguntei se o café da lanchonete era bom.
Adriano: E?
Samuel: E... ela gostou de mim *E* pedi o telefone dela *E* nós vamos sair hoje à noite para assistir a uma peça no Teatro Municipal.
Adriano: É Samuel... Você realmente é o cara mais esperto que conheço. Parabéns e boa sorte hoje.
Samuel: Valeu!

2. Alba: Ah, Marina. Essa fila está enorme. Não gosto de esperar para entrar em danceterias.
Marina: Calma Alba. Você não está a fim de dançar? Então, tem que esperar.
Alba: Ffuuuu! Tá bom. Mas, só porque nunca estive aqui. Quero muito conhecer esse lugar.
Marina: Relaxa. Vamos pensar em alguma coisa gostosa para passar o tempo.
Alba: Já sei. Uma feijoada deliciosa e quentinha.
Marina: Hmmm. Já estou com fome.
Alba: Não adianta. Ainda estou impaciente. Quero entrar agora. Minhas pernas estão doendo.
Marina: Ai, meu Deus! Tive uma ideia! Vou dar um jeitinho.
Alba: O que está pensando em fazer?
Marina: Está vendo o segurança? Eu conheço ele. Vou falar que você está com muita dor nas costas e ele deixa a gente entrar pela entrada VIP. Faz cara de dor aí.
Alba: Perfeito!

3. Flávio: E aí, filhão? Decidiu onde quer almoçar?
Filho: Não sei, pai. Aqui no guia tem várias opções...
Flávio: Você não vai querer arroz e feijão, não é?
Filho: Não, pode deixar. Arroz e feijão eu como todos os dias na casa da mãe. Quero ir a uma churrascaria. O que você acha?
Flávio: Ótimo. Preciso comer carne.
Filho: Há há há. Você sempre diz que precisa comer carne! Olha este restaurante aqui no guia.
Flávio: Deixa eu ver. Casarão antigo. Os donos tinham reformado o casarão quando houve um incêndio que destruiu o andar de cima. No ano passado foi reformado novamente. Churrascaria mais elegante da cidade. Preços acessíveis.
Filho: E aí? Gostou?
Flávio: Adorei. Vamos pra lá agora!

PRONÚNCIA DO PORTUGUÊS – PARTE 3

Exercício:
Manuel: Paulão! Você aqui no aeroporto. Vai viajar?
Paulão: Meus pais estão chegando do Rio de Janeiro. Mas, me fala. Como está a Soraia?
Manuel: Bem. Está em Brasília hoje.
Paulão: E os filhos? Quais os nomes deles mesmo?
Manuel: Rogério e Fabrício. O mais velho está no Uruguai estudando.
Paulão: Bem, bom te ver. Ah, depois de amanhã é meu aniversário. Passa lá em casa.
Manuel: Falou. A gente se vê.

UNIDADE 13

LIÇÕES A, B e C COMPREENSÃO AUDITIVA

1. Jean: Carol, você não vai acreditar. A Mônica me ligou hoje de manhã e disse que estão me chamando para a entrevista.
Carol: Maravilha, Jean. No seu lugar, eu iria bem vestido. A roupa é importante.
Jean: Eu sei. Por isso comprei um terno novo hoje.
Carol: Você está preparado? Não se esqueça de desligar o celular durante a entrevista.
Jean: Eu sei. Eu sei. Estou ansiosíssimo. Essa é a melhor empresa de recursos humanos do estado.
Carol: Não se preocupe, Jean. Você tem estudado tanto nesses últimos meses! A recompensa vai chegar. Boa sorte.
Jean: Obrigado pela força, Carol.

2. Diretor: Muito bem, Melina Soares. É isso?
Melina: Isso.
Diretor: Melina, nós escolhemos você para fazer parte do coro do musical por causa de suas habilidades na dança. Parabéns.
Melina: Obrigada.

Diretor: No seu lugar, eu começaria a fazer aulas de canto. Também porque podemos precisar no futuro.
Melina: É, eu imaginei. Por isso tenho feito aulas de canto duas vezes por semana desde o ano passado.
Diretor: Ótimo. E você sabe que no palco nós temos vários objetos antigos, uma carruagem, lustres de cristal e coisas do gênero. Originais. Por isso, os ensaios dos dançarinos são longos. Vocês devem ter muito cuidado ao dançar ao redor desses objetos.
Melina: Claro, claro. Quando eu começo?
Diretor: Agora. Pode se trocar.

3. Teresa: Como estão os preparativos para a mudança, Ricardo?
Ricardo: Tudo bem, mas é muita coisa para resolver. Mudar pra outro país é muito complicado. Tem uma papelada enorme, documentos... estou cansadíssimo.
Teresa: No seu lugar, eu pediria para a empresa ajudar com a documentação. Você não precisa fazer tudo sozinho.
Ricardo: Eles estão ajudando, mas muita coisa eu tenho que fazer pessoalmente. Estou enlouquecendo.
Teresa: É, não é mole não. E as aulas de japonês? Você tem frequentado?
Ricardo: Tenho sim. Tenho estudado muito. Quase todos os dias. Por isso já consigo me comunicar. Bem, pelo menos eu sei me apresentar há há há.
Teresa: É. E como é isso em japonês?
Ricardo: " Watashi wa Ricardo des"
Teresa: Hmm. Não sei não. Há há.

UNIDADE 14

LIÇÕES A, B e C COMPREENSÃO AUDITIVA

1. Abigail: Alô?
Bianca: Quem fala?
Abigail: Com quem você gostaria de falar?
Bianca: Com o Nestor.
Abigail: Quem é?
Bianca: Aqui é a Bianca. Ele me pediu para avisá-lo sobre a entrevista.
Abigail: Bianca. Aqui é a Abigail, irmã dele. Ele não está. Você não quer ligar mais tarde?
Bianca: Ligo sim. Mas, vou ligar amanhã de manhã, pois já estou indo dormir. Como ele tem que vir comigo para a entrevista, por favor, avise a ele que ligarei bem cedo, tá bom?
Abigail: Pode deixar.
Bianca: Obrigada e boa noite.
Abigail: Tchau, boa noite.

2. Kiko: Alô?
Michel: E aí, meu? Tudo bem?
Kiko: Quem está falando? São 4 horas da manhã.
Michel: Sou eu, pô. Estou aqui na balada, queria te chamar.
Kiko: Eu quem?
Michel: Meu... o Michel. Estou aqui com o pessoal da faculdade. Você não vem se divertir com a gente?
Kiko: Cara, eu não sei quem você é. Estou morto de sono e não faço faculdade.
Michel: Não? Qual o seu nome?
Kiko: Kiko.
Michel: Putz. Foi engano. Desculpa aí, cara. Foi mal.

3. Recepcionista: Hotel Village, Kelly. Bom dia!
João: Por favor, gostaria de falar no quarto 1267. O hóspede é Manuel Figueira.
Recep: Um momento, por gentileza.
Senhor, o telefone está chamando, mas ninguém atende.
João: Estranho. Eu já ia passar aí. Combinei com ele de pegá-lo para irmos ao aeroporto.
Recep: O senhor pode deixar uma mensagem no correio de voz.
João: Bem... Não vou pedir para ele me ligar porque a bateria do meu celular está acabando. Então me transfira para o correio de voz, por favor. Vou deixar uma mensagem, mas gostaria que você também avisasse que estou a caminho.
Recep: Qual o seu nome, senhor?
João: João Seixas.
Recep: Um minuto. Estou transferindo para o correio de voz.
João: Obrigado.

UNIDADE 15

LIÇÕES A, B e C COMPREENSÃO AUDITIVA

1. Lélio: Carminha, recebi um e-mail do chefe. Você vai ter que refazer aquela proposta de orçamento. Ele disse que já tinha lhe pedido isso antes.
Carminha: Nossa, Lélio. Esqueci completamente. Ando muito esquecida. Deve ser o olho gordo daquela menina nova. Ela olha para mim de um jeito estranho.
Lélio: Há, há, há. Claro que não é isso. Já te disse... Você está trabalhando demais.
Carminha: Que nada. Estou muito bem.
Lélio: Sua colega aí do setor de compras não me disse isso.
Carminha: Colega? Quem? A do olho gordo?
Lélio: Ela mesma. Ela disse que você sai todos os dias muito mais tarde do que todos os outros funcionários.
Carminha: Às vezes.
Lélio: Bem, o chefe pediu para você acelerar o orçamento. Não se esqueça.
Carminha: Tá. Obrigada, Lélio.

2. Entregador: Oi, bom dia. Tenho uma encomenda para a senhora Marlene de Paula. Posso deixar aqui?
Recepcionista: Pode. Obrigada.
Marlene: Marlene de Paula.
Recepcionista: Bom dia, senhora Marlene. Tem uma encomenda para a senhora aqui na recepção.
Marlene: De quem é?
Recepcionista: O entregador não me disse.

Marlene: E você não lhe perguntou sobre a origem do pacote?
Recepcionista: Não...
Marlene: Veja se tem remetente.
Recepcionista: Hmmm. Parece que não.
Marlene: Então abra a caixa aí mesmo e depois a traga para minha sala, por favor.
Recepcionista: Pois não, senhora. Desculpe-me pelo lapso.

3. Rodolfo: Mas, qual exatamente é o problema com o computador?
Homem: Então, Rodolfo... Algo está acontecendo com o Skype. Não sei bem. Minha esposa falou que iria chamá-lo hoje, mas não disse a hora que você viria. Agora, ela está dando aula e não pode atender ao celular.
Rodolfo: O que ela te disse?
Homem: Que o som estava falhando e ela não conseguia ouvir direito a irmã dela que está na Itália.
Rodolfo: Vamos fazer uns testes até ela chegar. Se eu não resolver até lá a gente pergunta para ela.
Homem: Tudo bem.

UNIDADE 16

LIÇÃO C AMPLIAÇÃO DO VOCABULÁRIO

B.

1. Juliana: Oi, Esmeralda! Quanto tempo... Você sumiu, hein?
Esmeralda: Fui viajar, lembra? Fui para Porto de Galinhas.
Juliana: Verdade. Tanta correria por aqui que eu tinha me esquecido...
Esmeralda: Então, eu te trouxe uma lembrancinha de lá.
Juliana: Nossa! Obrigada! Não precisava ter se incomodado. Ai, que linda essa bolsa!! Obrigada mesmo!
Esmeralda: Imagina.

2. Ana Cristina: Para você, Paulo!
Paulo: Obrigado, Aninha! Para onde você foi mesmo?
Ana: Para Gramado.
Paulo: Que caneca mais legal! Adorei! Obrigado.
Ana: De nada!

3. Charles: Su! Tudo bem?
Sueli: Tudo! E você, querido?
Charles: Tudo ótimo. Olha, eu trouxe isso para você do Rio...
Sueli: Obrigada! Ah, uma estatueta do Cristo!!! Obrigada!
Charles: De nada. Pena que você não pôde ir. Lá é tão legal, nós fomos...

LIÇÕES A, B e C COMPREENSÃO AUDITIVA

1. Agente: Viagens 'Muito Prazer', bom dia.
Cliente: Oi, eu gostaria de saber os preços de pacotes de viagem para passar uma semana no Rio de Janeiro.
Agente: Esta semana agora do feriado?
Cliente: Isso. Vocês têm algo ainda?
Agente: Temos sim. Para quantas pessoas?
Cliente: Para duas. Queremos uma suíte com cama de casal.
Agente: Perfeitamente.
Cliente: Vocês oferecem algum passeio pela cidade?
Agente: Nós faremos uma visita ao Cristo Redentor e subiremos o Pão de Açúcar. Outras visitas ficam por sua conta.
Cliente: Vamos ver os preços então e como podemos pagar.
Agente: Pois não. Para os dois...

2. Agente: Viagens 'Muito Prazer', boa tarde.
Cliente: Boa tarde. Estou precisando de cinco passagens aéreas para o dia 03 de dezembro de São Paulo para Curitiba.
Agente: Tem que ser todas no mesmo voo?
Cliente: Não, mas precisamos estar todos lá antes das 14h para uma reunião. Tem algum hotel 5 estrelas para duas noites?
Agente: Tem sim. Passe um número de fax que enviaremos os preços ainda hoje.
Cliente: Ah, ótimo. Obrigado. O número do fax...

3. Agente: Viagens 'Muito Prazer', bom dia.
Cliente: Oi, bem. Eu queria programar uma viagem de lua de mel para Buenos Aires. É para o mês de janeiro, do dia 15 ao 25.
Agente: Temos um pacote especial para casais em lua de mel. Você vai adorar. São exatos dez dias com hotel quatro estrelas. As diárias são mais em conta para nós e os quartos possuem TV a cabo, ar condicionado, banheiro de luxo, acesso à internet. Ah... com café da manhã e um jantar especial para o casal recém-casado.
Cliente: Que bom. Vocês incluem passeios?
Agente: Não, mas os traslados do aeroporto para o hotel e do hotel para o aeroporto estão incluídos no pacote. Quer que eu mande os preços por e-mail?
Cliente: Não precisa. Eu estou perto daí. Acho que vou dar um pulo na agência e a gente conversa melhor. Desculpa, acho que não perguntei seu nome.
Agente: É Mirtes. Vou ficar te esperando então.
Cliente: Até mais.
Agente: Até.

UNIDADE 17

LIÇÃO B AMPLIAÇÃO DO VOCABULÁRIO

B.

1. A: Aí, Edu, comprei um presente para você!
B: Sério? Que legal! O que é?
A: Ah, é uma coisa que você está querendo há muito tempo... é usada para ouvir e ver clipes de música e armazena mais de quinhentas músicas!
B: Ah, já sei... é um...

2. Camila: Então, Sil, o Marcelo voltou dos Estados Unidos e trouxe vários aparelhos eletrônicos.

Silvana: Ah, é?
Camila: Ele trouxe um aparelhinho de mão em que você armazena telefones, compromissos e até acessa a internet!
Silvana: Ah, um ...

3. A: Alô... alô...
B: Ai que droga! Esse celular está sempre desligando. Preciso comprar um novo...

4. A: Isso... um pouco mais pra trás... ótimo!
B: Deixa eu ver se ficou boa...
A: Nossa! Essa foto ficou muito legal! Adorei sua nova...

LIÇÕES A, B e C COMPREENSÃO AUDITIVA

1. Vanessa: Nossa. Que barulho é esse, Maria?
Maria: Não sei, dona Vanessa.
Vanessa: Olha isso. Está tudo solto aí dentro. Nada foi colocado direito. E ainda tem sabão saindo pelas laterais. Meu Deus do céu!
Maria: Mas eu sempre uso essa máquina e nunca deu problema.
Vanessa: Ela tem que ser desligada pra gente arrumar e nada ser quebrado.
Maria: Aperta esse botão aqui.
Vanessa: Ufa! Ainda bem. Vou ter que chamar a assistência técnica.
Maria: Mas ela é pequena. É mais fácil levar direto lá. Às vezes eles demoram pra vir.
Vanessa: Pode ser.

2. Júnior: Marcelo, preciso te mostrar uma coisa. Você vai achar o máximo.
Marcelo: O que é? Aquele filme que foi exibido nos cinemas ano passado?
Júnior: Não, não. Espera aí. Hmmm. Algo está errado, não está funcionando.
Marcelo: Mas, ele foi consertado no mês passado, não foi?
Júnior: Então, foi... Que pena. Muita música boa tem sido gravada nos últimos tempos. Eu queria te mostrar esse CD novo, mas meu aparelho de CD é temperamental. O leitor de laser deve estar com problema.
Marcelo: A gente pode ouvir no computador.
Júnior: Bem, meu computador está sendo consertado nesse minuto.
Marcelo: Mas que azar. Ah, deixa pra depois.
Júnior: Quando nós sairmos da academia, podemos passar na casa do Leandro e ouvir lá.
Marcelo: Beleza.

3. Nice: Credo. O que é isso? Que susto!
Rafael: Há há. Ficou com medo, Nice?
Nice: Claro. Pedrinhas de gelo sendo cuspidas na cabeça assustam qualquer um, né?
Rafael: Por que está acontecendo isso?
Nice: Acho que é porque as janelas estão abertas. Não pode ligar assim, ele fica sobrecarregado e começa a fabricar gelo.
Rafael: Mas, eu lembro que, pouco tempo atrás, quando eu entrei na sala ele estava sendo consertado. Será que não adiantou nada?
Nice: Não é isso. As pessoas não têm consciência e acabam danificando os aparelhos. Faz um favor para mim, Rafael. Quando você for almoçar, passe na manutenção e peça para o técnico passar aqui para ver isso.
Rafael: Claro. Passo sim.
Nice: Se você tiver tempo. Senão eu passo quando for embora.
Rafael: Não, não. Tudo bem. Passo lá agora mesmo.

UNIDADE 18

LIÇÃO C AMPLIAÇÃO DO VOCABULÁRIO

C.

1. A: Ah, não. Recebi uma multa de trânsito. Tenho que pagar R$ 85,13 por excesso de velocidade, você acredita? Eu nunca corro, você sabe!
B: Ah, claro... nunca...

2. Antônio: Gaspar? O motoboy esteve aqui. Recebemos os impostos.
Gaspar: E a gente vai ter dinheiro para pagar tudo?
Antônio: Espero que sim.

3. Rosa: Valentina, você já recebeu a restituição do imposto de renda do ano passado?
Valentina: Ainda não. Quem sabe no próximo lote.

4. Lurdes: Querido, você já declarou o imposto de renda deste ano?
Manuel: Ainda não. Acho que vou pedir para um contador nos ajudar. Estou muito ocupado.

LIÇÕES A, B e C COMPREENSÃO AUDITIVA

1. Lucas: Oi, Nelson. Cheguei.
Nelson: E aí, Lucas? Como foi a entrevista? Espero que tenha sido boa.
Lucas: Tomara que eu consiga esse emprego. O mercado de trabalho está difícil.
Nelson: É, mas seu curso na faculdade é um dos que mais cresce. Turismo está com tudo hoje em dia.
Lucas: Por isso mesmo. Tem muita gente fazendo turismo e hotelaria. Fica difícil a gente se destacar. Mas, sei lá. Esse emprego pode me abrir umas portas.
Nelson: O cargo é de que mesmo?
Lucas: Coordenador de atividades de lazer e entretenimento.
Nelson: Mas, é assim que começa. Duvido que eles não te promovam depois de um tempo. Você é bom pra caramba.
Lucas: É. Espero que reconheçam meu valor.

2. Hugo: Nossa! Que calor insuportável! Deve estar fazendo uns 35 graus.
   Gislaine: Eu estou derretendo. O que é isso, hein? Nossos verões não eram assim tão quentes.
   Espero que não seja o fim do mundo.
   Hugo: Nem brinca Gislaine. O pior é que essas ondas de calor têm a ver com o efeito estufa. É uma pena que as pessoas não se importem com o meio ambiente.
   Gislaine: E vai se preparando, Hugo, porque depois desse calor lá vem temporal. Estou torcendo para que não chova, mas...
   Hugo: Chover não é o problema. O problema é que quando chove muito tem enchentes por toda a cidade. Não acredito que em pleno século XXI a gente ainda tenha problemas com isso.
   Gislaine: Pelo menos aqui em casa não inunda.
   Hugo: Falando em chuva, olha ela aí. Melhor fecharmos as janelas.
   Gislaine: Vou correr e fechar as dos quartos. Fecha a daqui da sala?

3. Hamilton: Calcula daqui, calcula dali. Uffff.
   Alex: Seu Hamilton, tudo bem? Está ocupado?
   Hamilton: Não, Alex. Pode entrar. Só estou calculando umas multas que terei que pagar.
   Alex: Espero que não sejam muitas. Já basta ter que pagar as contas.
   Hamilton: É. São uns impostos aqui. Nessa troca de contador, alguns impostos atrasaram. Ainda estou vendo. Espero que eu não tenha muita multa para pagar. Mas, por que veio aqui? Está tudo certo?
   Alex: Está sim. Só queria uns conselhos. Vou fazer vestibular, mas estou indeciso e como o senhor tem bastante experiência e a cabeça aberta resolvi vir até aqui.
   Hamilton: Bem, talvez você deva fazer administração. É um campo em crescimento e você já aprendeu bastante trabalhando aqui comigo. Você leva jeito e tem muita força de vontade.
   Alex: Eu gosto bastante, mas meus amigos duvidam que eu passe em administração.
   Hamilton: E desde quando você dá ouvidos para os outros? Você sabe que é capaz, não sabe?
   Alex: Sei...
   Hamilton: Você gosta dessa área, não gosta?
   Alex: Adoro.
   Hamilton: Então não tem discussão. E depois me fala quanto é a taxa de inscrição no vestibular que eu pago pra você.
   Alex: Nossa, seu Hamilton. Muito obrigado mesmo, pelos conselhos e pela taxa. Amanhã eu passo aqui. Tchau.

UNIDADE 19

LIÇÕES A, B e C COMPREENSÃO AUDITIVA

1. Mirela: Ai, Antônio. Não sei se fiz bem.
   Antônio: O que foi?
   Mirela: Eu fui fazer minha inscrição no vestibular. Na hora fiquei na dúvida. Não sabia ainda se queria biologia ou jornalismo. Aí fiz "mamãe mandou bater" e escolhi biologia. Mas eu estou arrependida.
   Antônio: Ué? Mas você vai prestar vestibular em outras faculdades, não vai?
   Mirela: Vou.
   Antônio: Então, se eu fosse você me inscreveria em jornalismo em outra faculdade. Pode ser que você passe.
   Mirela: Verdade. Fiquei tão nervosa na hora que nem pensei nisso.
   Antônio: E eu que resolvi começar um negócio próprio. Acredita?
   Mirela: Nossa. Mas, tão novo? Duvido que você tenha tido essa ideia sozinho. Isso é coisa do seu pai.
   Antônio: Pior que é mesmo. Ou melhor. Gostei da ideia. Não quero fazer faculdade agora. Meu lance é outro.
   Mirela: Mas, seu pai teve que te convencer ou você aceitou de cara?
   Antônio: Nada. Bastou que ele me perguntasse se eu gostaria de abrir um negócio que eu já respondi sim. Ele vai me ajudar no começo, mas eu que tenho que levar o negócio para frente.
   Mirela: Se eu pudesse abrir meu próprio negócio, abriria um café. Daqueles pequenininhos e aconchegantes. Já sabe o que quer abrir?
   Antônio: Sei. Uma lan house.
   Mirela: Oba! Vou usar computador de graça lá. Há há há.
   Antônio: Assim meu negócio não vai pra frente. Há há há.

2. Luis: Caramba, Marcão, eu preciso conversar com alguém. Esses preparativos do casamento são muito estressantes. Bufê, igreja, festa, roupa, convites. Eu estou pirando.
   Marcão: Calma, Luis. É assim mesmo. O casamento é uma cerimônia muito importante para algumas pessoas e elas não querem que nada saia errado. Mas, se eu fosse casar, eu não faria uma cerimônia assim na igreja não. Nem festa em bufê.
   Luis: Faria o quê? Uma festa na praia e todo mundo de roupa de banho? Há há há.
   Marcão: Isso não né, mas eu criaria uma coisa menos tradicional. Sei lá. Talvez eu fizesse a cerimônia ao ar livre em uma chácara, com um altar todo feito de plantas. E nada desses bem-casados e lembrancinhas inúteis.
   Luis: Mas teria padre?
   Marcão: Não, só o juiz.
   Luis: Eu adoraria um casamento assim...
   Marcão: Mas, por que você não falou isso pra sua noiva? Agora vocês já pagaram a igreja, alugaram o bufê. Não dá mais para cancelar.
   Luis: Eu tinha medo que ela odiasse a ideia e ainda achasse que eu estava inventando algo diferente só para não casar.
   Marcão: Do jeito que você é apaixonado por ela? Você casaria até debaixo d'água.
   Luis: Casaria mesmo. A Lorena é uma mulher maravilhosa.

3. Daniele: Isaías, você não quer jogar baralho lá em casa este fim de semana?
Isaías: Pode ser. Vocês vão apostar alguma coisa? Estou meio quebrado.
Daniele: Com a minha avó lá não temos escolha. Ela adora apostar. Mas é coisa pouca. Alguns reaizinhos.
Isaías: Olha lá hein? Eu me lembro muito bem da sua avó falando que tinha apostado uma grana alta e perdido tudo.
Daniele: Coisa da cabeça dela. Eu duvido que ela tenha apostado muito. Primeiro porque ela não tem dinheiro e segundo porque ela adora contar uma lorota...
Isaías: Se minha avó fosse assim, eu não jogaria com dinheiro. Eu apostaria outra coisa. Isso é perigoso. Tem gente que vicia.
Daniele: Não tem perigo não. Ela joga muito pouco e só com a gente lá em casa e uns outros parentes. É só para se divertir.
Isaías: É eu lembro quando conheci sua avó. Foi engraçado. Eu pensava que ela fosse uma velhinha recatada e quietinha. Que susto que eu levei. Há há. No bom sentido, né?
Daniele: É verdade. Ela tem muita energia e alegria de viver. Se eu tivesse metade da energia dela, eu realizaria vários sonhos.
Isaías: Não realiza porque não quer. Siga o exemplo da sua avó.
Daniele: É, eu vou pensar mais nisso. Acho que estou precisando de uma mudança no trabalho.
Isaías: Se precisar de alguma coisa, pode me ligar.
Daniele: Obrigada.

UNIDADE 20

LIÇÕES A, B e C COMPREENSÃO AUDITIVA

Repórter: Bom dia. Estamos aqui ao vivo, no meio da Avenida Paulista, para descobrir como as pessoas avaliam este ano que está acabando. Essa senhora aqui. Com licença, como a senhora avalia este ano que está terminando? A senhora tem algum arrependimento pessoal ou algum conselho que queira dar à população?
Senhora: Olha, eu acho que se eu tivesse economizado um pouco mais, teria conseguido reformar minha casa. Mas, eu e meu marido acabamos gastando com eletrodomésticos, computador pras crianças, essas coisas.
Repórter: E teria feito algo diferente além de economizar mais?
Senhora: Teria sim. Teria caminhado mais e economizado nas calorias. Esse ano ganhei dez quilos. Há há há.
Repórter: Boa sorte então no ano que vem. Vamos entrevistar agora esse moço que está esperando o ônibus. Oi. Você pode falar um pouco com a gente?
Moço: Claro.
Repórter: Estamos ao vivo e queremos saber qual o balanço que você faz deste ano.
Moço: Iiiii. Não foi um ano muito bom pra mim, não. A situação está difícil.
Repórter: Você é daqueles que se culpa pelo que não conseguiu realizar ou a culpa é do governo?
Moço: Na verdade dos dois, mas se eu culpasse o governo por tudo, eu não teria conseguido nada. Pelo menos eu estou trabalhando, né? Não na área que eu gostaria, mas já ajuda.
Repórter: Espero que consiga o emprego que deseja neste novo ano que se inicia.
Moço: Muito obrigado.
Repórter: Vamos entrevistar mais uma pessoa. Este homem aqui. Com licença, poderia nos dar uma entrevista?
Homem: É rápido?
Repórter: É. Queremos saber como o senhor avalia o ano que acaba. Conseguiu realizar tudo o que tinha planejado?
Homem: Claro.
Repórter: Ah... Pode nos dar um exemplo?
Homem: Tinha planejado aumentar o número de clientes e consegui.
Repórter: Teria feito algo diferente?
Homem: Não. Se eu tivesse feito algo diferente, eu não teria alcançado meu objetivo.
Repórter: Gostaria de dar algum conselho para as pessoas que não conseguiram realizar o que almejavam?
Homem: Se eu soubesse o que as pessoas devem fazer, não diria. Cada um tem que se virar. Ninguém me ajudou a chegar aonde cheguei.
Repórter: Ok. Obrigado. O senhor é simpatissíssimo. Boa sorte no ano que vem.

Sobre as autoras

GLAUCIA ROBERTA ROCHA FERNANDES

é formada em Letras Português/Inglês pela USP. Ministrou cursos de extensão em língua inglesa para alunos e professores de idiomas na USP e coordenou os cursos de extensão da Faculdade de Letras de 1998 a 2010. Possui vasta experiência em ensino de idiomas iniciado na Concordia University de Chicago – EUA, onde cursou graduação em Educação e trabalhou como coordenadora de atividades pedagógicas e eventos sociais no ELS Language Centers, curso especializado em ensino de língua estrangeira para todas as nacionalidades. É licenciada em Português/Inglês pela USP, onde também obteve bacharelado em Russo e participou de cursos de atualização em tradução. É também coautora do livro *Fale Tudo em Russo* (Disal Editora). É proprietária da GRF Assessoria Linguística.

TELMA DE LURDES SÃO BENTO FERREIRA

é mestre em Linguística Aplicada e Estudos da Linguagem pela Pontifícia Universidade Católica de São Paulo e especialista em Tradução Inglês/Português pela Universidade de São Paulo. Atua no ensino de idiomas e tradução há quinze anos e é uma das sócias da Lexikos Assessoria Linguística. É coorganizadora do livro *Tecnologias e mídias no ensino de inglês. O corpus nas "receitas"* (2012, editora Macmillan) e coeditora do livro *Working with Portuguese Corpora* (no prelo, editora Bloomsbury Continuum). Faz parte do Grupo de Estudos de Linguística de Corpus (GELC PUC/SP). Suas principais áreas de interesse são: Linguística de Corpus, ensino de português como língua estrangeira, Lexicografia, ensino de língua inglesa e formação de professores de línguas.

VERA LÚCIA RAMOS

faz doutorado pela Universidade de São Paulo em Estudos da Tradução. Em sua carreira acadêmica, com todos os títulos pela USP, fez mestrado em Estudos Linguísticos e Literários em Inglês, especialização em Tradução: Inglês/ Português, e graduação e licenciatura em Letras. Atua na área de tradução há mais de dez anos e na área de ensino de língua inglesa e portuguesa para estrangeiros há mais de quinze anos. Participou de algumas bancas de correções de redação, exerce as atividades de professora de inglês e de português para estrangeiros, assim como de tradutora. Atualmente trabalha como professora universitária, dando aulas de inglês e de tradução no curso de tradutor e intérprete e desenvolvendo material em EAD.

Este livro foi composto nas fontes Le Monde Livre e Parisine
e impresso em junho de 2014 pela Gráfica Vida e Consciência,
sobre papel offset 90g/m².